D1535330

АДВОКАТ МАФИИ

АДВОКАТ МАФИИ

Валерий Карышев

Бандитские ЖЕНЫ

Москва, «ЭКСМО», 2005

УДК 82-3
ББК 84(2Рос-Рус)6-4
К 21

Оформление художника *С. Ляха*

К 21   **Карышев В. М.**
         Бандитские жены. — М.: Изд-во Эксмо, 2005. — 384 с.

ISBN 5-699-10062-8

Они всегда идут по лезвию. Постоянный спутник вора в законе, бандита, киллера — смертельный риск. Но пока они выполняют свои «профессиональные обязанности», дома их поджидают «спутницы жизни», женщины, чьи судьбы порой головокружительны и причудливы не менее, чем судьбы их избранников.

Девушка из благополучной семьи Кристина стала женой крупного уголовного авторитета. Любовь толкает ее на преступление ради любимого. Свою юную жизнь разделила с суперкиллером Александром Солоником и известная московская фотомодель. Об этих и других «женских историях» и рассказывает книга известного адвоката Валерия Карышева.

УДК 82-3
ББК 84(2Рос-Рус)6-4

АДВОКАТ МАФИИ

ВМЕСТО ПРЕДИСЛОВИЯ

— Тебя к телефону какая-то женщина, — сказала мне как-то жена.

После моего недолгого разговора с клиенткой она вновь спросила с удивлением:

— Давно хочу выяснить, почему по работе тебе звонят в основном одни женщины?

— Потому что их мужчины и мужья сидят в тюрьме! — коротко ответил я. В действительности, как практикующий адвокат, в этом смысле я не одинок, многие мои коллеги-адвокаты осуществляют деловые контакты главным образом с женами своих клиентов.

Однако не все эти женщины — подруги, невесты, супруги — подпадают под категорию «бандитских жен».

За многие годы адвокатской практики я действительно часто встречался с женами и подругами своих клиентов, обвиняемых в совершении ряда преступлений, в том числе и по «бандитским статьям».

Они делились со мной многими своими тайнами, я пытался понять их, но это сделать невозможно, потому что трудно понять противоречивый мир женщины, тем более женщины, загнанной в экстремальную ситуацию.

В общем, я пытался нарисовать обобщенный психологический портрет женщины в интриге криминальных событий, когда муж сидит в сизо. Как она его ждет, как борется за его свободу, как в его отсутствие проводит свой досуг. Живые примеры их фанатичной преданности и коварной измены — все эти истории не выдуманы, это реальная их жизнь.

Кристина еще два года назад не могла предполагать, что она, девушка из строгой и правильной семьи, изменит свою жизнь и выйдет замуж за крутого уголовного авторитета и сама сядет в сизо, чтобы спасти его от уголовного преследования.

У Маши было все: деньги, бриллианты, любящий муж — «новый русский». Но пришел из заключения его друг — и все изменилось.

Он сидел в ИВС на Петровке, его обвиняли по двум заказным убийствам — одного авторитета и известного тележурналиста, а на воле его ждали жена и любовница. С кем он будет?

Она имела нормальную семью — мужа, ребенка — и работала на вещевом рынке, но однажды ее пригласили в «бандитскую комнату» на разговор... и жизнь ее изменилась.

Суперкиллера Солоника, вероятно, знают все, но кто были его женщины? От тюремной зэчки до фотомодели — список длиной в последние два года.

Ее муж не был бандитом. Совсем напротив — он работал в престижном банке. Только деньги в этом банке крутились «общаковские», а это смертельно опасно!

Она была простой стриптизершей в ночном клубе. Однажды она спрятала Его в своей гримерной от облавы ОМОНа. С этой минуты у них началась романтическая история, достойная пера великого мастера — с крутыми бандитскими разборками.

Вор в законе Георгий имел в родном городе в Грузии жену и детей, но в Москве у него была «гражданская жена» Майя, любившая его беззаветно. Когда Георгий был арестован по ложному обвинению в насильственном удержании с целью получения выкупа, именно «гражданская жена», а не семья Георгия, самоотверженно боролась за его освобождение. Любовь преодолела все преграды и победила...

Все мои героини люди разные, но в чем-то они и

похожи — все сами способны на смелые и подчас опасные поступки в реальных обстоятельствах.

Между тем, чтобы не возбуждать аппетиты следствия, а также в целях безопасности моих героинь, имена их изменены, однако все эпизоды носят вполне достоверный характер.

Что касается моих собственных характеристик и оценок, даваемых «бандитским женам», то все они, естественно, сугубо субъективны, так что многие из тех, кто прочтет книгу, могут не согласиться со мной. Это — право каждого из нас.

АДВОКАТ МАФИИ

В ПОСТЕЛИ С АВТОРИТЕТОМ

Дело о бандитизме и оружии, 1998 год

В юридическую консультацию, где был мой кабинет, я подъехал около полудня. День предстоял вполне обычный, как и многие другие, характерные для адвокатской практики — встреча с клиентом, поездка в суд для ознакомления с делом, — привычная текучка. Однако все планы нарушил неожиданный телефонный звонок...

— Вас, — протянула мне трубку Юля, наш секретарь.

Я нехотя встал из-за стола и направился к городскому телефону, находившемуся в приемной. Взяв трубку, я услышал знакомый голос. Звонил Эдик.

— Что случилось, Эдик? — спросил я.

— Случилось, — неопределенно ответил он.

Я знал, что если человек обращается к адвокату, то это происходит лишь тогда, когда что-то случается — либо кого-то арестовали, либо еще какое-либо непредвиденное происшествие. Ведь к адвокату, как и к врачу, обращаются в крайнем случае и только с бедой, с тревогой...

— Вы можете меня принять? — спросил Эдик.

— Приезжай, — коротко ответил я.

Минут через сорок Эдик приехал. В недалеком прошлом он был моим клиентом. Полгода назад Эдик ехал на своем «БМВ» с приятелем Николаем. Тогда их якобы случайно задержал наряд милиции. Стали проверять документы, досматривать машину. Неожиданно достали откуда-то сверток, в котором оказываются два пистолета. Эдика с Николаем задержали, стали обвинять в незаконном хранении оружия. Тогда я вступил в дело в качестве адвоката обвиняемых.

Помню, около двух месяцев я бился за освобождение Эдика и Николая. Несмотря на то что у меня были веские аргументы, говорившие об их непричастности к хранению оружия, которое скорее всего подбросили им сотрудники милиции, следователь и сыщики, осуществлявшие так называемую оперативную поддержку данного дела, оказывали большое сопротивление. В конце концов, когда была уже подписана санкция об освобождении, оперативники вызвали меня в коридор и напрямую спросили:

— Что же вы делаете?

— Я выполняю свой долг.

— Вы же выпускаете на свободу бандитов!

— Какие же они бандиты? Для меня они — клиенты.

— А для нас — бандиты. Вы знаете, какой у них послужной список? — неожиданно спросил меня один из оперативников.

— Позвольте, — остановил его я, — но ведь они еще не были осуждены. Значит, невиновны. Только суд может определить, что человек виновен, да и то на основании приговора.

Оперативник молча покачал головой.

— Ну-ну, — неопределенно буркнул он.

Немного помолчав, они вернулись в кабинет следователя.

Позже до меня доходили слухи о причастности Эдика к какой-то преступной группировке и о ряде убийств, прокатившихся по Москве, которые инкриминировались именно этой группировке. Но все это не было доказано, оставаясь не более чем слухами.

Эдик был молодым мужчиной, лет тридцати, небольшого роста — около 165 сантиметров, с темными короткими волосами. Достаточно длинный нос, немного оттопыренные уши слегка портили его внешность, но голубые глаза, со скрытой в глубине усмешкой, делали его симпатичным.

Он вошел, улыбаясь. Мы поздоровались.

— Где будем разговаривать? — взглянул на него я.

— Ой, а можно на улице? — неожиданно попросил Эдик, озираясь по сторонам.

— А что, в кабинете говорить боишься?

— А вдруг у вас там прослушивается...

— Скажи, пожалуйста, какие тайны Мадридского двора! — пошутил я.

— Если вам не трудно... — Эдик кивнул на дверь.

— Ладно, пойдем на улицу.

Мы вышли из юридической консультации, прошли немного вперед.

— Что с тобой случилось? — обратился я к Эдику.

— Со мной — ничего. Слава Богу, жив-здоров и не прохожу ни по одному уголовному делу.

— Что же тогда привело тебя ко мне? Все-таки что-то случилось?

— Да, с моим близким другом. Даже, лучше сказать, не с ним, а с его женой.

— Рассказывай. Нужна помощь?

— Да. Она задержана.

— По какой статье?

— Хранение оружия.

— Ого! — негромко присвистнул я. — Женщина, да еще с оружием — что ж за дамочка такая лихая?

— Ладно, — махнул рукой Эдик, — вам можно доверять. В общем, мой старший, Игорь, жил со своей женой Кристиной неподалеку от меня... Ну, вы знаете где.

— Да откуда мне знать, где ты живешь!

— Ну, в Строгино. Короче, — сбивчиво продолжил свой рассказ Эдик, — был обыск на квартире. Находят волыну... Ствол, — тут же поправился он. — Игорь, знаете, на него это... опера большие виды имеют. Короче, пришли они его «принимать». То ли хотели подбросить ствол, то ли что-то еще, а тут такая удача! Казалось бы,

Игоря должны были «принять» и увести. Неожиданно его жена, Кристина, — ей всего-то двадцать два года, — уточнил Эдик, — берет ствол на себя.

— И дальше что?

— «Принимают» Кристину. Опера не верят ей, конечно, говорят, мол, ты нас обманываешь, не твой это ствол. А она свое: оружие мое и ни с места. Игоря, в общем, выпускают... А ее — сейчас она в следственном изоляторе...

— Погоди, а когда это случилось? — перебил я.

— Больше недели назад.

— Что же вы раньше меня не нашли?

— Знаете, — опустил глаза Эдик, — мы вас искали. Но, говорят, вы в отъезде были...

— Да, действительно, в Москве меня не было. В командировку ездил. Ладно, а дело-то кто ведет?

— Вот, — Эдик достал из бокового кармана листок бумаги с телефоном и фамилией следователя. — Вот кто дело ведет. Но там не они музыку крутят.

— А кто же?

— Опера. Те, которые тогда еще нас с Колькой «принимали». Что-то они на хвост нам наступили. Да, еще, — добавил Эдик, — Игорь очень просил, чтобы вы помогли вытащить ее. Ведь она, по существу, все на себя взяла.

— Конечно, помогу. Погоди, — остановился я. — Она же по признанию идет!

— Да, она призналась. Но вы ж знаете, может и отказаться...

— Это-то она может, конечно, но теперь надо аргументированно построить свою позицию, чтоб поверили, что она вынуждена была сначала признаться, а потом отказалась.

— Ну, здесь вы мэтр, — развел руками Эдик.

— Ладно, разберемся. Постой, нужно же документы оформить. А на кого будем их оформлять? Кто меня приглашает в это дело? Ты, что ли?

— Нет, не надо, чтобы я! — замотал головой Эдик. —

Пусть лучше моя жена. Тем более они друг с дружкой знакомы.

— И что, теперь жену твою ждать будем?

— Но ведь у вас, наверное, нет такого бюрократизма, как у них! — сказал Эдик, намекая на оперативников.

— Это конечно, — подтвердил я. — Главное — клиент вносит в кассу деньги, а там уж дело техники. В конце концов, мы же не интересуемся паспортными данными и биографией клиента, как в органах. Мы обязаны принимать на защиту всех.

Оформление ордера на ведение дела заняло не более десяти минут. Мы заполнили карточки, Эдик расписался за свою жену, и я уже хотел было ехать к следователю. Но Эдик наклонился ко мне и тихо сказал:

— Еще вот что. Она у нас не при делах...

— В каком смысле?

— Ну, она не все знает о том, чем Игорь занимается... Конечно, о чем-то, может, и догадывается... Вообще, она из правильной семьи.

— Что это значит?

— Он специально взял ее из своего города, она очень скромная, из порядочной семьи. Понимаете, когда вы будете с ней говорить, вы это... постарайтесь как-то успокоить ее, обнадежить, потому что она там впервые.

— Об этом я и сам уже догадался.

— А вы можете сегодня ее увидеть?

— Для чего же я тогда ехать собираюсь? — Я убрал в боковой карман ордер и другие нужные документы. — Сегодня же хочу получить разрешение у следователя и увидеть ее. Где она находится?

— Этого я не знаю, — ответил Эдик. — Вам все следователь скажет. Да, а какой номер вашего мобильного? Я звонил вам, дозвониться не мог. Вы поменяли номер?

— Профессия у нас с тобой такая, — улыбнулся я, — время от времени приходится менять номера телефонов.

Здесь я не лукавил. Действительно, хотя и существует закон, охраняющий тайну переписки, телеграфных сообщений и телефонных переговоров, оперативникам это не мешает в обход закона подслушивать телефоны, и не только той клиентуры, с которой они напрямую работают, — бандитов и прочих преступников, — но и адвокатов, кто их защищает, охраняет их права. Не раз я видел в уголовных делах распечатки моих телефонных разговоров. Поэтому время от времени и приходилось менять номера...

Вообще, мобильный телефон для адвоката — вещь очень удобная. Во-первых, постоянная оперативная связь, во-вторых, у мобильного телефона множество преимуществ. Не хочешь, чтобы клиент тебе звонил, — отключаешь телефон. На другом конце звонящий слышит: «Абонент недоступен, пожалуйста, перезвоните позже». А то бывают иногда такие настырные клиенты, которые начинают постоянно звонить, «доставать», говорить — мне, мол, такая мысль пришла, давайте подумаем, давайте встретимся... И перебирает пятьсот вариантов своего дела. Это все равно что обсуждать с врачом методы лечения — можно придумать их не один десяток, как преодолеть болезнь. В этих случаях мобильный телефон весьма удобен.

— Номер мобильного? — переспросил я. — Давай, записывай. А для чего тебе?

— Во-первых, связь иметь, — ответил Эдик, — а во-вторых, Игорь очень хотел вам позвонить...

— А где он сейчас?

Эдик вновь осмотрелся по сторонам, проверяя, не подслушивают ли нас.

— Пока еще здесь, но скоро уедет туда, — Эдик кивнул в сторону, имея в виду заграницу. — Очень волнуется за свою жену. Он вам обязательно позвонит.

— Хорошо. Но пусть звонит ближе к вечеру. Пока попаду, пока встречусь, то да се...

— Конечно, конечно, — согласно закивал головой Эдик.

Вскоре мы расстались, договорившись, что созвонимся вечером. Эдик передал мне небольшую записку, нечто вроде пароля, чтоб знали, что я пришел от них, а не со стороны милиции. Я отправился к следователю.

Дорога до районного отделения милиции, где находился следственный отдел, ведущий дело Кристины, заняла не более пятнадцати минут. Отделение находилось на первом этаже обычного жилого пятиэтажного дома.

Я пошел по коридору, пройдя дежурную часть, и поднялся на второй этаж, где обычно сидят следователи и оперативники. Там я начал искать дверь с фамилией нужного мне человека.

Следователь оказался мужчиной лет тридцати пяти, высокого роста, с кудрявыми волосами и темными усами. Встретил он меня достаточно приветливо, поинтересовался, бывал ли я раньше в их отделении милиции.

— Нет, — ответил я. — Бывал во многих, но в вашем я впервые.

— Вот видите, — улыбнулся следователь, — значит, теперь вместе работать будем. Вы будете ее постоянным адвокатом или так, на время?

— Скорее всего постоянным.

— Кстати, интересно, кто нанял вас в дело?

— Во-первых, — поправил я его, — нас не нанимают, а приглашают. Нанимают только лошадей на ипподроме.

— Так кто все-таки?

Теперь я понял, почему был задан вопрос, постоянно ли я буду адвокатом у Кристины или временно. Его это не интересовало. Ему просто нужно было перейти к вопросу, кто меня пригласил. Значит, интересуется мужем...

— Да подруга ее пригласила. В ордере ведь написано.

— А что, с мужем не встречались? — неожиданно спросил следователь.

«Ну конечно, так я тебе и скажу, встречался я с ним или нет!»

— А разве у нее есть муж? — сделал я удивленное лицо.

Он улыбнулся.

— Будто вы не знаете!

— Нет, первый раз от вас слышу.

— Тогда я должен вам откровенно сказать — нас очень интересует ее муж, Игорь. Больше того, мы готовы ее выпустить, если он явится и только переговорит с нами. Необходимо его допросить.

— Для чего вы говорите мне это? — поинтересовался я.

— Мало ли, вдруг он выйдет с вами на связь. Сообщите ему об этом, и мы тут же выпустим его жену. Ее версия, будто пистолет принадлежит ей, не вызывает у нас доверия.

— Кстати, раз уж мы заговорили о версии, — сказал я, — давайте посмотрим, что она написала в своих объяснениях.

— Да какие объяснения! — махнул рукой следователь. — Так, первый допрос только был, по горячим следам, в квартире... Пожалуйста, смотрите, — и протянул мне протокол допроса.

Я прочитал записи. Картина была стандартной. Обычно так говорили все: приобрела пистолет у станции метро у неустановленного человека, в целях самообороны. Все очень лаконично.

«Прекрасно, — подумал я. — Значит, есть лазейка. Можно указать, что хотела приобрести газовый пистолет и не знала, что купленный — настоящий. Так мы построим защиту!»

— Экспертиза была?

— Экспертиза? Да что вы! Только материал отправили.

Я знал, что на каждый ствол необходимо проводить баллистическую экспертизу. А такая экспертиза у нас в Москве делается достаточно долго. Срок — от десяти до тридцати, а то и до сорока дней. В специальную лабораторию баллистической экспертизы на Петровке стоят большие очереди. Тут и экстремальные случаи, когда пробиваются срочные дела, требующие незамедлительной экспертизы, поэтому я прикинул, что результаты будут не раньше чем через месяц.

Следователь будто угадал мои мысли.

— Не думайте, что результаты экспертизы будут так быстро, — сказал он. — Через месяц-полтора только...

— Хорошо, давайте разрешение на встречу.

— Нет проблем! — ответил следователь. Он сел к компьютеру и тут же стал набирать стандартное разрешение на встречу: «Разрешаю такому-то адвокату без ограничения во времени встречаться с подзащитной такой-то в стенах...»

— В стенах следственного изолятора номер шесть, — вслух произнес следователь.

— А что так? Я думал, что она пока еще в изоляторе временного содержания. А вы ее сразу в сизо направили...

— Так ведь уже неделя прошла. Мы вас давно ждали. Точнее, не конкретно вас, — адвоката. Мы не знали, что будете именно вы... Прокурор подписал санкцию на ее арест, поэтому она и находится в следственном изоляторе.

Я знал, что следственный изолятор номер шесть — это специальный женский изолятор, построенный три-четыре года назад.

Вскоре я уже выходил из кабинета следователя, держа в руках разрешение на встречу с клиенткой. Пройдя несколько шагов, вдруг услышал позади незнакомый голос:

— Можно вас на минуточку?

Я обернулся. Ко мне спешили двое в гражданском, один из которых был без пиджака, поверх его синей рубашки красовалась... кожаная «сбруя» со стандартным табельным оружием — пистолетом «макаров».

— Мы хотели бы поговорить с вами. Вы адвокат такой-то? — уточнили они.

— Да, — кивнул я. — Слушаю вас.

— Пройдемте к нам, — предложили они.

Мы направились в обратную сторону и вошли в дверь

с табличкой «Оперативники». «Все ясно, — подумал я, — опера хотят снять с меня какую-то информацию».

Мы молча вошли в кабинет.

— Садитесь, — предложили оперативники. — Мы — оперативные работники, ведущие это дело. Вы раньше знали свою подзащитную?

— Ее — нет.

— А ее мужа?

— Мужа тоже не знал.

Весь наш дальнейший разговор крутился вокруг мужа Кристины. Я узнал, что ее муж Игорь представлялся оперативникам лидером одной из самых кровавых группировок, точнее, бригады киллеров, действующей в последнее время в столице. На нем, как сказали они, несколько трупов, и он, соответственно, проходит по нескольким заказным убийствам.

— Понимаете, — обратился ко мне оперативник, — мы не будем скрывать, для нас большой интерес представляет именно он. Ему повезло — жена оказалась порядочной, взяла ствол на себя.

Я молчал.

— Так бы он у нас давно сидел, — продолжил оперативник.

— Раз вы так хорошо знаете, — вставил я, — что он представляет, почему же отпустили его?

— Да, тут мы лоханулись, — вставил второй опер, — растерялись. Не ожидали, что жена возьмет на себя ствол... Вот и пришлось его отпустить. А он сразу раз — и упорхнул. Теперь ищи ветра в поле! Но мы все равно его поймаем. У нас есть козырь — его собственная жена. Мы и не скрываем этого. Так что, если у вас будет возможность переговорить с ним, передайте ему, пусть явится на беседу — жену тут же выпустим.

— Конечно, передам, — сказал я, — если он мне позвонит.

— Вы сейчас в изолятор поедете?

— Да, если вы не против...

— Нет, мы не против. Это ваша работа.

Вскоре мы простились.

Я вышел из отделения милиции, сел в машину и направился в сторону изолятора. По дороге я думал о том, что, когда у двоих находят оружие и один из них «грузится», то есть признается, что оно принадлежит ему, для всех профессионалов и для меня также подобная ситуация не нова. Но тут — случай неординарный: муж — профессионал в своем деле, а жена, со слов Эдика, не у дел, совершенно не разбирающаяся в тонкостях его профессии женщина, вдруг ни с того ни с сего берет пистолет на себя. Очень интересная картина получается! Что же за человек она, Кристина?

Следственный изолятор номер шесть, так называемая женская тюрьма, находился в Текстильщиках. Раньше я там никогда не бывал. Адрес его — Шоссейная улица, дом 92, недалеко от метро «Текстильщики».

Вскоре я свернул на неширокую улицу. Это и была Шоссейная. Теперь оставалось найти дом 92. По всей длине улицы тянулись высокие заборы. Когда-то это была промышленная зона. Промелькнула небольшая церквушка. Может быть, где-то здесь?

Я знал, что изолятор построен недавно. Доехал до церкви и действительно увидел там необычный тюремный комплекс. Он представлял собой достаточно большой квадрат, огороженный металлической оградой. Само здание следственного изолятора было из белого кирпича, по краям здания стояли круглые башенки, напоминающие шахматные ладьи, с небольшими оконцами-прорезями. Само здание прямоугольной формы, шестиэтажное, причем окна длинные, узкие и, казалось, служили лишь для того, чтобы разделять широкие бетонные плиты. Наверху находилось несколько мощных прожекторов. Забор был поверху оплетен несколькими рядами колючей проволоки. Сбоку — несколько вышек с часовыми-охранниками.

Подъехав к воротам, я увидел традиционную надпись: «ГУВД. Следственный изолятор № 6». Тяжелые ворота из черного металла, высотой около шести метров, слева — служебный вход. Я нажал на кнопку. Щелкнул замок зуммера. Дверь открылась.

Проходная была обычной — стеклянная будка, в ней — контролер. Я протянул ему удостоверение адвоката и разрешение следователя. Солдат молча взял мои документы, внимательно посмотрел на фотографию, проверил дату выдачи пропуска и так же молча протянул мне все обратно, нажав на кнопку, махнул мне рукой, показывая, что я могу пройти во внутренние помещения тюрьмы.

Я очутился в просторной комнате, напоминающей картотеку. Подойдя к окошку, протянул свое удостоверение и разрешение на встречу с клиентом. Женщина, сидящая в картотеке, взяла документы, сразу взглянула на фотографию, сличив ее с моим лицом, развернула направление и пододвинула ящик с карточками. Картотечный ящик был деревянным, в нем лежали многочисленные карточки заключенных, напоминающие обыкновенные почтовые открытки.

«Да, — мелькнула мысль, — я-то думал, здесь компьютер стоит. Нажмешь на кнопочку — тебе сразу все о заключенном. А тут — все по-старому: картотека, бумаги...»

Быстро отыскав нужную фамилию, женщина вытащила листок, вписала туда мои данные. Потом протянула мне листок с требованием.

— Заполните, пожалуйста.

Я заполнил стандартное требование: вызывается для беседы такая-то по разрешению следователя, выданному тем-то и тогда-то, и так далее. Протянул листок обратно. Женщина записала на нем номер камеры — 138 и вернула мне.

— Знаете, куда идти? — спросила она.

— Нет.

— Прямо по коридору, на второй этаж. Там следственные кабинеты.

Я взял документ и поднялся на второй этаж. Посредине стояла будка контролера. Женщина-контролер, в форме прапорщика внутренних войск, молча взяла из моих рук документы, выдала жетон:

— Идите в кабинет 41. Скоро ее приведут.

Я пошел по коридору отыскивать нужный кабинет. «Так же, как в Бутырке», — подумал я. Я знал, что до недавнего времени, еще три года назад, пока не была построена женская тюрьма, женщин содержали в следственном изоляторе номер два, в так называемой Бутырке, в женском отсеке, далеко не в хороших условиях. Лет пять назад камеры, как и мужские, были переполнены. В камере, рассчитанной на тридцать человек, находилось по 90. Когда открывали шестой изолятор и показывали по телевидению репортажи, в них хвастались, что это более современная тюрьма, приближенная к международным стандартам.

«Вот сейчас и увидим, насколько они приблизились к международным стандартам», — подумалось мне.

Вошел в кабинет, сел за стол, вокруг которого находились скамейки, намертво привинченные к полу металлическими скобами. Встал, подошел к окну. Окно было очень узеньким. Стены, в отличие от «Матроски» и Бутырки, были выкрашены не в темно-синий мрачный цвет, а в бежевый. «Почти как евростандарт», — ухмыльнувшись, подумал я.

Всегда, когда ждешь клиента, мысленно представляешь, какой человек появится перед тобой. Однако мои мысли не успели зайти далеко. Дверь открылась, и в кабинет вошла стройная девушка небольшого роста, в спортивном костюме. Она протянула мне листок вызова. Я указал ей на скамейку. Судя по всему, она подумала, что перед ней следователь или оперативник, а не адвокат.

Я посмотрел на нее внимательно. Кристина была лет двадцати—двадцати двух, невысокая, с короткими темными волосами, большими голубыми глазами и длинными ресницами. Лицо очень симпатичное, можно сказать, красивое. Сидела спокойно на уголке скамейки, положив руки на колени, молча, дожидаясь моих вопросов.

— Ну что, Кристина, давай знакомиться, — предложил я, сразу перейдя на «ты». — Я твой адвокат, — и назвал себя.

Кристина продолжала сидеть неподвижно, только кивнула головой. Я почувствовал, что она не верит мне. Вероятно, наслушалась рассказов мужа о тюрьмах, о возможных провокациях. Тогда я вспомнил о записке Эдика, молча полез в карман, достал листок бумаги и, зажав его в кулаке, посмотрел на потолок и на стены, отыскивая аппаратуру, установленную в следственном кабинете. Не увидев ничего подозрительного, я медленно протянул ей листок, показав на него глазами: это, мол, для тебя.

Кристина осторожно взяла листок, развернула, прочла записку. Я всматривался в ее лицо. Сначала она читала очень сосредоточенно. Наконец стало заметно, как расслабилось ее лицо. Она улыбнулась.

— Здравствуйте. А я вас знаю.

— Откуда? — удивился я.

— Мне муж про вас рассказывал, и Эдик тоже.

— Надеюсь, только хорошее? — пошутил я.

Она улыбнулась и кивнула головой.

— Ну как ты тут сидишь?

— Ничего, — сказала она. — Вначале было тяжело, конечно, непривычно.

— А в камере много народу? — задал я обычный вопрос.

— Нет, камера нормальная, тридцать человек.

— А коек сколько?

— Столько же, перебора нет. В принципе, камеры тут все такие.

— А контингент?

— Контингент? — задумчиво переспросила Кристина. — Пестрый.

— Пестрый?

— Да. Всякие есть. Но ничего, более-менее... Хорошего, конечно, мало.

— А условия какие?

— Те, кто часто бывает в этих местах, говорят, — медленно подбирала слова Кристина, — что по сравнению с Бутыркой — небо и земля. Условия отличные. Но для меня и эти условия ужасные. Холодная вода — представляете, что это значит для женщины?

Я, конечно, не представлял, что это значит для женщины, но можно было догадаться...

— А с точки зрения... — я стал намекать на разборки, лесбиянство и прочее.

— Нет, — покачала головой Кристина, — в этом плане тут все очень строго. Есть свои, кто следит за порядком.

— Короче, тебя никто тут не обижает?

— Я стараюсь держаться особняком. А как на воле? — сменила она тему разговора.

— На воле? Там хорошо. — Тут же из левого кармана я достал подарок для нее. Это был стандартный набор, который я приносил заключенным, — пачка сигарет, маленький пакетик сока и шоколадка. Положил все это на край стола.

Кристина бросила взгляд на подарок и тут же отвела его в сторону. «Скромно держится! — подумал я. — Даже не притронулась!»

— На воле хорошо, — повторил я. — Лучше, чем тут...

— Ничего, я понемногу привыкаю. Что следователь говорит?

— Говорит, что нужно ждать результатов экспертизы.

— Как долго?

Далее мы говорили с ней о деле. Я высказал свои соображения о том, что необходимо дождаться результатов экспертизы, сказал ей о возможности перечеркнуть данные первоначальных показаний, уточнив, что пистолет она приобретала как газовый. Кристина слушала меня очень внимательно.

— А от него никаких весточек не имеете? — неожиданно спросила она, имея в виду Игоря, своего мужа.

— Нет пока, но сегодня он, может быть, позвонит мне...

— А вы можете потом прийти ко мне и передать, что он сказал?

— Конечно. Я постараюсь прийти послезавтра, а может, даже и завтра.

— Это было бы здорово! — обрадовалась Кристина. После этого она осторожно дотронулась до шоколадки. — Можно? — спросила она.

— Конечно, я же для тебя принес!

Она молча взяла шоколадку и спрятала ее в потайной карманчик. Сок выпила тут же.

— А почему не ешь шоколад?

— Нет, я в камеру ее возьму, с чаем пропустим с девчонками...

«Да, действительно, она держится на удивление скромно», — подумал я.

— А сигареты?

— Я не курю. Но если будет возможность пронести в камеру, я с удовольствием их возьму — девчонок побалую.

Она взяла пачку.

— Да, у меня к вам еще одна просьба... Если будет возможность, может, принесете мне кофе? И что-нибудь из книжек почитать.

— Какие? Про любовь? — с иронией спросил я.

— Нет, что-нибудь серьезное, типа Шелдона...

— Я постараюсь.

— Да, еще что... Если вам нетрудно будет... Может быть, через Эдика... Вы кое-что из вещей можете мне принести?

— Я попробую.

— У Эдика есть ключ от нашей квартиры. Если будет возможность, то вот... — Кристина взяла листок бумаги и быстро стала составлять список нужных ей вещей. — Вот, передайте, пожалуйста, Эдику. Если можно, только сами не читайте...

— Нет, что ты!

«Смущается, наверное, что-то из белья просит, — подумал я. — Эдика не стесняется, а меня... Странная психология у женщин!»

Вскоре мы расстались. Кристину увела контролерша, я покинул стены следственного изолятора.

Выйдя на улицу, поехал в сторону Центра. Мысли о том, как Кристина вошла в камеру, что сейчас делает — пьет ли чай с шоколадкой, или сидит и думает, заполнили мою голову.

Тут заголосил мобильный. Звонил Эдик.

— О, Эдик! — обрадовался я. — Нам нужно срочно встретиться.

— Где?

— Давай подъезжай к консультации.

Через сорок минут Эдик был уже в консультации.

— Вот, — протянул я ему листок, — тебе нужно собрать кое-что для Кристины.

— Может, вместе поедем? — предложил Эдик. — Я сразу же и передам вам...

— А зачем нам вместе ехать?

— А вдруг там засада? — сказал Эдик. — Вы тогда хоть как-то меня защитите...

— Ладно. Конечно, мне не очень-то хочется таскаться по таким делам, но не бросать же тебя!

Вскоре мы приехали в Строгино. Дом, где снимали квартиру Кристина с Игорем, был двадцатичетырех-этажный из бело-синих бетонных блоков. Стандартный дом улучшенной планировки, как и большинство других, построенных в последние годы в Строгино.

Вид из окна прекрасный. Дом стоял в конце улицы, на пойме Москвы-реки. Мы поднялись на восьмой этаж. Эдик осторожно, как в детективных фильмах, вышел из лифта на лестницу, оглянулся по сторонам и подошел к двери. Я шел за ним.

Дверь была опечатана.

— Ну вот, — с досадой бросил Эдик, — опечатали! Я так и думал. — Он стал рассматривать печати и читать, что там нáписано.

— Что делать теперь будешь?

— Скажу жене, чтобы по списку купила все в магазине. А вечером сегодня она завезет вам пакет в консультацию.

— Хорошо, — согласился я. На этом мы расстались.

В этот же вечер мне позвонил Игорь. Его я не знал, но много слышал о нем.

Игорь поинтересовался, как Кристина, передал ей большой привет, стал рассказывать подробности. Из его слов я понял, что он пока еще в России, но где-то далеко. Он пообещал звонить мне время от времени.

— И еще, — добавил он неожиданно, — если вам несложно, ходите к ней, пожалуйста, почаще. Все визиты будут оплачиваться дополнительно. Надо девочку поддержать морально. Как вы на это смотрите?

— Я не возражаю. Пока у меня есть такая возможность. Дальше — не знаю, как буду загружен...

— Ну вот и договорились, — закончил Игорь.

Утром я заехал в консультацию. Пакет с вещами для Кристины, который приготовила жена Эдика, уже ждал меня. Забрав его, я направился в Текстильщики.

Перед самым следственным изолятором вновь зазвонил телефон. Это был Игорь.

— Ну как?

— Что-то ты мне рано звонишь, — сказал я, — я еще к изолятору не подъехал!

— Ой, извините, — произнес он, — тогда я позвоню позже.

— Стой! — спохватился я. — Знаешь что, давай вот что с тобой сделаем для укрепления ее морального духа... Хорошо бы ей весточку получить от тебя.

— Да я далеко от Москвы. А то бы с удовольствием...

— Тогда вот что. У меня в «дипломате» диктофон есть. Сейчас я подсоединю его к телефону, а ты пару слов скажи — естественно, что-нибудь личное, от души, не касаясь дела. Сам понимаешь... Могут прошмонать.

— Да, это было бы здорово! — обрадовался Игорь. — А так можно?

— Да, сейчас я все приготовлю. — Я уже открывал «дипломат» и доставал оттуда постоянно возимый с собой диктофон с микрокассетой. Я поднес его к микрофону.

— Все готово — говори!

Включил диктофон на запись. Индикатор замигал. Игорь что-то говорил. Наконец мигание прекратилось.

— Алло, — сказал я в трубку. — Как у тебя?

— Все отлично, я наговорил! Но как же вы найдете возможность дать ей прослушать запись? Ведь вас там наверняка слушают!

— Это уже мои проблемы, — сказал я.

— Отлично! Я чувствую, что ей очень повезло с адвокатом! — сказал Игорь.

— Ладно, комплименты будете делать потом. Главное, чтобы у нас все выгорело.

На этом разговор закончился.

Не доезжая следственного изолятора, я свернул налево к радиомагазину. Мне нужно было купить мининаушники. Раз это личное, так пускай она сама это и слушает. Мне-то это зачем?

Наушники купил без труда. Положив диктофон с наушниками в боковой карман, распределив все, что необходимо было принести — традиционную шоколадку, сок, сигареты, — я решил все, что собрал Эдик, передать через окно передач.

Войдя в изолятор, я без проволочек заполнил необходимые документы и, получив номер кабинета — на сей раз это был кабинет 56, — вошел в него и стал ждать Кристину.

Вскоре она появилась. На этот раз выглядела она повеселевшей, одета была уже в другой костюм.

«Странно, — подумал я, — она что, весь свой гардероб сюда притащила?» Хотя в тюрьме была традиция время от времени меняться одеждой с сокамерниками.

Я обратил внимание, что сегодня Кристина была тщательно причесана. Распущенные прежде волосы были собраны в небольшой пучок, скрепленный резинкой.

Я поздоровался. Она приветливо улыбнулась.

— А я и не ждала вас сегодня. Думала, следователь придет. Потом уже вертухай сказал, что адвокат...

— Да вот, пришел к тебе с сюрпризом.

— Сюрприз? — удивилась она. — Меня выпускают?

— Нет, — я засмеялся. — Так быстро не бывает. Подожди чуть-чуть, хоть пару дней! Вот тебе, — и я протянул ей портативный диктофон.

Кристина взяла диктофон, вставила в ухо маленький наушник и стала слушать. Я наблюдал за ней. Она была очень счастлива. Конечно, Кристина не ожидала, что услышит голос любимого человека. Она еще несколько раз прослушала эту короткую запись. После этого я спрятал диктофон, запись стер, кассету уничтожил, а обломки выбросил в мусорную корзину.

Теперь Кристина полностью доверяла мне. Вся ее прежняя скованность, осторожность исчезли. Она была разговорчива, порою даже болтлива.

— Ну что, давай готовить жалобу об изменении меры пресечения, я повезу ее в суд, — сказал я.

— Давайте! — обрадовалась Кристина. — А вы думаете, это поможет?

— Надо попробовать. Попытка — не пытка... Давай, для начала, расскажи — ранее не судима, ранее не привлекалась, откуда сама, что и как, короче — рассказывай о себе.

Я взял листок бумаги и начал писать традиционную жалобу об изменении меры пресечения. Мне нужны были так называемые смягчающие обстоятельства, то есть что человек ранее не судим, ни к какой ответственности не привлекался.

— Ну что вам рассказать... — задумалась Кристина. — Родилась я в небольшом уральском городке.

«Ну вот, — подумал я, — теперь она будет полностью излагать мне свою биографию! А это совершенно не нужно, мне нужно несколько строк для соответствующей жалобы... С другой стороны, ладно, пусть выскажется, это даже полезно будет... Составим психологический портрет моей клиентки...»

— Родилась я в маленьком уральском городке, двадцать один год назад. Мои родители... Раньше мой отец был военным. Военным летчиком, — добавила она. — Затем он уволился в запас и стал работать в нашем местном аэропорту. Мать — врач...

«Так, — подумал я, — из порядочной семьи, значит...»

— Семья у нас достаточно строгая, держали меня жестко... — Кристина остановилась и, взглянув на меня, спросила: — Вам, наверное, это неинтересно? У вас время есть?

— В каком смысле?

— В прямом. Вы куда-нибудь торопитесь?

— Да нет вроде...

— В камеру не хочется возвращаться. Может, поговорим с вами?

— Давай поговорим.

— В общем, — продолжила она, — жила я нормальной, обычной жизнью провинциальной девушки. К десяти вечера всегда возвращалась домой. Подруг у меня было только две. После окончания десятилетки решила поступить в медицинское училище. Тем более мама могла мне в этом помочь. Поступила, стала учиться. В училище-то, знаете, одни девчонки, парней почти не было. Правда, потом встретила одного, Егор его звали, встречалась с ним, но ничего такого у нас не было. Даже как-то скандал произошел на этой почве.

— Какой скандал?

— Да как-то пытался он... короче, овладеть мной. Я дала ему сильный отпор. На весь город парня опозорила. Потом девчонки рассказывали мне, что по этому поводу легенды стали ходить...

— Легенды?

— Ну, что я неприступная крепость, что строгих правил... В общем, неизбалованная. Кстати, Игорь признался мне после, что по этой причине хотел взять в жены именно меня, а не кого-нибудь из московских девчонок, потому что они все только и интересуются деньгами да бриллиантами. А я книги люблю читать.

— Какие?

— Да разные... Природу очень люблю.

— А Игоря как ты встретила?

— Игорь был видный парень, спортсмен, его многие знали — город-то у нас маленький. Несколько раз я видела его. Потом он исчез — в Москву уехал. Потом приехал, нарядный, в дорогом костюме, на черном «Мерседесе». Помню, по городу большой шум прошел. Но никто не знал, чем он занимается. Все думали, что он — бизнесмен, и достаточно удачливый. Познакомились с ним на дискотеке. Точнее, меня познакомили с ним. Подошел то ли Эдик, то ли Колька, то ли еще кто — я уж и не помню, — и познакомил с Игорьком.

— И как дальше?

— Ну, ухаживал за мной, причем чуть ли не при первой встрече стал интересоваться, девочка я или нет.

— Даже так?

— Потом он объяснил мне, что это было его целью. Хотелось ему, чтобы жена досталась ему целомудренной... — Кристина тяжело вздохнула и отвела взгляд. — Встречались. Потом он еще раз приехал в город. А потом — предложение сделал, просил выйти за него замуж.

— А ты?

— А я согласилась. Решили переехать в Москву.

— А родители твои как же?

— Они были не против, не знали же толком, кто он. Думали, что бизнесмен. Держался он солидно, не пил, не курил... Переехала я в Москву. Казалось бы, надо к свадьбе готовиться. Но тут Игорь стал говорить мне, что пока о свадьбе не может быть и речи — по работе, мол, мне нельзя на тебе жениться. Тогда я еще не понимала, что это значит. «На мне или вообще?» — спросила у него. «Вообще», — ответил Игорь. Потом-то многое поняла... — Кристина помолчала. — ...А ходить-то тут можно?

— Где? — не понял я.

— Да по этой камере.

— Это не камера — следственный кабинет, — поправил я ее.

— Тем более.

— Конечно, ходи.

— Я похожу. У нас в это время прогулка начинается. А я тут побуду, с вами. — Она стала ходить из одного угла кабинета в другой.

— А вы женаты? — спросила она неожиданно.

— Да, женат.

— Я так и думала.

— А дальше что? Переехали в Москву...

— Сняли квартиру. Сначала Игорь снял шикарную четырехкомнатную квартиру в районе метро «Сокол». Такой, знаете, генеральский дом, высокие потолки. Сделали ремонт, стали жить. Столичная жизнь меня просто потрясла. Представляете, скромная провинциальная девчонка, которая ничего не видела, кроме Дома культуры и дискотек по пятницам и субботам, да которой еще надо являться в десять вечера домой — и вдруг перед ней новая, столичная жизнь! Игорь решил купить меня своей щедростью — стал возить по модным бутикам, покупать дорогие вещи. Купил шубы — сначала песцовую, потом норковую, потом еще одну, потом дорогие костюмы — Армани, Версаче, Лагерфельд, Нина Риччи и другие. А дальше пошли ювелирные изделия — золотишко от Картье, брюлики... Все Игорь покупал в самых дорогих магазинах. Потом — заграничные поездки в экзотические страны. Сначала Таиланд, Испания, Париж... Игорь устроил меня в спортивный клуб — фитнесс-клуб, — поправилась Кристина. — Там солярии, короче, все, что хочешь. Из подруг — в основном жены тех же подчиненных Игоря.

— Подчиненных? — переспросил я.

— Ну да. Вначале ведь говорил мне, что он бизнесмен. Потом, когда стали появляться эти рожи...

— Какие рожи?

— Ну, такие... типично бандитские лица — короткая стрижка, оттопыренные уши, взгляд какой-то холодный, пронзительный, страшный... Игорь говорил, что это его охранники, что-то типа его «крыши». Но я обратила внимание, что он дает им какие-то указания. Я поинтересовалась: «Как же так, это твоя «крыша», а ты им указания даешь...» — «У меня с ними такие хорошие отношения, я у них в авторитете, — ответил мне Игорь, — консультирую их по многим вопросам, вот они и уважают меня. Кроме того, я плачу им деньги, зарплату». Тогда я не стала вдаваться в подробности, тем более что в тот же день мы пошли в какой-то дорогой ресторан, поехали по ночным клубам — наверное, мы посетили все, что есть в Москве. Пожалуй, больше всего мне понравились казино. Я ведь никогда раньше в карты не играла, только с подругами в дурачка или в пьяницу, — улыбнулась Кристина. — А тут, представляете, блэк-джек, вроде бы импортное название, а на самом деле — обычное очко. Только на деньги. А деньги немалые. Игорь давал мне по пять, по десять тысяч долларов. Играй, говорит, ни в чем себе не отказывай. Знаете, я даже выигрывала.

— И что? Ты стала профессиональным игроком? — улыбнулся я.

— Нет, что вы! Это мне неинтересно. Так, развлечение... Короче, вначале у нас с ним все было хорошо. Жили мы прекрасно, ни в чем себе не отказывали. Денег было много. А потом, — она помолчала, — началось самое плохое.

— Что же?

— Стрелки, разборки, перестрелки... Я помню первое ранение Игоря, в руку его ранили. Лечил какой-то частный доктор. Он доказывал мне, что случайно попал в перестрелку, остановился — тут началась стрельба, и его зацепили. Я ему тогда поверила. Потом еще одно ранение, уже в ногу. Не помню, как он объяснил мне тогда. Но я сделала вид, что снова поверила ему. А потом — первое задержание.

— Задержание? Тебя задержали?

— Нет, не меня — их. Они ехали на машине, их задержали, доставили в отделение милиции. Для меня это как снег на голову. Я примчалась туда. Отпустите, говорю, что он сделал? За нарушение скорости задерживать? А они мне в глаза нагло смеются...

— Кто они?

— Да милиционеры. Какое нарушение скорости, говорят? Вы хоть, девушка, знаете, чем ваш муж занимается? Я отвечаю — конечно, знаю, он бизнесмен. Наивная я дурочка тогда была! А они говорят: он такой же бизнесмен, как я китайский император! Ваш муж — бандит, точнее, авторитет, а если еще точнее — лидер преступной группировки, с которой мы боремся. Вскоре Игоря отпустили. Мы проговорили с ним всю ночь. Я помню наш разговор очень хорошо. Я пыталась понять, для чего ему нужна такая жизнь. Сначала Игорь отшучивался, а потом... Потом он впервые ударил меня и сказал, чтобы я больше не лезла в его дела.

Я был удивлен такими откровениями.

— Кристина, послушай, а почему ты не ушла тогда от него?

— У меня вначале была такая мысль. Меня ничего не держало — ни бриллианты, ни деньги, ни дорогая одежда... Но, понимаете, я его любила, и достаточно сильно. Не знаю, почему так получилось. После этого, конечно, он особенно ничего не скрывал от меня. Потом начались разборки.

— Какие разборки? — переспросил я.

— Разборки с другими бригадами, — пояснила она. — Что-то они не поделили между собой — то ли территорию, то ли людей, то ли коммерсантов — не знаю. Но начался отстрел. Сначала наших хоронили, иногда по три раза в неделю на кладбище ездили... Потом их стали хоронить. Потом началась охота друг на друга — засады, перестрелки, отстрелы. Короче, из четырехкомнатной квартиры, где мы жили, мы переехали. Сняли другую квартиру. Опять делали ремонт, опять чужая мебель... Квартира, правда, хорошая была, дорогая. Я ему говорила — давай купим дом за городом, будем там жить. Игорь мне отвечает: при моей профессии постоянное место жительства иметь никак нельзя. Потом, когда я заработаю определенную сумму, когда все закончится, мы с тобой уедем за границу, купим себе там виллу с бассейном, у моря, и будем жить там... «А когда это будет?» — «Скоро, скоро, как только заработаю». — «А какая сумма тебе для этого нужна?» Игорь только улыбался. «Я же для тебя, дурочка, работаю, — говорил он, — для тебя деньги делаю». — «Да ничего мне не нужно», — опять начинала я. Но он грубо оборвал меня, позвонил кому-то и ушел. А потом у нас снова был разговор, очень откровенный... Игорь сказал, что просто так не может уйти, его никто не отпустит. «Да кто же тебя держит? Ты же там главный!» — «Да те же, кто мне подчиняется, мои боевики! Это моя пехота. Они первые меня завалят, — ответил Игорь, — всем им нужны мои деньги. Я не могу уйти просто так». Потом случилось второе задержание... На этот раз его держали в милиции три дня, потом выпустили. Господи, какой же он был! Знаете, он сам крепкий, самбист — вот такие плечи, — она развела руки, — рост за метр восемьдесят. А привезли его — еле на ногах стоит, весь избитый. Тогда я и узнала, как бьют в милиции.

— А за что его избили?

— Они говорили, что Игорь оказал сопротивление при задержании. Вот они его всю ночь и били. Это было что-то страшное. Я почему на себя ствол-то взяла? Мне жалко его стало. Думаю, опять попадет в камеру, опять будут бить... До смерти забить могут.

— Понятно.

— После второго задержания, — продолжала Кристина, — наступил перерыв. Мы вновь уехали за границу. Тогда Игорь повез меня на Лазурный берег Франции.

Монте-Карло, Ницца, Канны. Господи, представляете, как это ошеломило меня! Лазурное море, пальмы, изысканная пища в ресторанах... И вдруг — по-моему, это было в Каннах, — мы встречаем девчонок. Такие они все модные, чем-то даже на итальянок похожие. И они, узнав Игоря, заговорили с ним. Он познакомил меня с ними. Чувствую я, что он этой встрече не рад. Зашли мы в какое-то кафе, сели, стали разговаривать. Оказалось, это русские девчонки, которые вышли замуж за итальянских графов и баронов. Сейчас одни из них стали француженками, другие — итальянками... Говорили мы тогда долго. Они стали приглашать нас покататься на яхте. Игорь отказывался. Потом, когда девчонки ушли, я спросила у Игоря, кто это. Он ответил: «Это путанки, проститутки бывшие, из одного ночного клуба московского». — «Ты пользовался их услугами?»

В этот день мы с ним поругались. К вечеру он сказал: «Собирайся, в гости поедем». — «В какие гости?» — удивилась я. «В Ниццу поедем». Тогда наступили майские праздники, было много выходных дней. А в Ниццу приехал, как я потом узнала, коммерсант Игоря. Ну, кому Игорь «крышу» делал. Смешной такой коммерсант, Гриша его звали. Двухметрового роста, круглое лицо, как у колобка, кудрявые волосы, в круглых очках. Очень добродушное лицо. Но Гриша был ушлым парнем. Он окончил какой-то технический вуз. Затем, как ни странно, был на комсомольской работе, что-то организовывал. Потом, когда начали создавать кооперативы, он организовал один из первых в Москве кооперативов — для отдыха молодежи. Он проводил дискотеки, организовывал вечера. И этим нажил себе достаточно крупное по тем временам состояние. Потом стал заниматься компьютерами, затем нефтью, после его увлекло банковское дело, банкиром стал. Гриша был с женой. Мы вчетвером выезжали на яхте. Машины мы брали напрокат — Игорь взял «БМВ» белого цвета. Ездили мы с ним по всему французскому побережью. Это немного отвлекло меня. Потом, после очень длительного отдыха, мы вернулись в Москву. Сразу же начали возникать проблемы, какие-то стрелки. Я почти всегда это чувствовала и очень переживала. Стрелки проходили днем, но никто — ни Игорь, ни его друзья, ни я — никогда не знали, чем они кончатся, миром или кровью. Я научилась чувствовать опасность. К тому же в последнее время Игорь стал очень подозрительным. Он отключил городской телефон, купил мне мобильный и заставлял звонить только по мобильному. Стал время от времени менять номера телефонов.

Однажды позвонил мне и сказал взволнованным голосом: «Слушай, ты сейчас никуда не выходи из дома. Приедет жена Эдика, она выведет тебя из квартиры». — «А что случилось?» — спросила я. «Потом объясню». Потом я узнала, что враги, конкуренты Игоря, узнали наш домашний адрес и устроили засаду возле подъезда. Приехала Лена, жена Эдика, привезла мне парик, старомодный плащ, одела меня, и мы вышли с ней из подъезда. Я увидела, что недалеко стояло несколько иномарок с ребятами. Это были бандиты, враги Игоря. Вероятно, они хотели с ним рассчитаться. Мы приехали в гостиницу, по-моему, «Аэро-стар», недалеко от ЦСКА, сняли номер «люкс» и жили там несколько недель. Потом переехали в Подмосковье, в коттедж к одному коммерсанту, несколько недель жили там. Очень красивое место — сосновый бор, большой участок земли, каменный коттедж со всеми удобствами. Единственное только — вода плохо шла, не было такого напора, как в Москве. Игорь приезжал почти каждый вечер. Иногда вместе с друзьями. Они ужинали у нас, разговаривали о делах. Как-то вечером Игорь сказал мне за ужином: «Я должен уехать на три дня. Если что — зеленая сумка лежит в кладовке». — «Что за сумка? Что мне с ней делать?» — «Ничего. Возьми с собой в Москву». — «А что с тобой может случиться?» — «Профессия такая, опасная... Но, думаю, все будет нормально. Это я так, на всякий случай...»

Игорь уехал. Мне было очень интересно, что же лежит в этой зеленой сумке. Не стала я дожидаться конца трех дней, в первый же вечер открыла сумку. А там — полная сумка долларов, пачками, видимо, по десять тысяч в каждой упаковке. Я насчитала почти миллион. Мне даже как-то не по себе стало! А наверху — граната... Закрыла я «молнию», задвинула сумку на место, села и впервые в жизни закурила... Чуть не задохнулась, потушила сигарету...

Через три дня приехал Игорь, веселый и довольный. Сказал, что решил очень важную проблему. «Ну что, — решил он, — теперь можно и в Москву вернуться, в нашу квартиру». Потом я узнала, что убрали лидера конкурирующей бригады... Вернулись мы в Строгино, стали жить по-прежнему. Вскоре — новая проблема...

Неожиданно дверь кабинета открылась, заглянула женщина в форме старшего лейтенанта внутренних войск. Она вошла, поздоровалась и обратилась ко мне:

— Тут к вашей подопечной следователи пришли. Хотят поговорить с ней.

— Ну вот, — сказал я, — я ведь ее адвокат и должен присутствовать при их разговорах.

— Это уже ваши вопросы, — сказала старший лейтенант. — Вы разбирайтесь между собой. А я должна ее забрать.

— Нет, нет, — запротестовал я. — Я не могу ее вам отдать. Любой разговор, любой допрос следователя обвиняемой должен происходит только в присутствии адвоката. Таков порядок.

Женщина немного подумала.

— Хорошо, сейчас я пойду и скажу им об этом.

— Иначе, — крикнул я ей вслед, — я просто не отдам ее вам.

Женщина улыбнулась наглости моего высказывания.

— Интересно, кто это может быть? — спросил я Кристину.

— Вы же слышали — следователь...

— Нет, она сказала — следователи, — подчеркнул я. — Может быть, что-то случилось?

Кристина пожала плечами.

Мне было все это очень любопытно. Я приоткрыл дверь и увидел — старший.лейтенант стояла в конце коридора и беседовала с двумя незнакомыми мужчинами в гражданском. Это не оперативники были и не наш следователь.

После этого разговор наш дальше не пошел. Было уже не до того. Я стал нервничать, сам стал ходить из угла в угол следственного кабинета. Однако никто к нам не заходил. Я снова открыл дверь и выглянул в коридор. На сей раз там никого уже не было.

— Ну что, — сказал я Кристине, — давай заканчивать?

На прощание я строго-настрого приказал ей ни с кем не вести никаких разговоров без моего участия.

— Просто отказывайся говорить — и все. Настаивай, что разговаривать о чем-либо будешь только в присутствии своего адвоката.

Она кивнула головой.

— Завтра я обязательно навещу тебя, — сказал я на прощание.

На этом мы расстались.

Когда я получал уже документы, поинтересовался, кто же приходил к Кристине. Старший лейтенант сказала:

— Да так, из одной конторы люди были...

— Конторы? — переспросил я.

— Да, — ответила она.

«Все ясно, наверное, ФСБ...»

На следующий день, несмотря на то что мне надо было ехать в суд для ознакомления с делом, которое должно слушаться в ближайшее время и где я должен был выступать как защитник одного фигуранта, я с утра поехал в Текстильщики. Почти бегом поднялся на второй этаж, взял требование, стал заполнять. Наконец передал листок дежурному.

Та неспеша взяла требование, стала просматривать карточки, потом вытащила и написала сверху «карцер».

— Как карцер? — спросил я.

Дежурная только пожала плечами.

— Я ничего не знаю. Числится она там.

— Как же это, если еще вчера она была в камере?

— Все может случиться, — сказала дежурная. — У нее сами узнаете.

Вскоре привели Кристину. Она выглядела нормально, только заметно было, будто невыспавшаяся, волосы немного растрепанные. Ясное дело, из карцера...

— Кристина, что случилось? — почти с порога спросил я. — Как ты оказалась в карцере?

Она спокойно подошла к скамейке, села к столу:

— В общем-то, пустяк...

— Ничего себе пустяк! Ты в карцере, в таких ужасных условиях... А ну, рассказывай, что случилось!

Посмотрев на меня и немного смутившись, она сказала:

— Вчера вечером... Вы ящик смотрели?

— Какой ящик?

— Телевизор.

— Нет, вчера не смотрел, занят был.

— Короче, показывали вчера какой-то фильм, про любовь, эротический, вечерний сеанс. Мы всей хатой смотрели. Не знаю, что произошло, но вдруг ко мне стала приставать одна «ковырялка».

— Какая «ковырялка»? — не понял я.

— Ну, женщина одна... Стала меня ощупывать, ласкать... Я вежливо говорю ей: я не по этой части. А она еще больше напирает, облизывает меня своими противными губами. Я и сбросила ее на пол. А та драться лезет. Начала я с ней драться, потом еще какие-то «мочалки» подошли...

— Ты, смотрю, хорошо тюремный сленг освоила, — улыбнулся я.

— Короче, мы подрались.

Я еле сдерживался, чтоб не рассмеяться. Перед моими глазами стояла картина — Кристина, не знаю, в чем они спят, в ночных рубашках или спортивных костюмах, ведет активную защиту своей девичьей чести от женщин...

— И что в итоге?

— В итоге меня в карцер. А их — в больничку...

— Кого?

— Ну, ту «ковырялку», которая ко мне лезла, — улыбнулась Кристина.

— Молодец, герой! А как в карцере?

— Ужасно! — ответила Кристина. — Темно, горит тусклая лампочка, окна нет, вода на полу... Я вас очень прошу, просто умоляю — пожалуйста, попытайтесь вытащить меня из карцера! Я не смогу там десять суток находиться.

— Десять суток? — удивился я.

— Да. А прошли только сутки. Я уже не могу больше!

Конечно, мне было ее очень жаль. Я тут же бросился к начальнику следственного изолятора, вернее, к заместителю начальника по режиму. Заместителем по режиму была женщина в звании подполковника. Не помню уже, какие доводы я стал ей приводить, но уговорил ее.

— Ладно, — сказала она, — выпустим мы вашу пассию.

— Почему пассию? Это моя клиентка.

— Что-то никакой другой адвокат так о своих клиентках не беспокоится, — улыбнулась подполковник, — а вы прибежали на первые сутки.

— Жалко человека, первый раз ведь, — стал объяснять я.

— Нет, я вас понимаю.

— Так когда вы ее освободите?

— Как это? Я должна ее освобождать?

— Нет, поднимете ее в камеру, наверх, — поправился я. — И, надеюсь, камера будет другая?

— Нет, она может вернуться в прежнюю камеру, проблем не будет, — ответила подполковник. — Сегодня же вечером или завтра утром. Посмотрим.

Вернувшись домой, я почти целый вечер думал, обманет меня подполковник или сдержит слово. Да нет, не должна...

На следующее утро я не мог поехать в изолятор, так как начался суд. До обеда сидел в городском суде, слушал дело, выступал, а сам только и думал о том, освободили из карцера Кристину или нет. Сразу же после окончания судебного заседания сел в машину и помчался в Текстильщики. Главное — успеть до шести часов, потому что позже подследственных не выдают. Попал я туда в половине шестого, быстро выписал документы, жду.

Наконец дверь открывается. Бог ты мой, что стряслось? Кристина передо мной или нет? Входит совсем другая девушка — в тонких брюках-стрейч, в туфлях на высоких шпильках, с какой-то невообразимой прической, в ушах клипсы, эффектная блузка... Я онемел от неожиданности.

— Вы что, не узнаете меня? — пошутила Кристина.

— Узнаю, узнаю, — сказал я. — Как ты преобразилась!

— Спасибо вам большое, что из карцера меня вытащили, — сказала Кристина.

— Ну, слава Богу! А когда вытащили?

— Вчера вечером. Потом одна тюремная начальница проводила со мной длительную беседу.

— А ты даже похорошела, — сказал я.

— Что же, надо везде стараться держать себя в форме, — ответила она.

— А как тебя камера встретила?

— Ой, да там все нормально! Могу сказать даже, что теперь я в авторитете.

— В каком плане?

— Та «ковырялка», которую я на больничку заслала, оказалась со стажем. У нее три ходки. А у второй, что ей помогала, — две судимости. Так что, поскольку я с ними разобралась по справедливости, камера меня уважает.

— А зачем тебе нужен этот авторитет?

— Знаете, — Кристина тяжело вздохнула, — в жизни все пригодится, в том числе и это. Так часто говорил

Игорь... Кстати, вы мне так ничего и не сказали о нем. Давно с ним последний раз говорили?

— Игорь давно мне не звонил. Может, уехал куда? Или телефон не работает?

— Нет, его могли задержать, — сказала Кристина. — Или он лег на такое дно, откуда позвонить просто невозможно.

Я заметил, что взгляд ее был каким-то странным, направленным в одну точку. Видимо, думала о чем-то о своем.

Я еще несколько раз приходил к Кристине, пока не произошло новое событие.

Как-то, приехав в юридическую консультацию, я услышал:

— Вам прислали телефонограмму.

— Какую телефонограмму? — удивился я.

— Есть такая форма связи между следователем и адвокатом. Следователь звонит в юридическую консультацию и дает сообщение по телефону с подписью секретаря, который принял это сообщение, — извещение об адвокате на следственное действие. Так вот, следователь просит, чтобы вы к нему пришли в ближайшее время. Он вас хочет ознакомить с какими-то следственными действиями.

— Меня? А куда я должен прийти?

— В телефонограмме написано, что в следственный отдел, где он работает.

«Странно, — подумал я, — может, он не захотел сам в тюрьму ехать, а вызвал Кристину в следственный отдел?»

Я позвонил следователю в этот же день. Мы договорились о встрече на следующий день.

С утра я был у следователя. Он поздоровался со мной и протянул мне бумаги.

— Вот, — сказал он, — ознакомьтесь, пришли результаты баллистической экспертизы.

— И что говорит экспертиза?

— Да ничего, все чисто.

— Вот видите, — сказал я, — что у нас получается. Отпечатков пальцев на оружии не обнаружено, ствол чистый. Она в своих показаниях, которые мы собираемся вам давать, будет утверждать, что приобретала газовый пистолет, а не огнестрельный...

— Да ладно, — махнул рукой следователь, — не в этом дело. Я вообще могу выпустить ее в ближайшее время...

Я был ошарашен этим сообщением.

— Это как? Я бился, старался, собирал документы, пытался всячески ее освободить, а тут...

— Ситуация изменилась, — сказал следователь и поднял глаза к потолку.

«Так, — подумал я, — значит, и вас тоже слушают...»

— Понятно, — сказал я и стал медленно двигаться к двери. Видимо, следователь понял мой намек. Он достал из пачки сигарету и, не зажигая ее, вышел вместе со мной в коридор, как бы для того, чтобы покурить. Там он медленно подошел к окну, где стоял я.

— Ну что, — сказал следователь с гордостью в голосе, — у нас хорошая новость. Вообще-то для вас, может, и не очень хорошая... Но для нас — весьма. Мужа вашей подопечной задержали, арестовали.

— Как арестовали? Давно?

— В начале мая, в Голландии, по подозрению в убийстве. Правда, говорят, с убийством ничего не получается, но все равно в ближайшее время его депортируют в Россию. По крайней мере, голландцы нам обещали. Так что, как только его доставят в Россию, интерес к вашей подопечной иссякнет.

— Спасибо за хорошую новость, — сказал я. — Действительно, хорошая новость!

Следователь с удивлением взглянул на меня.

— По крайней мере, для моей подопечной. Ее же могут освободить.

— В принципе, мы не будем возражать, если вы подадите прошение об освобождении...

Я вышел из следственного отдела и помчался в Текстильщики. Правда, я не знал, хорошей ли будет эта новость для Кристины... Получалось, новость была одновременно и плохой, и хорошей, как двухцветный мячик. С чего мне начать?..

Вскоре я увидел Кристину. Я всматривался в ее лицо. Ее женская интуиция подсказывала, что что-то произошло. Она первая спросила меня:

— Не тяните. Что случилось? Его убили?

— Нет, никто его не убивал. Но у меня для тебя две новости — одна хорошая, другая плохая. С какой начинать?

— Давайте плохую.

— Задержали Игоря.

— Где?

— В Голландии.

— Откуда вы знаете?

— Мне следователь сказал. Кстати, пришли результаты экспертизы. С оружием все чисто. И вторая новость, хорошая, — тебя выпустят, когда его доставят в Россию.

Кристина очень расстроилась. Она не была рада тому, что скоро ее выпустят. Молча пожала плечами:

— Собственно, я знала, что рано или поздно это случится...

— Что тебя выпустят?

— Нет, не это... Что его задержат. Просто не ожидала, что задержать его могли в Голландии. Специальная бригада туда, что ли, летала?

— Нет. Подробностей я не знаю, но задержала его голландская полиция.

— Наверное, по нашей наводке? — спросила Кристина.

— Не знаю. По-моему, по причастности к какому-то преступлению, — я скрыл от нее участие Игоря в убийстве. — Но пока доказать ничего не удалось. Говорят, будут депортировать.

— Когда?

— Это долгий процесс. Пока будут списываться, пока

оформят соответствующие документы, пока перевезут — месяца через два. Может, и раньше...

В сентябре Игоря депортировали в Россию. Я узнал это от следователя. Он сам позвонил мне по телефону и сказал:

— Вот какая ситуация... Вашего клиента привезли.

— Почему моего клиента? — удивился я. — Это муж моей клиентки.

— Нет, вашего клиента. Он сразу в аэропорту, как только наши встретили его, заявил, что хочет, чтобы вы стали его адвокатом.

— А где он сейчас? Как его можно увидеть?

— Он сидит на Петрах.

— В изоляторе временного содержания на Петровке, 38? — уточнил я.

— Да, там. Вот вам телефон тех, кто с ним работает. А дело ведет городская прокуратура. Там дело крутое, и главное — крови очень много... В общем, не завидую я вам.

— Спасибо, — поблагодарил я. — Мне бы хотелось уточнить насчет очной ставки в отношении оружия моей подзащитной...

— Да, да, — сказал следователь. — Очную ставку мы проведем в ближайшее время. Тем более что он сам настаивает на этом.

Через пару дней следователь вновь пригласил меня к себе.

— Ну что, — спросил он, — как у вас со временем?

— Время есть.

— Прекрасно. Сейчас поедем на очную ставку мужа с женой, Игоря с Кристиной.

— А куда поедем?

— Погодите, не все сразу. У вас машина есть?

— Конечно.

— Подвезете меня?

— Само собой. Куда едем, на Петровку, где Игорь сидит?

— Нет. Его перевели в другое место.

— Так куда ехать? — спросил я снова.

— В Сокольники.

— А, известный адрес. «Матросская тишина»?

— Точно.

Вскоре мы ехали по знакомой улице Матросская Тишина.

— Остановите машину, — попросил следователь. — Давайте постоим, покурим.

— Да я не курю, — ответил я.

— Тогда я покурю.

Я молча сидел в машине. Чувствовалось, что следователь ждал кого-то, может, оперативников, может быть, должны были привезти Кристину. Наконец я увидел, что в конце улицы появился микроавтобус с зашторенными окнами и несколько машин с включенными фарами. Микроавтобус остановился. Из него выскочили несколько омоновцев в форме — бронежилет, каска, автомат. Микроавтобус медленно въехал в ворота.

— Ну вот, — сказал следователь, — вашего клиента привезли.

— Игоря?

— Да, его. Теперь он будет сидеть здесь, в спецблоке «Матросской тишины».

— Это в прошлом спецблок, а сейчас — изолятор номер четыре, — поправил его я. — А Кристина где?

— Ее привезли немного раньше.

— А где будет очная ставка?

— Куда вы торопитесь? Сейчас все узнаете и все увидите. Без вас не начнут. Пойдемте.

Мы поднялись на четвертый этаж, где находился спецблок. Следователь заполнял бумаги, подписывал бумаги и я.

Мы пошли по длинному коридору. Наконец оказались перед большой дверью с надписью «Красный уголок». Вошли.

В зале сидели несколько спецназовцев, в касках, с автоматами, несколько тюремщиков, также при оружии. В углу сидела Кристина, одна. Она была одета в юбку, темную кофточку. Лицо ее было серьезным и напряженным. Она приветственно кивнула мне головой.

— Мне можно к ней подойти? — спросил я слсдователя.

— А какая в этом необходимость? Сейчас очная ставка начнется, вы будете с ней общаться, — ответил следователь.

Я чувствовал, что все в каком-то напряжении. Неужели они боятся чего-то?

Наконец в коридоре послышались шаги. Открылась дверь, вошли шесть человек. Среди них я увидел парня. Рост метр восемьдесят, круглое лицо, короткая стрижка, симпатичный. На руках — наручники. Одет в модный дорогой пиджак. Увидев Кристину, он сразу заулыбался. Она тоже улыбнулась ему.

— А можно мне поговорить со своей женой? — неожиданно обратился ко мне Игорь.

— Нет, не положено, — сухо ответил следователь. — Кстати, познакомьтесь с вашим новым следователем из городской прокуратуры, — это предназначалось мне.

Я кивнул.

— Ну что, начинаем следственные действия? — спросил следователь прокуратуры.

Я чувствовал, что теперь балом правит именно он.

Он вытащил специальный бланк.

— Проводится очная ставка, — начал следователь...

Дальше пошло перечисление формальностей — в каком месте, в какое время, кто присутствует на очной ставке, между кем она проводится, на предмет чего. Наконец последовал главный вопрос следователя:

— Что вы можете сказать в отношении оружия, которое было найдено на вашей квартире такого-то числа при обыске?

Игорь сделал паузу и сказал:

— Могу сказать конкретно, что найденный пистолет системы «ТТ» принадлежит мне, и моя жена, — он назвал ее по имени-отчеству, — никакого отношения к данному оружию не имеет.

Следователь повернулся к Кристине и сказал:

— Вы подтверждаете показания гражданина такого-то или опровергаете?

Кристина сделала паузу и сказала:

— Подтверждаю.

— В таком случае вопрос к вам. Почему в первоначальных показаниях вы утверждали, что оружие принадлежит вам?

— Минуточку, — прервал я, — можно мне проконсультировать свою клиентку по этому вопросу?

— Конечно, — одновременно сказали оба следователя.

Я подошел к Кристине и прошептал на ухо:

— Не вздумай говорить, что ты дала ложные показания. Скажи, что ты увидела пистолет, похожий на тот, который ты приобрела. Но того, который ты приобрела, не нашли.

Кристина кивнула и через минуту слово в слово повторила это вслух.

Вскоре очная ставка закончилась. Следователи были довольны.

— Ну что, — сказали они, — вы что-то хотите сказать?

— Да, конечно. Я написал ходатайство о немедленном освобождении своей клиентки, поскольку она невиновна...

— Это ходатайство не нужно, — сказал следователь.

— Как не нужно? Неужели вы не видите, что человек не имеет к этому делу никакого отношения?

— Нет, мы все прекрасно видим. Но ходатайства не нужно, потому что она выпускается постановлением следователя, — сказал следователь, который вел ее дело.

Тут заговорил Игорь.

— Извините, могу ли я попросить вас разрешить мне поговорить со своей женой наедине?

— Наедине — нет, — ответил следователь, — но пообщаться минут пять-десять мы разрешим, конечно, в присутствии охраны, не снимая наручников.

— Наручники-то снимите, хоть жену обнять дайте!

— Учитывая особую опасность вашей личности, — сказал следователь, — этого не положено.

Я смотрел на лица охранников. Они выражали сочувствие — все же в здании тюрьмы, при такой охране, не дать человеку обнять свою жену, которую он не видел несколько месяцев — бесчеловечно.

Слова следователя, ведущего дело Игоря, мне совершенно не понравились.

— О какой человечности вы можете после этого говорить? — спросил я.

— Не вам говорить об этом, то есть не вашему клиенту, на котором столько убийств! А впрочем... Конечно, можно снять наручники.

С Игоря сняли наручники.

— Ну что, вы как адвокат останетесь присутствовать при свидании? — спросил меня следователь.

— Нет, зачем мне? Я выйду, подожду вместе с вами.

— Хорошо, тогда давайте подождем в коридоре.

Мы вышли, в зале остались только спецназовцы. Один из следователей посмотрел на часы, засекая время — десять минут.

Я подошел к своему следователю.

— Когда я могу забрать свою клиентку? — спросил я.

— Когда? — переспросил он. — Лучше всего завтра.

— А сегодня можно? Ведь вы уже вынесли решение, что она невиновна, давайте я ее сегодня заберу.

— Сегодня это большая головная боль. Надо ехать в тюрьму, оформлять документы...

— Ничего, я отвезу вас туда и привезу обратно. Главное — выпустите ее сегодня!

— Вот как нужно работать адвокатам! — сказал мой следователь, обращаясь к своему коллеге. Тот только улыбнулся. — Ладно, давайте съездим сегодня.

— Иначе получится незаконное задержание... — добавил я.

— Да мы понимаем.

Прошло десять минут, и свидание Игоря с Кристиной закончилось. Кристина вышла расстроенная, чуть не плача. Я смотрел на нее с удивлением. Конечно, можно ее понять — жена беспокоится за своего мужа. Но ее вроде бы освобождают, и радость все же должна быть... Я подошел к ней.

— Что с тобой случилось?

— Вы знаете, что ему грозит? Ему грозит смертная казнь...

— Как?!

— Несколько заказных убийств, организация преступной группировки, не говоря уж о хранении оружия, которого у него обнаружили чуть ли не целый арсенал... В общем, мало не покажется. — И тут же, взяв меня за руку, сказала: — Я надеюсь, вы его не бросите, будете работать с ним до конца?

— Конечно, конечно, — поспешил заверить я. — Мы сейчас поедем тебя освобождать.

— Ой, зачем мне это... Впрочем, ему нужно будет передачи носить...

Я подошел к следователю:

— Ну что, мы едем в тюрьму?

— Конечно. Сейчас только вызовем конвой, чтобы ее забрали...

— Какой конвой? Вы же ее освободили! Неужели она поедет с конвоем? Она может ехать с нами на моей машине. Куда ей бежать? Она же освобождена!

— Такой порядок. Ее повезет автозак.

Действительно, получалась парадоксальная ситуация. С одной стороны, ее освободили, а с другой — конвой, который ее привез, ехать обратно порожняком не может — по документам она пока еще заключенная, подследственная.

Я пробовал настаивать, но, видимо, порядки тюремной службы пробить невозможно.

Мы поехали со следователем на моей машине, а Кристина — в автозаке.

Оформление документов в следственном изоляторе в Текстильщиках заняло примерно два с половиной часа. Наконец вышла Кристина с небольшим пакетиком вещей в руках. Я встречал ее на проходной. У меня было желание даже обнять ее, но я сдержался — неудобно как-то...

— А это что? — кивнул я на пакетик.

— Примета такая, — сказала она. — В тюрьме ничего нельзя оставлять, нужно обязательно на свободу вынести все.

Она села ко мне в машину.

— Куда тебя везти? — спросил я.

— Домой.

Через несколько минут она попросила остановить машину. Молча вышла, подошла к урне и бросила туда пакет вместе с его содержимым.

— Не хочу, чтобы мне что-то напоминало об этом ужасном месте, — сказала она, садясь в машину.

Вскоре мы стояли уже у двери их квартиры. Кристина сорвала все бумажки с печатями, вставила ключ, который вернули в следственном изоляторе, и открыла дверь.

— Может быть, зайдете?

— Как-то неудобно, — ответил я. — Давай в следующий раз.

Я почувствовал, что она с облегчением вздохнула.

— Хорошо. Хотелось бы от тюрьмы отмыться, от этой грязи и ужасов...

Я направился к лифту.

— Постойте, — окликнула меня Кристина. — Я ведь не знаю вашего телефона.

Я вытащил из кармана визитную карточку и передал ей.

— Звони... А впрочем, дам и прямой телефон, мобильный. — И записал на обратной стороне визитки номер своего мобильного телефона.

— Завтра вы будете отдыхать? — спросила Кристина.

— Нет. Давай в десять утра встретимся у следственного изолятора. Нужно пройти к Игорю.

— А вы сможете так рано?

— Конечно, смогу. А тебе, может быть, надо отоспаться после тюрьмы?

— Нет, нет, его обязательно нужно навестить! Надо собрать дачку... Давайте тогда не в десять, а в двенадцать. За это время я как раз успею все собрать.

— Ты знаешь, какие продукты разрешено ему передавать?

— Конечно, знаю, — улыбнулась Кристина. — Четыре месяца все же сама отсидела.

— Да, я и забыл, — улыбнулся я.

— Посмотрите, в каком виде я стою перед вами, — сразу вспомните.

Мы простились, и я поехал домой.

На следующий день с утра я отправился к следователю за разрешением на встречу с Игорем, оформил все документы и пришел к нему в изолятор.

Мы познакомились ближе, стали разговаривать. Неожиданно Игорь спросил:

— Ну как моя жена?

— В каком смысле?

— Как человек. Она вам понравилась?

— Да. Жена — во, — я показал ему большой палец, — что надо. — Я рассказал ему, как она вела себя в следственном изоляторе, как я ее освобождал, как попала она в карцер, отстаивая свою честь, как завоевала авторитет в камере.

После этих слов Игорь стал давиться от смеха.

— Ну, Кристинка, ну дает! — говорил он. — Просто чудеса! Не ожидал я от нее такого, не ожидал! Значит, авторитет в камере? — повторил он. — Всех баб по понятиям, значит, поставила?

— Вот, вот, — улыбнулся я. — Кстати, сейчас она тебе передачу готовит, в двенадцать часов придет.

— Вот бы посмотреть на нее! — сказал Игорь.

— Да ты же вчера ее видел!

— И сегодня бы хотел... Окна-то куда выходят?

— Во двор.

— А на другой стороне коридора — окна на улицу выходят?

— Но нам дали кабинет на этой стороне!

— А может быть, рискнем?

— Но она же об этом не знает.

— Давайте тогда в следующий раз.

— Давай попробуем, если нам, конечно, повезет.

Так и договорились. Вскоре я оставил Игоря и вышел на улицу. Я пошел налево от следственного изолятора. Там был специальный вход, где принимали передачи. Там постоянно толпился народ — родственники, знакомые подследственных и осужденных. Я пытался отыскать там Кристину, но не увидел ее нигде. Я уже двадцать минут ходил среди толпы, пытаясь найти ее.

Уже собравшись уходить, я увидел, как в черной спортивной машине, стоящей неподалеку, опустилось тонированное стекло, и кто-то окликнул меня. Бог ты мой, передо мной стояла спортивная машина «БМВ» модели М-8, одна из самых дорогих.

Говорили, что она стоит около 100 тысяч немецких марок. За рулем сидела Кристина. Нет, там сидела женщина, похожая на Кристину. Впрочем, конечно, это была она, но настолько изменившаяся — другая прическа, со вкусом подобранная одежда. На сиденье лежали свертки, на которых было написано «Калинка-Стокманн».

— Что, это и есть дачка? — взглянул я на свертки. Она кивнула утвердительно.

— Я искал тебя в очереди, не нашел.

— А я обо всем уже договорилась, — сообщила Кристина. — Здесь постоянно бабульки стоят, они очередью торгуют. Всего сто долларов — и очередь твоя. Уже через полчаса можно передавать. Подождем вместе?

— Давай подождем.

Через полчаса к машине подбежала какая-то бабулька.

— Милая, пойдем, наша очередь подошла!

— Может быть, поможете мне? — спросила Кристина.

Мы взяли пакеты и пошли к окну, где принимали

передачи. Там уже стояло много народу. Но бабулька ловко раздвинула всех.

— Вот моя внучка пришла, — заговорила быстро она.

Кристина подошла к окну и, достав два списка, стала передавать продукты. Я видел, что женщина в окне особо не придиралась — принимала все подряд. Хотя до этого я узнавал, что идет очень строгий отбор продуктов. Не знаю, может быть, Кристина произвела впечатление, может быть, у бабки было тут все схвачено...

Продукты мы передали в течение десяти-пятнадцати минут. Затем покинули помещение.

— А вы к нему пойдете?

— К кому?

— К Игорю.

— Так я уже у него сегодня был.

— Как? А что же вы мне ничего не сказали?!

— Да как-то разговор об том не заходил...

— А какие у вас планы сейчас?

— С клиентом должен встречаться.

— Давайте пообедаем в ресторане, отпразднуем все сразу — и наше знакомство, и мое освобождение, а вы расскажете мне про Игоря.

— Хорошо. А как мы поедем? На двух машинах?

— А что? Я знаю один хороший ресторанчик... Вы какую кухню предпочитаете? Китайскую, мексиканскую, европейскую, французскую?

— Да мне как-то все равно...

— Тогда давайте поедем по набережной, в «Балчуге» пообедаем.

Мы сели в машины и через несколько минут были возле ресторана «Балчуг». Поставив машины на стоянку, мы вошли внутрь. Я обратил внимание, насколько эффектно подследственная в нелепом спортивном костюме может превратиться в шикарную женщину с утонченными манерами. Непроизвольно я перешел на «вы».

— Расскажите, пожалуйста, подробнее, как там Игорь, что он вам сказал, — попросила Кристина, когда мы уселись за столик.

Я рассказал обо всем в течение трех минут — жив, здоров, смеялся.

— А вы можете более подробно рассказать?

«Все женщины-клиентки — одно и то же, — подумал я. — Расскажи подробно! О чем же?»

— Сколько вы у него были по времени?

— Немногим более часа.

— Ну вот, вы и должны в течение часа мне все рассказать!

— А что я должен рассказывать? — немного раздраженно спросил я. — О том, как он вошел, как сел, в каких носках был? Все женщины одинаковы, — сказал я, улыбаясь.

— В каком смысле?

— Они только и интересуются своими мужьями, просят — расскажите подробно!

— Правильно, потому что они их любят.

— Конечно, я понимаю, но подробнее не получается. Пока я ждал, пока документы заполнял, на это ведь тоже время уходит. А чистого времени у нас было минут пятнадцать-двадцать. И все, что он мне сказал, я вам уже передал.

— А можно ему записку написать, или там все очень строго — проверяют, просматривают?

— Да я еще не знаю. Может быть, и так... Давайте подождем несколько дней. Я вообще-то для вас сюрприз готовлю...

— Какой? Диктофон?

— Нет, покруче.

— Покруче? Вы меня туда проведете, что ли? — улыбнулась она.

— Нет, это у меня не получится, — сказал я, — нет такой возможности. Давайте лучше о вас поговорим. Тему сменим, а то мне порядком надоела тюремная тема — все одно и то же...

— Да, правильно, что мы о ней!

— Какая у вас красивая машина, — сказал я, переведя разговор, хотя меня совершенно не интересовала машина.

— Это мне Игорь купил. Раньше у меня «БМВ» была, 320-я. Потом он предложил купить новую. Все взял на себя, купил эту. Она очень легкая, экономичная, мало бензина ест. Правда, он все время меня ругал, что я гоняю на ней. Но это ж такая машина, она и создана для того, чтобы на ней быстро ездить. Правда ведь?

— Да, конечно... А вообще, тяжело быть женой такого человека? — Я чуть было не сказал «мафиози», но вовремя сдержался.

— Какого человека?

— Такого, как он?

Кристина улыбнулась. И хотя я спросил ее просто так, для поддержания разговора, она отнеслась к вопросу очень серьезно.

— Как вам сказать... Человек ко всему привыкает. Конечно, жизнь непростая, но и сладкая...

— В каком плане непростая? Ведь у вас есть деньги, и в случае чего Игорь может за себя постоять...

— А вам бы понравилось каждые два-три месяца менять квартиры и жить то в одном месте, то в другом, перебираясь с места на место в целях конспирации? Я с ним много раз говорила, предлагала — давай купим дом или квартиру, но он — нет, нельзя мне по работе на одном месте долго засиживаться...

— Да, вы говорили мне об этом в следственном изоляторе, — сказал я. — А куда вы ездили?

— Ой, самая тяжелая поездка была — в Нью-Йорк, — сказала Кристина, отпив немного мартини из бокала. — Это было что-то страшное! Такой перелет был — казалось, вечный! Около десяти часов!

— И как вы?

— Да лекарство выпила, заснула... Чуть плохо не стало в самолете.

— А как Нью-Йорк?

— Ну, это город двадцать первого века.

— А что вы там делали?

— Игорь летал туда к другу на день рождения.

— К какому другу?

— Какой-то русский мафиози, который живет на Брайтон-Бич, какой-то бывший спортсмен, то ли борец, то ли боксер... Короче, у него там все схвачено. Бригады свои, работает с русскими эмигрантами-коммерсантами, их трясет.

— А американцы?

— У них в этом плане строго. Нью-йоркские ночные клубы, рестораны и казино, я считаю, мало отличаются от российских, московских заведений...

— А вы там и в ночном клубе были?

— Да. Первым делом, когда мы приехали к Сергею...

— А это кто?

— А это тот мафиози, к которому мы летали. И, знаете, тогда, когда он нас представил своей американской братве — это наши эмигранты, которые оторвались, кто в розыске находится, кто из своих городов туда свалил, кто просто скрывается от органов, — они там осели. Серега и сколотил команду. В принципе, он держит там свои заправки. Там вообще среди русских очень модно заправки держать. Какие-то небольшие ресторанчики у него. В общем, мы праздновали день рождения в его ресторане. Знаете, что меня больше всего поразило? То, что на день рождения мой муж подарил ему... как вы думаете?

— Наверное, какие-нибудь золотые часы типа «Роллекс»?

— Нет. Представьте себе — проститутку, путанку.

— Как это?

— А вот так. Хорошенькая такая, говорят, дорогая. Пятьсот баксов он за нее отдал. Она одна из самых дорогих. Так знаете, как мне там не по себе было? Весь вечер был скомкан.

— Почему?

— Если он дарил, значит, и ему дарили? Понимаете? Нет, я без претензий. Та жизнь, которой он жил, —

это его жизнь. Кстати, он же у меня был первым мужчиной.

— И как?

«Зачем я это спросил? Вторгаюсь в личную жизнь...»

— Ну как... Как вы можете себе представить девушку, которая жила до двадцати лет и была девственницей, которая ничего не знала, только видела где-то в фильмах, слышала рассказы подруг, и вдруг начинает жить с мужчиной, который прошел всю азбуку любви... Вообще, он был очень странным, — продолжила Кристина, вертя в руках фужер. — Вы знаете, что такое жить с авторитетом, вернее, спать с авторитетом?

— Откуда же мне знать-то? — пожал я плечами.

— Это человек, который постоянно расслабляется от той напряженной жизни, которой живет.

— И как это отражается на сексе?

— Очень просто. Опять же со слов моих подруг, — она бросила на меня пристальный взгляд, всматриваясь в мое лицо, — я всегда знала одно: женщине не хватает ласки, то есть прелюдии любви. Все обычно — давай, давай, побыстрее... Помните фильм «Вокзал для двоих»? Там сцена Михалкова с Гурченко на вокзале?

— Да, очень хорошая сцена, жизненная...

— Вот видите... Вы что, тоже принадлежите к такой категории? — неожиданно напрямую спросила она меня.

— Я? К категории кого? Я как-то об этом не думал, — ответил растерянно, чувствуя, что начинаю краснеть.

— Так вот, Игорь был не такой. Он знал все женские слабости, начинал тебя настраивать. А потом, знаете, бывало и совсем другое... Был и жесткий секс...

— Какой?

— Жесткий, даже жестокий. Когда он приходит с работы и начинает имитировать изнасилование...

— Как это?

— Срывает с тебя все, начинает гоняться за тобой по квартире...

— И что вы?

— Сначала я была в шоке. А потом, представьте себе, мне это стало нравиться. — Неожиданно Кристина замолчала и, пристально посмотрев на меня, сказала: — А вы, я знаю, женаты. Вы любите свою жену?

— Люблю ли я жену? — переспросил я. — Мы живем нормально.

— А сейчас она где?

— В отъезде.

— Знаете, как мне не хватает ласки Игоря... — Неожиданно она погладила мою руку, лежащую на столе.

Я был в нелепом положении — не понимал, что делать дальше, что означает этот жест на женском языке. Я знал, что, когда женщина поправляет прическу или какой-либо предмет на себе, это означает, что она привлекает к себе внимание. А тут — взяла за руку... Что это — приглашение или намек? Нет, не надо! Еще не хватало спать со своими клиентками! Хотя, впрочем, она уже не клиентка... Нет, все равно мне этого не надо.

Я кивнул головой. Комок подступил к горлу.

— А как вам американские казино? — еле выдавил я, специально переводя разговор на другую тему.

— В каком смысле?

— Ну, вы там играли?

— Да, казино — моя слабость. Игорь пытался учить меня разным играм — баккара, покер, — но я больше всего играла в блэк-джек, в простое очко.

— И как, удачно?

— Когда как... В Нью-Йорке, когда мы там были, я проиграла около десяти, нет, даже около пятнадцати тысяч долларов, — сказала Кристина. — Зато в Москве отыгралась. А вы знаете, чем отличается московский стрип-клуб от нью-йоркских?

— Чем?

— Наши более вульгарны. Девицы, которые там работают... Нет, я их не осуждаю. У каждого свой хлеб. Но так нагло себя вести!

— Так на то они и стриптизерши, — сказал я. — А в чем же выражается их беззастенчивость?

— А как вы отнесетесь к тому... Вы были в стрип-клубе?

— Я в ночном клубе был, но стриптиз не посещал. Как-то не довелось...

— Так вот, представьте себе, танцует перед вами девочка полностью обнаженная, совершенно на ней ничего нет, в Америке какой-то платочек, повязка... А потом свои прелести раздвигает и предлагает вам засунуть туда долларовые бумажки. Как вам такое?

Что я могу ей ответить? Лучше промолчать...

— Вот видите, у вас даже слов нет!

— Но кому-то это нравится.

— Вообще-то да. А когда мы были в Таиланде... Там такие же стриптизерши в эти прелести умудрялись засовывать змей и даже рыбок из аквариума.

— Как это?

— А вот так, у них такое шоу было. Очень было неприятно. Хотя это восточная экзотика...

— И что, прямо полную змею? А какого размера? Кристина улыбнулась.

— Ну, такая змея, которая входила.

«Да, — подумал я, — что-то мы опять не в ту сторону уехали... Получается, что мне это очень интересно!»

Вдруг зазвонил мобильный телефон. Я тут же схватился за карман. Мой молчал.

— Это, наверное, мой, — сказала Кристина и быстро открыла небольшую сумочку.

— Алло!

Она быстро бросила трубку на стол и достала из сумки другой телефон.

— У вас что, два телефона?

— Да. Один Игоря, другой мой...

В трубке раздался мужской голос.

— А его нет. Где он? Отдыхает. Кто его спрашивает? Что передать?

Видимо, на другом конце что-то ответили. Кристина нажала на кнопку сброса.

— Сам такой! — сказала она, кладя трубку в сумочку. — Отключить его, что ли? Звонят всякие дураки, да еще грубо разговаривают!

— Наверное, они приняли вас за его секретаршу...

— Конечно, у него никогда никакой секретарши не было. Будто они этого не знают! Бандит какой-то звонил. Ой, что-то мы с вами засиделись, — спохватилась она. — У вас, наверное, много дел? Я сегодня тоже хотела встретиться с девчонками, с подругами... Вы же знаете, почти всех ребят посадили...

— Как? — удивился я.

— Да, всю бригаду взяли. Надо встретиться, скоординировать действия. Когда мы с вами в следующий раз к Игорю пойдем?

— Давайте несколько дней отдохнем, — предложил я.

— Ну хорошо. Давайте через два дня к нему пойдем, хорошо?

— Хорошо.

— Может быть, к этому времени вы и подготовите полностью тот сюрприз, который придумали для меня?

Я улыбнулся:

— Хорошо, я постараюсь.

Два дня я занимался своими делами. Позвонила жена из Италии. Она уехала отдыхать в Римини со своей подругой. Звонила на мобильный.

— Ты чего мне на мобильный звонишь? — спросил я. — Я же дома.

— А мне кажется, что ты давно уже дома не живешь. Тебя в квартире не бывает. Я постоянно звоню, никто не подходит.

— Работы у меня много, — ответил я.

— Что, клиентов много? Или дело сложное?

— И то, и другое.

— Все нормально? — осторожно спросила она. — Все спокойно?

Она прекрасно знала, что профессия адвоката одна из самых опасных. Уже было несколько случаев нападения на адвокатов, убийств, иногда были провокации против адвокатов со стороны органов. Все это она испытала и на себе...

— Пока все в порядке, — ответил я.

— Ты береги себя!

— Ты тоже, — автоматически ответил я.

На следующий день позвонила Кристина.

— Ну как, сегодня мы встречаемся с вами?

— Да. Я готов. Во сколько?

— Давайте в двенадцать.

Ровно в полдень я подъехал к зданию изолятора. Однако машины Кристины я не заметил. Осмотрелся кругом. Неожиданно ко мне подъехала «Мазда» черного цвета с тонированными стеклами. Открылось окно, и я увидел сидящую на пассажирском сиденье Кристину.

— Вот и я, — сказала она. — Все, пока, милая, — обратилась она к девушке за рулем машины.

— А где «бээмвушка»? — спросил я.

— Произошли кое-какие изменения.

— Какие?

— Я встречалась вчера с девчонками... Враги Игоря голову подняли и начали потихонечку наезжать — сначала на коммерсантов, отобрали многие точки. Теперь на жен стали наезжать. Вот я, в целях предосторожности, и решила поставить пока машину на прикол. Вы потом сможете меня подвезти?

— Конечно! Отвезу куда скажете.

— Вот, я написала ему записочку, — она протянула мне сложенный листок бумаги. — Если будет возможность — передайте ему...

— Я постараюсь.

— А что за сюрприз? Вы приготовили?

— Сюрприз будет. Я не гарантирую, потому что многое зависит не от меня... — сказал я. — Может быть, сегодня вы с ним увидитесь.

— Каким образом? — удивленно спросила она.

— Вон, видите, окна на пятом этаже, сюда выходят? — показал я на окна с решетками. — Это и есть следственные кабинеты спецблока. Вот четыре окна. Может быть, мне удастся получить место в одном из этих кабинетов. Тогда я открою форточку, и вы сможете пообщаться. Только, умоляю вас, буквально две-три минуты, потому что опера за этим очень следят, и могут быть большие неприятности.

— Нет, нет, мне только посмотреть на него, и все!

— Хорошо. Но опять же, если у меня получится.

— Это было бы здорово! — сказала Кристина.

— Ждите и смотрите на окна, — сказал я. — Примерно через полчаса, если будет все, как я задумал, кто-то из нас выглянет.

План, в результате которого я должен был получить кабинет, выходящий окнами на улицу, был достаточно прост. Подойдя к окошку контролера и предъявив ей свое требование, я сказал:

— Извините, а можно мне кабинет с окном на улицу?

— С чего это вдруг? — она удивленно подняла брови.

— Дело в том, что я купил себе новую машину, буду за ней посматривать. А то обстановка тут неспокойная...

— Это в каком смысле? — спросила сотрудница следственного изолятора.

— Контингент, так сказать, подельники тех, кто у вас сидит... Могут угнать ее влегкую...

— Вам не положен кабинет с окнами на улицу. Адвокатам полагается только с окнами во двор. А с выходом на улицу — только следователям и оперативникам.

— Все это я знаю, — сказал я, — но машина новая, угнать могут. Жалко...

Женщина, внимательно посмотрев на меня, стала думать.

— Ладно, в порядке исключения, — махнула она рукой. — В следующий раз постарайтесь оставить машину хотя бы на стоянке.

— Конечно, обязательно! Большое спасибо!

У меня в руках был листок с вызовом Игоря в кабинет окнами на улицу. Вскоре его привели. Игорь удивленно посмотрел на меня.

— Неужели удалось?!

— Да, — сказал я. — Сейчас мы дадим ей знак. — Я подошел к окну, приоткрыл его и помахал рукой. Внизу стояла Кристина.

— Так, в твоем распоряжении две минуты, не больше, — сказал я Игорю. Он рванулся к окну. — Только громко не кричи. — А сам я подошел к двери.

Игорь стал разговаривать с Кристиной. Но говорить он старался почти шепотом, так что Кристина угадывала его слова. Что-то показывал знаками. Лицо его было очень радостным. Я, как подпольщик, стоял у двери, вслушиваясь в каждый звук. Пока ничего подозрительного не было.

— Все, хватит, — сказал я. — Иди садись. Не будем злоупотреблять.

— Да, хорошо, — сказал Игорь и, махнув Кристине на прощание рукой, подошел к столу и сел на скамью. Не успел он усесться, как в коридоре послышались шаги, направляющиеся в сторону нашего кабинета.

— Ну, все, — сказал я, — засекли! Сейчас у нас будут неприятности.

— Ничего страшного, — сказал Игорь, — переживем!

Действительно, в дверях стоял капитан в пятнистой форме и два конвоира в форме прапорщиков.

— Ну что, попались, голубчики? — начал капитан, даже не поздоровавшись.

— В каком смысле, товарищ капитан? — спросил я.

— Вы что, думаете, мы не засекли, что ваш клиент с улицей перекрикивался? Все, свидание окончено! Увести!

Двое конвоиров подошли к Игорю и схватили его за руки.

— Ладно, ладно, — сказал Игорь, отшвыривая их от себя.

— Что? Ты еще разговаривать будешь? — закричал капитан. — Сейчас ты у меня в карцере поучишь правила хорошего тона! А с вами, адвокат, тоже будем разбираться. Пойдемте!

«Все, Игорь сто процентов попал в карцер», — думал я.

Мы молча шли по коридору. Разговаривать с капитаном у меня не было никакого желания. Мы зашли в небольшой кабинет на третьем этаже. Вероятно, это был кабинет капитана. Окна выходили на улицу. Судя по всему, ему отсюда было все прекрасно видно. К тому же я видел, что в углу кабинета стоят несколько мониторов, на которых видны все помещения следственного изолятора, один монитор наблюдает за очередью, где сдают передачи, другой — за служебным входом, а третий — по периметру всего здания.

На столе в кабинете лежало мое адвокатское удостоверение. Обратившись ко мне по имени-отчеству, капитан протянул мне листок и сказал:

— Садитесь, пишите объяснение на имя начальника тюрьмы.

— А что мне писать?

— Что вы нарушили правила внутреннего распорядка следственного изолятора. А мы примем к вам меры.

— И какие же меры вы примете? — поинтересовался я. — Здесь, что ли, оставите?

— Была бы наша воля — оставляли бы таких, как вы, — раздраженно ответил капитан.

— А, собственно, что я нарушил? — спросил я. — Да, действительно, парень смотрел в окно на жену, с которой, может быть, он увидится не скоро или вообще не увидится.

— В каком смысле?

— А в таком, что вы потом проверьте, в чем он обвиняется и что ему грозит.

— А что ему грозит?

— Может быть, даже «вышка»...

— И что из этого?

— Он посмотрел на свою жену. Что же в этом страшного? А вы знаете, что в зарубежных странах, особенно тех, что состоят в Совете Европы, вообще разрешают свидания каждый день, без ограничения? А вы знаете, что наша Россия вступила в Совет Европы, товарищ капитан?

— Ладно, вы мне еще тут агитацию будете разводить! — еще злее сказал капитан.

— Да, буду агитировать, потому что вы, во-первых, нас с поличным не поймали...

— С поличным? Сейчас я вам покажу с поличным! — Он подошел к одному из мониторов, включил его, и я увидел четко, что нас, оказывается, записывали, — и как я стоял у двери, и как Игорь стоял у окна. Камера была направлена на стол.

— Вот вам доказательства! Узнаете себя? — спросил капитан злорадно.

— Я-то себя узнаю. Что же получается? Получается, что существует адвокатская тайна общения с клиентом. А вы, оказывается, товарищ капитан, нас пишете? — перешел я в наступление.

Капитан удивленно посмотрел на меня, не ожидая такого отпора.

— Я сейчас же пойду на телевидение и в газеты и дам интервью, что все беседы адвоката в вашем следственном изоляторе полностью записываются. В таком случае нам не только в Совет Европы вступать, но в сталинском времени надо остаться!

— В каком смысле? — не понял капитан.

— Тюрьма у вас, по сегодняшнему законодательству, находится совершенно не в подчинении МВД, а в подчинении Министерства юстиции, совершенно другого ведомства, которое не ведет следствие. А вы являетесь придатком следствия. Вы записываете разговоры, и весь материал переходит в следственные органы, как бы дополнительная информация собирается в стенах следственного изолятора против обвиняемых и подозреваемых! Между прочим, здесь сидят многие честные люди, и многие из них выйдут на свободу.

— Да, особенно ваш клиент, — ехидно ухмыльнулся капитан.

— Про клиента я не говорю. Суда над ним еще не было, и все решит суд. В общем, что хотите, то и делайте, но никакой объяснительной записки я писать не буду, — и я отодвинул от себя листок.

Капитан взял мое удостоверение, стал его разглядывать.

— Давно работаете?

— Давно, лет пять.

— И пять лет так нарушаете законы?

— Какие это законы я нарушаю? А вы, капитан, их не нарушаете? Разве нет случаев, когда ваши сотрудники проносят сюда наркотики, спиртное? Разве об этом не пишут в газетах и не показывают по телевидению?

— Это да, — кивнул головой капитан. — Значит, получается, что вы виноваты?

— Какая разница, кто виноват... Наверное, виноват тот, у кого прав меньше. Сейчас прав больше у вас, так что сегодня виноват, получается, я.

— Но вы сознаете, что вели себя неправильно?

Я понял, что капитан пошел на попятную. Кивнул головой:

— Да, сознаю... Но писать ничего не буду.

— Ладно, Бог с вами, — обратился капитан ко мне по имени-отчеству, — адвокат вы, видимо, хваткий. Вам палец в рот не клади, а то еще сам виноват окажешься... Телефончик бы свой оставили.

— Зачем он вам?

— Мало ли, вдруг пригодится.

— Даже так! — улыбнулся я. — Вот видите, товарищ капитан! Конечно, оставлю. — И я записал телефон юридической консультации.

Довольный, что так легко выпутался из конфликта, который мог обернуться для меня очень большими неприятностями, я покинул следственный изолятор.

На улице меня ждала Кристина. Лицо ее было встревоженным.

— Что случилось? — спросила она.

— Нас засекли.

— Погодите, — вдруг сказала она, — не оборачивайтесь!

— А что такое? — насторожился я.

— Видите, высокий парень... Только сразу на него не смотрите... Со светлыми волосами.

— Да, вижу, — сказал я.

— Он за нами наблюдает. А вон в той машине сидят его дружки. Они засекли, как я с Игорем разговаривала.

— И что, вы думаете, что это погоны?

— Нет, какие погоны! Это братва, его враги! Только сразу не оборачивайтесь!

Я сделал вид, что у меня на ботинке развязался шнурок, наклонился и увидел высокого парня, прохаживающегося вдоль улицы.

— Кристина, с чего вы взяли, что он наблюдает за нами? — спокойно сказал я. — Может, он просто так ходит, может, в конце концов, ты ему понравилась. — Я снова перешел на «ты».

— Не надо, он все время показывал на меня и подходил к той машине. А когда я разговаривала с Игорем, он стоял недалеко и слушал.

— Хорошо, — сказал я, — садись ко мне в машину, сейчас мы все проверим.

Кристина села в машину. Я завел двигатель. Сам стал смотреть в зеркало заднего вида. Действительно, «Ауди-80», стоявшая в конце улицы, тронулась. Блондин успел добежать до нее и сесть на заднее сиденье. Машина поехала за нами.

Мы выехали на набережную Яузы. «Ауди» следовала за нами.

— Вот видите, я же говорила! — сказала Кристина.

— Погоди, еще не вечер! — ответил я. — Тут есть один переулочек, ведущий к Курскому вокзалу, мы сейчас резко туда повернем.

Переулочек был узкий и немноголюдный. Туда машины практически не заглядывали. Я увеличил скорость. «Ауди» также рванула вперед. Затем я резким движением повернул направо и въехал в переулок. «Ауди» повернула за нами. Теперь налево... направо... Все.

— Вот видишь, мы ушли, — сказал я.

— Да, нам повезло. Но вы видели, что за нами была слежка?

— Да, точно. Кристина, тебе нет смысла возвращаться домой сегодня.

— Но там у меня вещи, все осталось...

— Поехали. Заберешь вещи, поживешь какое-то время у подруги или в пансионате.

Через несколько минут мы подъезжали к ее дому.

— Минуточку, — попросила Кристина, — притормозите немного.

Я замедлил скорость.

— Видите, «Ауди», которая нас преследовала...

Машина стояла около подъезда. Рядом с «Ауди» — темно-синяя «БМВ». Ребята, стоящие возле машин, переговаривались между собой и курили.

— Вот видите, я же говорила...

— Все, — проговорил я, — тебе надо на несколько дней спрятаться. Они тебя вычислили.

— Похоже...

Неожиданно раздался телефонный звонок.

— Твой, мой? — спросил я.

— Кажется, мой... — Кристина достала из сумки мобильный телефон. — Это Игоря... Алло! — И тут же махнула мне рукой, чтобы я придвинулся ближе. Она взяла трубку так, чтобы и я слышал разговор.

— Алло, красавица, — услышал я голос. — Я это... от Игоря. Мы с ним в одной хате отдыхали... Он тебе «малявочку» прислал. Давай, спускайся вниз, я у твоего подъезда стою. Передам «малявочку» от мужа-то...

— Хорошо, — сказала Кристина, — сейчас я спущусь. Вы меня ждете? Как я вас узнаю?

— Я это... на синей «БМВ» стою, — сказал парень.

Нам было видно, как человек, стоящий у «БМВ», разговаривал по телефону. Вероятно, никто не подозревал, что мы ехали так долго. Они думали, что мы опередили их и приехали раньше. Видимо, они считали, что Кристина уже в квартире. «Ауди» тут же отъехала в сторону.

— Ну вот, — сказала Кристина, — меня об этом предупреждали.

— Тебе соваться в квартиру нельзя, — сказал я. — Надо уехать к подруге.

— Нет, и к подруге нельзя. Там может быть то же самое... Лучше в гостиницу.

— Зачем тебе в гостиницу? Здесь недалеко, в семи километрах от Кольцевой дороги, есть очень уютный пансионат. Хочешь, поедем туда.

— Я не возражаю.

Мы медленно отъехали от дома. Я посмотрел назад. Никакой слежки за нами не было. Видимо, нас не заметили.

— Пускай ждут, дураки! — сказала Кристина.

Пансионат, куда я вез Кристину, действительно находился почти сразу за Кольцевой дорогой, за Митино, на Пятницком шоссе. Когда-то он принадлежал всемогущему ЦК КПСС, точнее, горкому партии. Потом, после перестройки, перешел в ведение Управления делами президента, а потом каким-то образом перешел на хозрасчет и сам стал налево и направо продавать путевки.

Основной клиентурой этого пансионата были «новые русские». Евроремонт, хорошие условия позволяли брать высокую плату. Поэтому свободные номера в этом пансионате можно было найти практически всегда, хотя в праздники и на выходные он заполнялся до предела.

Поскольку сейчас был конец ноября, стоял «мертвый сезон», я был уверен, что номер в этом пансионате удастся снять без труда.

Пансионат после моего последнего посещения два года назад очень изменился. Он состоял из двух корпусов. Один был старым, построенным еще в тридцатые годы, во времена сталинской архитектуры, второй современный, восьмидесятых годов постройки, с современными архитектурными наворотами.

Администратор, узнав меня, приветливо улыбнулась.

— Вы к нам надолго?

— Как получится, — ответил я. — Собственно, не я, а моя спутница, — показал я на Кристину. — Ей необходимо пожить у вас несколько дней.

— Пожалуйста. Что вы предпочитаете — новый корпус или старый?

— А где лучше? — спросил я, думая о том, что со времени последнего моего визита, вероятно, тут многое изменилось.

— Я думаю, что лучше все же в старом, — ответила администратор.

— В старом? — удивился я. — Старый же всегда был у вас плохим.

— Да, но мы сделали там капитальный ремонт. Теперь в каждом номере джакузи, а в некоторых номерах — даже мини-бассейны. Номера двухэтажные.

— Давайте тогда двухэтажный номер, — сказал я, вопросительно посмотрев на Кристину. Она кивнула головой.

— Я выписываю вам номер на втором этаже, — сказала администратор. — На какую фамилию записать?

— Пишите мою. Помните?

— Конечно, помню.

Получилось так, что у нас был один номер на двоих с Кристиной. Но поскольку он двухэтажный, значит, состоит из нескольких комнат. А брать два номера было бы странным.

Когда мы шли к номеру, я все же спросил у Кристины:

— Может быть, стоило взять два одноместных номера?

— А зачем? — удивилась Кристина.

Действительно, номер был шикарным. На первом этаже громадный холл с камином, опять же двух уровней. Чуть повыше находилось несколько комнат, туалет. Посредине ванной комнаты красовалось джакузи, выполненное в форме мини-бассейна. Была еще одна комната, типа столовой, где в середине стоял сервировочный стол, у стены — современный сервант, заставленный хорошей посудой.

На втором этаже две спальни, каждая из которых имела свой выход в ванную и туалет.

Кристина сразу оценила такой номер.

— О, как за границей! — сказала она.

— А чем мы хуже? — улыбнулся я.

— Ну что, может, пойдем посидим в баре? — предложила она.

Я пожал плечами:

— Не возражаю.

Мы спустились в бар. В это время в баре было всего несколько человек. Конечно, в такой сезон, когда отдыхает мало людей, наше появление привлекло внимание. Мы ловили на себе любопытные взгляды. Я попробовал взять на себя обязанности кавалера.

— Что мы будем пить? — спросил я.

— Я — сухое мартини, — сказала Кристина.

Я подошел к стойке бара и заказал ей сухое мартини, себе минеральную воду. Вернувшись, сел за столик. Вскоре подошла официантка и принесла нам напитки.

— Может быть, еще мороженое? — спросила она.

— Давайте, — кивнул головой я.

— А что, вы совсем не пьете? — поинтересовалась Кристина.

— Как-то отвык от всего, — ответил я.

— Мой муж, собственно, как и все его бандюки, за что я их и уважаю, все тоже не пьют. В бригаде был установлен строгий сухой закон, и его никто никогда не нарушал. Даже по праздникам они позволяли себе только сухое вино, разбавленное водой.

— Сейчас время такое... — сказал я. — Наверное, кончилось время застоя и застолий — сауна, коньяки, пиво, водка... Сейчас нужно быть все время трезвым. Особенно в нашей профессии.

— Да? — удивилась Кристина.

— Конечно. Ведь я как «Скорая помощь». Сейчас

сижу с вами, и в любой момент мне на мобильный может раздаться звонок, поступит сигнал с просьбой о помощи. И я должен буду сразу же ехать.

— Что, ко всем клиентам?

— Нет, далеко не ко всем, к определенным только.

— Кстати, ваш телефон сейчас отключен, — проговорила Кристина.

— Откуда вы знаете?

— А он давно не звонит.

Я полез в карман. Действительно, телефон отключился.

— Батарейки разрядились, — сказал я.

— А прикуриватель где?

— В машине остался.

— Ну, значит, нам никто не будет мешать, — улыбнулась Кристина.

Мы просидели в баре еще около получаса. Потом решили немного погулять. Уже было около десяти вечера, на улице темнота. Дом отдыха постепенно погружался в сон.

Мы шли по дорожке. Кристина взяла меня под руку, мы спокойно разговаривали. Вдруг неожиданно она остановилась и полезла в карман.

— Я не сделала еще одно важное дело, — сказала она.

Я вопросительно взглянул на нее. Она достала мобильный телефон и со всей силы швырнула его в каменный забор. Телефон разлетелся вдребезги.

— Зачем это? — удивился я.

— Ему телефон больше не нужен. И мне он тоже ни к чему.

Я понял, что она разбила телефон Игоря.

— Тем более, его номер знают враги...

Потом мы посидели в холле, зажгли камин.

— Извините, — сказала вдруг Кристина, — вы не очень осудите меня, если я выпью шампанского? — И она направилась к бару. — Что-то я не очень хорошо себя чувствую, надо расслабиться. Очень я переволновалась за последнее время.

— А какие проблемы? — спросил я.

Выпив пару фужеров шампанского, Кристина немного опьянела и разговорилась.

— Теперь мне нужно как-то устраивать свою жизнь, — неожиданно произнесла она.

Я вопросительно взглянул на нее.

— Что, для вас это неожиданность? Вы думаете, что Игорь выйдет на свободу?

— Как знать... — пожал я плечами. — Ведь даже в безнадежных делах бывает удача...

— Да какая тут может быть удача! Удача будет, если он получит не смертный приговор, а пожизненное заключение! — резко сказала Кристина.

— Откуда такой пессимизм?

— А вы что, не знаете, что сейчас вовсю признания дают?

— Кто?

— Да боевики! Они во всем признались, и все указывают на Игоря как на организатора и руководителя группировки. И привели такие доказательства, что, боюсь, ему теперь никто ничем уже не поможет. Даже вы...

— Да что я могу сделать! — развел я руками.

— Нет, вы можете сделать многое! Я чувствую!

— Но вы не забывайте, что я один, а против него — система! — сказал я. — Система правосудия — следователи, оперативники, тюрьма, все против него. А я, адвокат, — один. Что я могу с этой системой сделать?.. Положим, я выступлю в суде достойно, приведу какие-то доказательства, положим, сумею убедить суд. Но существует так называемый социальный заказ от общества. А общество обязано осудить его. Понимаете?

— Да я все понимаю... — сказала Кристина. — Вот поэтому мне и нужно как-то обустроить свою жизнь. Мне же нужна будет семья.

— Тогда получается противоречие. Вы не думали о себе, когда брали на себя оружие, найденное в квартире?

— Тогда была другая ситуация. Я думала, он сумеет

выкрутиться. А сейчас... Он ведь не может сделать побег? — неожиданно сказала Кристина.

— Оттуда не убежишь, — ответил я и покачал головой.

— Вот видите! Значит, нужно устраивать жизнь.

— И какие же планы у вас на этот счет? — спросил я.

— Еще не знаю. Но постоянно думаю об этом в последнее время.

Мы сидели возле камина часа два.

— Ну что, — наконец сказала Кристина, — пора укладываться?

— Да, конечно, — кивнул я головой.

Мы разошлись по спальням. Я открыл окно, лег на кровать. Лежал и думал. Вот нелепая ситуация! Лежим с красивой женщиной в разных спальнях... Нет, это не женщина, это моя клиентка. И не нужно об этом думать!

Вдруг дверь тихо приоткрылась. На пороге стояла Кристина.

— Что-то не спится мне... — сказала она тихо. — Можно я тут полежу?

— Конечно, — сказал я.

Она быстрым движением скользнула ко мне под одеяло.

— Знаете, — неожиданно сказала она, — у меня давно не было секса, больше четырех месяцев...

«Ничего себе, — подумал я, — такое откровенное заявление! Опять я в дурацкое положение попал...»

— Я же вам нравлюсь? — продолжила Кристина. — Правда ведь?

— Да, нравишься, — подтвердил я. — Но, понимаешь, существуют определенные правила игры...

— Какие еще правила?

— Клиент и адвокат — есть неписаные законы.

— Но кто их может проверить?!

— Проверить некому. Но существует внутреннее сознание.

— Сознание? Значит, вы не хотите меня? — настойчиво продолжала Кристина.

— Я?

Больше ничего сказать я не успел...

Утром проснулся пораньше. Рядом лежала обнаженная Кристина. Она спала. На лице ее была улыбка. «Ну вот, попал я в ситуацию...» — подумал я.

Встал и пошел умываться. Когда я вернулся в спальню, Кристина уже проснулась. Она лениво потянулась и протянула ко мне руки. Я подошел к кровати. Она поцеловала меня.

— А я ведь еще в тюрьме о вас думала... — сказала она.

— В тюрьме?

— Да. После каждой встречи с вами я мысленно представляла эту сцену... Я знала, что рано или поздно этим кончится! А вот если мой муж узнает, что мы с вами спали, он вас убьет.

— Да, хорошенькая перспектива! — улыбнулся я.

— Ну ничего, мы же ему не скажем об этом! Правда? — засмеялась Кристина. — Зато сейчас так легко и хорошо! А как тебе? — обратилась она ко мне на «ты».

«Так, значит, теперь и на «ты» можно... Собственно, что я мучаюсь, сам себе мораль читаю? Наблудил, а теперь...»

— Да, мне тоже, — ответил я.

— Я вот что подумала, — сказала она. — Совершенно сумасшедшая идея...

— Какая?

— У меня же есть зеленая сумка «Адидас», помнишь, я тебе про нее рассказывала...

— И что?

— Давай уедем куда-нибудь. Денег немерено! Начнем жить...

— И куда же? — поинтересовался я.

— Например, в Америку.

— А что я там буду делать?

— Ты можешь работать адвокатом.

— Ты что! — улыбнулся я. — В Америке — адвокатом! Да меня близко к этому не подпустят! Там своих хватает.

— В конце концов, мы можем купить магазинчик, ресторанчик...

Я молчал. Размышлять о переменах в своей жизни у меня не было никакого желания. Да и куда я могу поехать? У меня есть другие обязательства, которые я должен выполнять. Да, конечно, она красива, можно сказать даже, что она мне очень нравится, но это же не повод, чтоб так резко изменить свою жизнь. Я не готов к этому. Да и зачем я ей нужен? Она молодая...

— А что ты будешь делать дальше?

— А разве нужно обязательно ехать в Америку? Это тебе нельзя оставаться в Москве.

— Да, я думала об этом, — произнесла медленно Кристина. — Сейчас я хочу вернуться в свой городок и пожить пока там. Ты поможешь мне взять кое-что из квартиры?

— Каким образом? Думаешь, что нас уже там не ждут?

— Но ты должен что-то придумать. Ты же мужчина, в конце концов!

После завтрака мы пошли гулять. К вечеру решили съездить на ее квартиру. Весь вечер мы разрабатывали план, как безопасней забрать ее вещи, а главное — сумку с деньгами.

Сначала мы хотели позвать моих клиентов — какую-нибудь братву. Но можно было представить, что из этого могло получиться. Могла быть перестрелка, не дай Бог, кого-нибудь подстрелят или посадят, а мне потом отвечай или садись вместе с ними... Нет, это не годится.

Мы сели в машину и подъехали к отделению милиции. Мы знали, что в отделении всегда можно договориться с кем-нибудь из милиционеров. Я медленно подошел к дверям. На лавочке сидели два сержанта. Один из них держал автомат — в последнее время существовал такой закон, что у входа в отделение всегда стоит вооруженный наряд милиции.

Не знаю почему — может, были случаи нападения на милицию, то ли обычные меры предосторожности. Я подошел к ним и поздоровался. Задав пару пустячных вопросов, перешел к главному.

— Ребята, — сказал я, — а вы не можете помочь одной женщине? Конечно, не бесплатно. Мы хорошо заплатим. — И тут же, в подтверждение своих слов, достал из бумажника несколько стодолларовых бумажек.

— А что надо сделать? — поинтересовался автоматчик.

— Да, в общем, почти ничего. Ее нужно проводить до квартиры, подождать минут десять, пока она заберет вещи, а потом посадить на такси. Вот и вся работа.

— А что, какие-то проблемы возникли? — поинтересовался милиционер.

— Да бывший муж у нее ревнивый, хулиган, напасть может. А так — вы вроде при исполнении, со стволами... Я думаю, что при вас он не решится.

— Что думаешь, Гриша? — обратился автоматчик к сидящему рядом сержанту.

— А сколько она заплатит? — спросил Гриша.

— А сколько вы хотите получить?

— Чтобы не обидела, — хитро улыбнулся Гриша.

Я достал еще две стодолларовые бумажки.

— Хватит?

— Вполне! — сказал Гриша. — Где она?

— А вы что, уже готовы?

— Чего нам готовиться! Сейчас схожу в оружейную, возьму «калашникова» и еще одного парня, и поедем, — сказал Гриша.

Через несколько минут из отделения показались два автоматчика, одетые в бронежилеты. Я подошел к машине, где сидела Кристина.

— Вот твоя охрана, — сказал я ей. Ее глаза округлились от удивления, но она улыбалась.

— Не ожидала такого! — проговорила она. — Вот чем мужской ум отличается от женского!

— Удовлетворена такой охраной? — спросил я.

— Конечно!

Мы поехали на машине. Как ни странно, у подъезда никого не оказалось. Кристина вышла, спокойно поднялась на свой этаж.

Двое милиционеров с автоматами ее сопровождали. Минут через пятнадцать она спустилась с сумками, в числе которых была и зеленая «Адидас».

— Ты кроссовки со спортивным костюмом не забыла? — спросил я.

— Нет, дорогой, все взяла — весь спортивный инвентарь, — подыграла мне Кристина.

— Ну тогда садись, поедем обратно.

Она положила сумки в багажник, тем временем я расплатился с милиционерами. Они смотрели на нас недоумевающими взглядами: за какие-то пятнадцать минут заработали кругленькую сумму!

Мы поехали в сторону аэропорта. Кристина без труда купила билет в свой город. После этого подошла ко мне и, взяв меня за пуговицу, притянула к себе.

— Может, полетишь со мной?

Я отрицательно покачал головой.

— Это невозможно. Надо работать.

— Хорошо. Но ты будешь посещать Игоря?

— Не так часто, конечно, но буду.

— Я буду звонить тебе на мобильный время от времени, интересоваться, как дела. Да, вот еще что, — добавила Кристина, протягивая мне конверт. — Тут телефончик и деньги...

— Кому это?

— Помнишь, бабулька у тюрьмы, с передачами? Это ее телефон и деньги для нее. Пусть она в нужные сроки носит передачки Игорю. А ему все объясни. Он поймет, что я поступила правильно.

— Сколько тебя не будет? — поинтересовался я.

— Может, месяц-два, все будет зависеть от обстоятельств. Буду держать тебя в курсе, буду звонить девчонкам, следователю, так что надеюсь, что уеду ненадолго.

Через полчаса Кристина улетела.

Прошел ноябрь, декабрь — Кристины не было. Время от времени она звонила мне. Я связался с бабулькой, которая носила передачи, сам посещал Игоря.

Напряженность вокруг него не утихала. У Игоря начались трения в камере. Были совершены два покушения на него. Правда, пока только в форме нападения сокамерников.

Оказывается, Игорь обвинялся в убийстве нескольких воров в законе, авторитетов. А по тюремным законам, такой человек — смертник. Действительно, мое предчувствие вскоре сбылось.

В начале января при загадочных обстоятельствах Игорь был убит в камере, по версии — в драке с сокамерниками. Но я прекрасно знал, что он был мастером спорта по самбо и обладал очень крепким телосложением.

Заключенный, взявший на себя убийство Игоря, проходил по двум убийствам, поэтому взять на себя третье для него ничего не стоило.

Конечно, прямых доказательств, что Игоря убили по приказу воров в законе или конкурирующей преступной группировки, не было. Но в тот же день при странных обстоятельствах умирает от сердечной недостаточности Эдик — правая рука Игоря.

Не знаю, каким образом Кристина узнала о смерти мужа, но на следующий день утром она приехала в Москву. Мы договорились с ней встретиться у здания тюрьмы.

Кристина с женой Эдика стояли рядом, обе в темном. Лица их были грустными. Но следов слез я не заметил. Мы поздоровались.

Кристина ответила очень сухо. Это показалось мне странным. Может быть, не хотела афишировать наши отношения перед супругой Эдика?

— Поможете оформить документы и получить тело Игоря? — спросила Кристина.

— Конечно, — ответил я. — Давайте ваш паспорт.

Взяв документы, я прошел в следственный изолятор. Оформление нужных бумаг заняло около часа.

Вскоре сотрудники следственного изолятора вывезли на каталках тела Эдика и Игоря, накрытые простынями. На улице уже стояла машина для перевозки трупов — «Волга»-универсал. Когда каталки вывезли, сотрудник изолятора, сопровождающий трупы, обратился к женщинам:

— Подойдите, посмотрите, ваши это или нет? — и быстрым движением поднял простыни, покрывающие тела Игоря и Эдика.

Лицо Эдика было чистым, без повреждений, только желтого цвета. А увидев лицо Игоря, мы ужаснулись. Это было черное лицо с какими-то буграми, вмятинами, глаза, по-моему, были выбиты, нос сломан.

Тюремная администрация кое-как сделала косметическую маску, но все равно вид был ужасный. Я посмотрел на Кристину. Она, увидев лицо мужа, чуть пошатнулась. Я подхватил ее под локоть. Она наклонилась к телу Игоря и зарыдала. Мне стало не по себе. Было очень трудно смотреть на такую сцену. Я даже отвернулся.

Со всех сторон подбежали сочувствующие. Кто-то из очереди для передач, кто-то просто проходил мимо изолятора. Послышались возгласы, стоны, кто-то стал успокаивать женщин, кто-то стал говорить, что такие случаи в тюрьмах бывают довольно часто. Но мне было не до них.

Наконец тела погрузили в машину. Я подошел к Кристине.

— Может быть, тебе нужна еще какая-то помощь?

— Нет, пока не нужна.

— Куда ты сейчас?

— Поеду кремировать его, чтобы отвезти прах в наш город и похоронить там.

Я посмотрел по сторонам. Супруги Эдика не было видно, она уже сидела в машине.

— Ты вернешься в столицу? — спросил я.

— Не знаю, сейчас ничего не знаю, — тихо ответила Кристина. — Ничего сейчас не понимаю. Сейчас главное — кремировать тело, перевезти его в наш город и захоронить, — говорила она автоматически, чужим голосом.

Я понимал — она была в шоке от того, что увидела мертвым человека, которого любила и который был дорог ей...

Вскоре «Волга» с телами Игоря и Эдика и их вдовами уехала. Я неподвижно стоял около тюрьмы, глядя вслед удаляющейся машине.

«Наверное, больше никогда ее не увижу, — думал я. — Вот какова судьба человеческая! Мы предполагаем, а Бог располагает...»

ЭПИЛОГ

После нашей последней встречи прошло больше года. За это время я иногда вспоминал Кристину. Но она не позвонила мне ни разу.

Я через вдову Эдика пытался узнать о ней, но получал противоречивые сведения. С одной стороны, говорили, что она тяжело заболела и чуть ли не попала в психиатрическую больницу своего города — помешалась. С другой — я слышал, что она уехала за границу. Проверить эти слухи было невозможно. К тому же я поменял номер своего мобильного телефона и теперь был практически лишен возможности связаться с ней, так как связь у нас была односторонняя — звонила она.

Я закрутился с делами. У меня появились новые клиентки, их мужья сидели в следственных изоляторах. Я стал заниматься делами. И все шло бы по-прежнему, если бы не один странный звонок.

Как-то я приехал в юридическую консультацию и обратил внимание, что к стене прикреплена записка с моей фамилией: «Вас просила позвонить Кристина», и внизу номер телефона. Телефон был явно не мобильный.

Я схватил листок и побежал в свободный кабинет. Заскочил в кабинет заведующего, где никого не было, быстро набрал номер.

— Алло, Кристина? — я услышал на другом конце незнакомый женский голос.

— Одну минуточку... А кто ее спрашивает? — поинтересовался голос.

— Это адвокат, — сказал я и назвал свою фамилию, имя и отчество.

— Одну минутку, сейчас я вас соединю, — и девушка назвала Кристину по имени-отчеству. Потом я услышал музыкальный фрагмент, видимо, заполняющий паузу. Наконец раздался знакомый голос.

— Здравствуйте, — сказала она, — я очень рада, что вы мне позвонили.

— Где ты?

— Я в Москве.

— Давно?

— Месяца три.

— Почему же ты мне раньше не позвонила? Где ты?

— Я работаю. У меня очень мало времени. Впрочем, вы можете приехать ко мне.

— А куда? Где мы встретимся?

— Зачем же где-то встречаться? Вы можете приехать ко мне в офис.

— В офис? — удивленно переспросил я.

— Да, я работаю.

— Говори адрес! Или мне лучше позвонить из автомата?

— Нет, зачем же! У нас нет секретов. Записывайте адрес! — И она продиктовала мне адрес.

Я сел в машину и поехал. Остановился, купил букет цветов. Ее офис находился в районе метро «Сокольники», недалеко от тюрьмы «Матросская тишина».

Подъехав к офису, я увидел, что он представлял собой обычное здание детского сада, в два этажа, за металлической оградой. Перед ней стояло несколько иномарок. У входа я увидел серебристый «шестисотый» «Мерседес».

На столбах дворика виднелись видеокамеры. У входа стояли несколько плечистых парней с короткими стрижками, в черных брюках и в черных кожаных куртках. Они вопросительно посмотрели на меня. Я назвал себя.

— Проходите, — кивнул один, нажав на кнопку в стене. Открылась металлическая дверь. Я вошел на первый этаж и увидел, что детский сад был полностью переоборудован в современный комфортабельный офис. Все было красиво, в европейском стиле.

Девушка в черной юбке и белой блузке — традиционной одежде офисных работников — приветливо встретила меня.

— Одну минуточку, сейчас, — она назвала Кристину по имени-отчеству, — вас примет.

Я присел в кресло. Через несколько минут по ступенькам со второго этажа стал спускаться высокий парень, тоже в темной куртке, в темных брюках, в белой рубашке с галстуком. Он назвал меня по имени-отчеству. Я кивнул, подтверждая, что это именно я.

— Пожалуйста, пройдемте, — парень пошел впереди меня. Я стал подниматься за ним на второй этаж. Обратил внимание, что офис переоборудован наподобие двухэтажного номера в пансионате, где мы с Кристиной отдыхали.

Наконец я попал в приемную, где сидела еще одна девушка. Она улыбнулась мне и открыла дверь.

Я вошел в просторный кабинет. В углу стоял большой черный итальянский стол, за которым сидела Кристина, в строгом темном костюме, в светлой блузке. Она постриглась коротко. Какая-то повзрослевшая, серьезная, строгая, солидная... Кроме нее, в кабинете никого не было.

Я понял, что это кабинет директора фирмы. Сопровождавший меня парень остановился в дверях. Кристина обратилась к нему:

— Ты можешь идти.

— Может, мне лучше остаться? — спросил он.

— Я сказала тебе, — раздраженно повторила Кристина, — что ты можешь идти!

Парень недовольно повернулся и вышел, несильно хлопнув при этом дверью. Я понял, что между этим парнем и Кристиной существуют какие-то отношения.

— Кто это? — спросил я, прежде чем поздороваться.

— Это начальник охраны и мой личный телохранитель, — сказала Кристина. — Ну что, давайте здороваться? — Она подставила мне щеку. Я поцеловал ее.

Я присел в кресло, не зная, о чем разговаривать.

— Значит, ты в Москве? — спросил я.

— Да, уже три месяца.

— А как же Америка?

— Но ты же не захотел туда ехать...

Я улыбнулся.

— Решила остаться в Москве, дело начать.

— Какое дело?

— Теперь я имею несколько коммерческих структур, так сказать, выкупила кое-что, что-то от Игоря в наследство осталось, и занимаюсь коммерцией. Никакого криминала.

— А ребята?

— А это ребята из бригады Игоря остались, которых отбить удалось. Но это моя личная охрана, служба безопасности. Опять же, никакого криминала.

— Да ладно, что ты оправдываешься передо мной, я же не прокурор! — улыбнулся я.

— А как у вас дела?

— У меня дела идут. Люди сидят, кого-то сажают, кого-то освобождают.

— Работы много?

— Да, хватает.

— И клиентки есть?

— Какие? Которые на свободе или те, что сидят?

— И те, и те.

— Нет, клиенток, кто сидит, у меня нет. Но на свободе — есть. А я тебя искал, — неожиданно для самого себя произнес я.

— Искал? — удивилась она.

— Пытался разыскать. Звонил жене Эдика, узнавал, но мне сказали, что ты в больнице...

— Да, был такой период, лежала я в больнице. Чуть крыша не поехала от шока, который я пережила. Ты же не знаешь, что было на похоронах Игоря. Лучше тебе и не знать... А потом — взяла себя в руки и решила — а почему бы мне не продолжить дело Игоря?

Я потерял дар речи от неожиданности такого заявления.

— Что значит — дело Игоря? Связанное с криминалом?

— Я же сказала — никакого криминала нет. Только бизнес.

— А личные дела у тебя как?

— Ты же прозорливый адвокат, — улыбнулась Кристина, — мог бы и догадаться!

— С этим, высоким?..

— Это так, в свободное время, чтоб другие не приставали.

— А где ты живешь, если не секрет?

— От тебя у меня секретов нет. Представь, пока еще квартиру не купила, не заработала. А живу я в том номере, где мы с тобой останавливались...

— Как? Ты его что, выкупила?

— Нет, просто сняла на длительное время. Как видишь, не зря мы с тобой зеленую сумку вызволяли. Пригодились те денежки... А как у тебя дела? Не развелся?

— Нет, — ответил я.

— У тебя кто-то есть? — неожиданно спросила Кристина, намекая на любовницу.

— Нет, только клиенты и клиентки, — пошутил я.

Потом мы поговорили еще около получаса. Я понимал, что между нами возникла новая возможность восстановить наши отношения. Но чувствовал, что не может быть повторения, это существовало только в связке с той экстремальной ситуацией, которую мы пережили в то время...

Я вышел из офиса. Проходя в дверь, обратил внимание, что никаких сотрудников фирмы, кроме охранников в кожаных куртках, в здании нет. Я уже почти закрывал дверь офиса, как увидел, что по лестнице спускается Кристина. Я подождал ее.

— Ну вот,   обратилась она ко мне, — на точку вызвали. Надо кое-что проконтролировать. — Она подошла к «Мерседесу».

— Это что, твоя машина? — спросил я.

— Теперь моя... Раньше он на нем ездил.

Я понял, что это была машина Игоря.

— А чем же твоя фирма занимается? Интересно все же...

— Мы... — Кристина сделала паузу, посмотрев на долговязого парня. — Мы занимаемся охранными услугами.

— Охранными услугами? — переспросил я. — Ничего себе! Для женщины это круто!

— Ничего, справляюсь. Человек везде может адаптироваться — в тюрьме, в любых условиях. Вы же это знаете.

— Да, ты права. Ну что ж, удачи!

Кристина села в машину и тронулась с места. Тотчас же за ней поехала сопровождающая «БМВ-520».

Я подошел к своей машине и поехал по своим делам.

На этом можно было бы поставить точку в этой истории, потому что больше мне Кристина не звонила. Я ей тоже никогда не звонил. Только...

Как-то я работал над другим делом. Один из уголовных авторитетов, находящийся в следственном изоляторе, неожиданно спросил меня:

— А правда, базар среди пацанов идет, что вдова вашего клиента возглавила бригаду и заправляет делами по всей Москве?

— Не понял, какого клиента? — переспросил я.

— Которого еще в следственном изоляторе убили. Газеты об этом много писали.

Я понял, что он имеет в виду Кристину. Вспомнил ее слова: «...главное — никакого криминала».

«Ну что ж, — подумал я, — женщина, глядя на своего супруга, может преобразиться — из простой скромной девушки в лидера бригады. А впрочем, это лишь мои домыслы...»

«НОВАЯ РУССКАЯ» ЛЮБОВЬ

Дело об оружии, 1998 год

В нашем загородном поселке, который находится в ближнем Подмосковье, можно встретить все стили дачной архитектуры.

Здесь тихонько доживают свой век небольшие, уютные деревянные домишки предвоенных времен, подобные тем, что снимал Никита Михалков в фильме «Утомленные солнцем».

Есть построенные недавно, не более пяти лет назад, в стиле новых русских теремов — кирпичные трехэтажные дворцы с черными узорчатыми решетками, с массивными каменными или кирпичными заборами, скорее напоминающие замки или дома культуры.

Но в последнее время подмосковно-дачная архитектура стала развиваться по западным образцам. Появились так называемые евродома, построенные либо по принципу канадского сандвича, либо обшитые евровагонкой. Издалека эти домики кажутся игрушечными.

Представьте себе — зеленая лужайка, небольшие фонари вдоль аллей, в глубине аллей белые домики, окруженные различными зелеными горками.

Одним из первых построивших такой евродом был наш сосед Алик. Он купил эту землю и полуразвалившийся деревянный домишко у вдовы академика три года назад.

Сначала попытался что-то перестроить — привез стройматериалы, подкрашивал, заколачивал. Однако ничего не получилось. Вскоре развалюшка неожиданно сгорела. И на фундаменте этого дома Алик начал строить каменный дом внушительных размеров. Завез кирпич, бетонные плиты, укрепил фундамент.

Но внезапно Алик исчез и не появлялся около года. Строительство, естественно, заморозилось. После того как Алик появился вновь, он решил коренным образом изменить стиль постройки — сделать дом по евростандарту.

Первым делом он нанял несколько бригад строителей, нагнал много техники. В сказочные сроки — меньше чем за полгода — на пустом месте вырос огромных размеров трехэтажный особняк, покрытый слоем специальной штукатурки.

Затем сосед стал активно заниматься благоустройством участка. Появилась команда озеленителей. Они дружно взялись за дело. Вскоре появились уютные дорожки, японские дворики, красивые горки, усаженные цветами, небольшой бассейн и фонарики, выстроившиеся вдоль дорожек.

В течение трех лет строительство было практически закончено, и Алик огородился каменным забором около четырех метров высотой. Железные ворота, которые открывались сами, с помощью дистанционного управления, сверху были снабжены видеокамерой, через которую велось постоянное наблюдение.

Никто из жителей поселка точно не знал, чем занимался Алик. Ходили разные слухи. Одни говорили, что он бандит, другие — удачливый коммерсант, третьи — что Алик чуть ли не родственник Мавроди, удачно наворовавший денег и живущий теперь в свое удовольствие. Все это до поры до времени было загадкой.

Хотя дом Алика стоял через три дачи от нашей, я никогда не стремился завести с ним знакомство и не искал встреч. Кроме, пожалуй, одного случая, когда встреча наша все же состоялась.

В тот день начала июня я, как обычно, вышел прогуляться с собакой по дачным проулочкам. Решил пойти в сторону леса. Пройдя несколько метров, оказался напротив ворот дачи Алика. И тут я увидел, что ворота медленно открываются и из них выезжает серебристая «Вольво» с затемненными стеклами. Я остановился, пропуская машину.

Неожиданно автомобиль остановился, стекло дверцы водителя поползло вниз. Я увидел знакомое лицо. Это был Виктор, мой коллега-адвокат из нашей консультации.

— А ты что тут делаешь? — удивленно воскликнул Виктор.

— Я здесь живу, — ответил я. — А ты как тут оказался?

— Деловая встреча, — отозвался Виктор. — Вот к клиенту приехал.

— К клиенту? — переспросил я, подумав: «Надо же! Мой сосед — его клиент!»

— Давай я познакомлю тебя с ним, — продолжал Виктор, вылезая из машины.

— Да зачем мне с ним знакомиться? — стал отнекиваться я. — Ты его адвокат — ты с ним и общайся. Знаешь ведь, как у нас, адвокатов, бывает — никто не любит расшифровывать места, где живет. Тут же пойдут люди — одному совет, другому помоги и так далее. А хочется на даче отдыхать, а не работать.

— Нет, нет, — не унимался Виктор, — вы же соседи! Давай познакомлю. Парень-то интересный!

Я пытался что-то возражать, но неожиданно в воротах появился большой черный джип «Шевроле Блейзер» с затемненными стеклами, из которого вылез долговязый парень с короткой стрижкой. Улыбаясь, он уже направлялся к нам.

— Ну вот, Алик, — обратился к нему Виктор, — познакомься, это твой сосед, — и назвал меня. — Кстати, мой коллега-адвокат.

— Как интересно! — обрадованно протянул Алик, подавая мне руку. — Таким образом, я постоянно, сам того не зная, нахожусь под защитой адвокатуры? В городе у меня адвокаты, а теперь еще и на даче есть.

«Ничего себе наглость! — подумал я. — Я ему еще ничего не сказал, даже не представился, а он уже меня в свои адвокаты записать успел! Теперь не избавишься от этого «нового русского»!»

— Что же мы стоим на дороге? — спохватился Алик. — Проходите в дом, посмотрите, как живем. Пошли, сосед! — Он дружески похлопал меня по плечу.

Я понял, что спорить бесполезно, и молча направился к домику.

Пройдя несколько метров по дорожке, тянувшейся между ярких цветущих клумб, мы оказались перед стеклянным помещением, вроде зимнего сада. Эта прозрачная конструкция, поднимаясь вверх на три этажа, доходила до крыши дома.

Над входом был навес с многочисленными небольшими фонариками. Открыв большую стеклянную дверь с резными решетками, Алик пригласил всех вовнутрь. Мы оказались в просторном холле.

Холл был выложен красивым крупным кафелем. Поверх плитки лежали яркие ковровые дорожки. Сразу у входа стояло несколько небольших кожаных диванчиков, журнальный столик, немного дальше — камин.

Справа от камина — сплошная стена, вдоль которой выстроилось множество картонных коробок, в которых, судя по наклейкам, хранились бутылки с вином и водкой разных сортов. Перехватив мой удивленный взгляд, Алик смущенно улыбнулся:

— Да это я к свадьбе готовлюсь. Вот, привез продукцию своего заводика. — Он похлопал по коробке. — А сейчас что мы пить будем?

— Я — ничего, кроме чая, — отрицательно покачал я головой.

— А я за рулем, — улыбнулся Виктор.

— Хорошо, тогда чаек организуем, — кивнул Алик и быстро прошел на кухню, которая была рядом.

Я воспользовался его отсутствием и спросил у Виктора, чем все-таки занимается Алик.

— Алик? — переспросил Виктор. — Как тебе сказать... Хотя, впрочем, от тебя можно ничего не скрывать.

От Виктора я узнал, что Алику тридцать пять лет. В недалеком прошлом он жил в подмосковных Люберцах. Свой путь начал простым хулиганом — «любером», которые еще в семидесятые приезжали «бомбить» Москву, борясь с молодежной модой — панками, металлистами и прочей «буржуазной нечистью», как они говорили.

Затем, как и многие его коллеги из люберецких бригад, Алик понял, что просто хулиганить совсем неинтересно. Лучше заниматься экономикой. И с расцветом кооперативного движения люберецкие бригады, созданные из «качков», тут же превратились в рэкетиров, одетых в своеобразную униформу: спортивные костюмы, короткие стрижки, и стали «бомбить» теперь уже московских коммерсантов.

На этом деле Алик преуспел. Однако нелегкая жизнь рэкетира наложила и отрицательные отпечатки. Пару раз он попадал в различные перестрелки, а однажды был похищен конкурентами — враждующей бригадой — и находился в плену около двух недель.

— Не знаю, что произошло после этого, — продолжал Виктор, — но Алик очень переменился и стал здорово пить. По законам и традициям его группировки, употребление спиртного категорически запрещалось. Старшие вызвали Алика на разборку. Разговор был долгий и серьезный. Ему предложено было два варианта — либо оставаться в бригаде, соблюдая понятия, либо продолжать пить и соответственно — уходить.

Само собой, Алик стал божиться, что со спиртными напитками он раз и навсегда покончил. Однако через месяц он вновь нарушил свое слово, бурно отметив день рождения своего кореша в ресторане.

Старшие снова вызвали Алика. На сей раз разборка была более крутой. После небольшого избиения старшие решили все-таки исключить Алика из бригады. Однако, вспомнив его боевые заслуги — а заслуги заключались в том, что он стоял у истоков люберецкого движения и начинал с нуля плюс его двухнедельное содержание в плену, — старшие, сжалившись, решили оставить Алика.

Но находиться в бригаде ему было нельзя, поэтому его перевели в разряд так называемых «смотрящих», то есть тех бандитов, которые сидели в коммерческих структурах и наблюдали за финансовым процессом — отчислением коммерческими структурами денег в общаки.

Так Алик стал смотрящим. Сначала у него было несколько таких точек. Затем, перекантовавшись так около года, Алик понял, что он и без этого может делать большие деньги.

Вновь произошла встреча со старшими. На этот раз они были за границей, в одной из средиземноморских стран. Съездив туда, Алик смог убедить старших, что создание сети небольших ликеро-водочных заводов в Подмосковье будет приносить большую прибыль. Старшие смекнули, что дело и впрямь выгодное, тем более что это было по «профилю» Алика. И Алик со своим компаньоном, коммерсантом, у которого он практически выбил долю в группировке, стал создавать небольшие заводики в подмосковных городках. Все было поставлено на широкую ногу. Заводики действительно стали приносить большую прибыль. Деньги, которые получал Алик из общака, возвращались через короткое время с большими процентами.

Но тут случилась беда. Загадочным образом партнер Алика, коммерсант, с которым он начинал работать, погибает от рук наемного убийцы, который подстерег его у подъезда.

Подозрение пало на Алика, как на его компаньона. Около девяти месяцев Алик просидел в следственном изоляторе. Тогда-то и начал работать с ним Виктор. Затем следствие было закончено, все подозрения с Алика сняли.

Выйдя из изолятора, Алик как бы начал новую жизнь. Тогда и возникла у него идея жениться.

Избранницу Алика звали Машей. Это была девушка лет двадцати двух из Санкт-Петербурга. Родители ее были работниками советской торговли. Папа долгое время возглавлял один из престижнейших ресторанов Санкт-Петербурга, мама работала в крупном магазине. Маша была единственным ребенком в семье, очень избалованным. Ей никогда ни в чем не отказывали.

Вскоре ворота дачи открылись, и во двор въехал красный джип «Мицубиси-Паджеро». Дверца отворилась, и из него вышла миловидная светловолосая девушка невысокого роста.

— О, Машуня приехала! — радостно закричал Алик, выскочив из кухни. — Машуня, а мы тебя ждем! — И заторопился к ней, чмокнув ее в щеку. — Проходи, познакомься с моими адвокатами!

— А у тебя уже два адвоката? — удивилась Маша.

— Как тебе сказать. Этот адвокат — наш сосед, живет рядом с нами.

Я представился. Маша приветливо кивнула и улыбнулась мне.

— Зачем же тебе два адвоката? — вновь обратилась она к Алику.

— Не, не то чтобы два адвоката нужно. Это просто наш сосед, адвокат, полезный, нужный человек, — как бы стал оправдываться Алик.

— Скорее всего он пригодится мне, — неожиданно решила Маша.

— А тебе зачем? — удивился Алик.

— Мало ли, может, я разводиться с тобой буду!

— Ну вот, — засмеялись мы с Виктором, — не успели пожениться, а уже разводитесь!

— Может, в таком случае вам и жениться не стоит? — продолжил Виктор.

Конечно, это была шутка. Но, как говорят, в каждой шутке есть доля правды. Я не знал тогда, что в дальнейшем судьба сведет меня с Машей.

— Машуня, — перебил нас Алик, — сделай нам что-нибудь поесть, мы очень голодны!

Маша удивленно взглянула на него:

— Что?

Она была явно недовольна предложением Алика.

— Ладно, ладно, мы сами перекусим чего-нибудь, — заторопился Алик.

Мы с Виктором переглянулись, улыбнувшись. Нам стало ясно, кто уже верховодит в этой пока еще не состоявшейся семье.

Однако будущая жена Алика все же последовала традициям гостеприимства. Через несколько минут она выкатила столик с кофе, чаем и минеральной водой. Она поставила его около журнального столика и присела с нами на диван, исподтишка разглядывая нас.

Я, в свою очередь, стал разглядывать ее.

Она была невысокого роста, голубоглазая, симпатичная девушка — правильные черты лица, короткая стрижка, одета очень стильно. Было видно, что все вещи на ней дорогие, фирменные — от Картье, от Версаче. Все говорило о том, что у Маши очень хороший вкус. Да и в средствах она не стеснена.

Вскоре мы узнали, что недавно Алик подарил ей шикарные подарки — небольшой японский джип, мобильный телефон и кучу шмоток, включая такие пустячки, как норковые шубы, песцовые полушубки, бриллиантовые безделушки.

Дальше мы заговорили о свадьбе. Я понял, что свадьба намечалась примерно через месяц. Алик ждал возвращения из-за границы важных друзей. Нетрудно было догадаться, что это старшие из его бывшей группировки.

Свадьбу решили праздновать на широкую ногу. Сначала планировалось провести торжество в одном из ресторанов, затем гости должны были переместиться в загородный коттедж Алика, где празднование могло продолжаться в течение еще нескольких дней.

Алик и Маша стали приглашать меня на свадьбу. Я кивал согласно, хотя прекрасно знал, что через пару недель мне предстоял отпуск и на свадьбу скорее всего я не попаду.

Прошло немного времени. Я отдохнул за границей. После отпуска снова активно включился в работу, так что на даче стал бывать реже и уже забывал про Алика и его семью.

Новую информацию о нем я получил совершенно случайно от своей соседки Нины Петровны.

Уже в конце лета соседка зашла к нам поговорить по поводу ее пенсии. Напрасно я пытался объяснить Нине Петровне, что я не специализируюсь по пенсионным вопросам, что я дока по уголовным делам. Все бесполезно. Вероятно, так же и к врачу обращаются по поводу любой болезни, независимо от его специализации.

Проблема Нины Петровны заключалась в следующем. Ей предложили, несмотря на то что в силу своего возраста она уже имела право на пенсию и получает ее, работать на фирме у одного из коммерсантов, так сказать, подрабатывать с весьма неплохим заработком.

Каково же было мое удивление, когда коммерсантом этим оказался не кто иной, как Алик! Вскоре я узнал, что на самом деле Нина Петровна лишь числилась у Алика на фирме, а работала в его загородном доме, как она себя именовала, экономкой. Практически же она была просто прислугой.

Она рассказала мне, что Алик и Маша шумно и с большим размахом отпраздновали свадьбу. Нина Петровна с восхищением отзывалась о Маше:

— Надо же, маленькая, худенькая девочка, а такого гиганта сумела к рукам прибрать! Что вы думаете, — рассказывала Нина Петровна моей теще, с интересом слушавшей новости, — она заставила Алика раскрутиться на целый штат обслуги! Помимо меня, есть еще горничная, специальная женщина, которая занимается приготовлением пищи, — повариха, и два шофера, которые дежурят по очереди.

Сама же Маша практически все время живет за городом. Встает она где-то около часу дня, спускается на первый этаж, около часа пьет кофе, болтает с подружками по телефону, после выезжает в Москву за покупками, а иногда возвращается наверх и продолжает спать.

По выходным приезжает Алик. У него тоже распорядок стабильный. Обычно в пятницу он приезжает на дачу со своими друзьями.

Я без труда догадался, что, видимо, дружки — это бывшие коллеги по бригаде, с которыми Алик в прошлом работал вместе.

— Так вот, — продолжала Нина Петровна, — обычно они приезжают к вечеру, на нескольких машинах. Сразу же идут в баню, которая стоит отдельно от дома. Там они сидят до поздней ночи, парятся, пиво импортное пьют, шашлыки жарят, на бильярде играют. В субботу друзья разъезжаются. Алик просыпается около полудня, завтракает, потом садится в машину, грузит в прицеп водный мотоцикл «Ямаха» и отправляется на полдня к озеру. Под вечер Алик возвращается, ужинает, немного отдыхает, а вечером — либо играет с водителем на бильярде, либо поет под караоке.

Нина Петровна начала с восхищением рассказывать о японской игрушке «караоке», которая представляет собой музыкальную приставку с микрофоном, где запрограммированы мелодии. Нина Петровна даже сказала, что у Алика неплохой голос, и продолжила, пошутив, что он мог бы иногда выступать в ресторане.

— Вот этим он и займется, — перебила моя теща, — когда его теплые местечки прикроют!

— Следующий выходной, — опять заговорила Нина Петровна, — Алик тоже проводит своеобразно. С утра ему уже скучно становится на даче. Он собирается, садится в машину и едет в город в гости, к своим друзьям, проводит там весь воскресный день и вечер. Маша обычно не составляет ему компанию, так как любит больше уединиться или проводить время со своими подругами.

Со слов Нины Петровны, я узнал, что Маша, как жена «нового русского», имеет соответствующую заработную плату, которую исправно платит ей Алик. Сумма колебалась от трех до пяти тысяч долларов.

Кроме этого, Алик не забывал время от времени преподносить ей подарки — золото и драгоценности. Чаще всего подарки делались в качестве моральной компенсации, когда Маша предъявляла свои претензии, дескать, вчера опять вы с друзьями шумели, а я из-за вас не могла заснуть.

Вот и мчался Алик на следующий день в магазин и покупал Маше что-нибудь из золотых побрякушек.

Был и скандал однажды, правда, небольшой. Тогда Алик «наехал» на Машу. Все заключалось в том, что Алик получил сумасшедший счет за разговоры Маши по мобильному телефону — что-то около четырех тысяч долларов. Естественно, Алик опешил от такой суммы. Он закатил супруге скандал.

Но Маша вовремя переиграла все так, что после того Алик поехал покупать очередную «компенсацию» за неудачный наезд.

Прошла зима, весна, наступило следующее лето. Именно этим летом и развернулись дальнейшие события, непосредственным участником которых оказался и я.

Я встретил их совершенно случайно в начале лета. Их было трое — Алик, его очаровательная супруга Маша и еще один парень высокого роста, симпатичный, черноволосый.

— Кирилл, — представил мне его Алик. Тут же он взял меня под руку и предложил уединиться для конфиденциального разговора.

— Понимаешь, — обратился он ко мне, — тут такая штука вышла. Я с Кириллом в одной хате отдыхал, когда был в следственном изоляторе. Кирилл после этого на зону заехал. Сейчас он вернулся, но его условно-досрочно освободили. Ну, вроде должен на каких-то поселениях жить. Но проблема вот в чем. Он будет пока у меня на даче жить. Я, собственно, чего прошу. Ты подстрахуешь, если что?

— Если что? — переспросил я его. — Что ты имеешь в виду?

— Мало ли — менты нагрянут, заберут за нарушение режима. Он ведь не на поселениях живет...

— В этом плане — конечно, подстрахую, — сказал я. — Хотя и не представляю, в чем моя подстраховка может заключаться.

— Ну, понимаешь, — сказал Алик, взяв меня за плечо, но спохватился и опустил руку, — ему спокойнее будет, мне тоже, а главное — Маше. Это ее просьба была... Я-то все будни на работе, по Подмосковью, по заводам мотаюсь, а ей скучно. Вот они и будут с Кириллом вдвоем. Все веселее!

— Нет проблем, — кивнул я и внимательно посмотрел на Кирилла.

Он был очень симпатичным парнем. Высокого роста, больше метра восьмидесяти, худощавый, с правильными чертами лица. А главное — с голубыми глазами.

Вскоре я понял, что Кирилл сидел за хранение огнестрельного оружия, с Аликом они сошлись душевно в следственном изоляторе. А поскольку Алик был достаточно гостеприимным хозяином, он часто всех, даже с кем знаком был мало, приглашал к себе в гости. Кирилл воспользовался тем, что ему заменили режим на поселение, и с легкостью перебрался к Алику в коттедж.

Лето было в разгаре, я все чаще стал бывать на даче. Там я часто встречал Алика и Машу. Однако встречал я их каждого по отдельности. То видел Алика с водителем, торопящегося на озеро с водным мотоциклом, то Машу с Кириллом, тоже выезжающих на озеро, но в отсутствие Алика, или за покупками.

В очередной выходной ко мне неожиданно пришел Алик и стал настаивать, чтобы я обязательно пришел к нему на шашлыки, устраивавшиеся по случаю годовщины свадьбы. Алик даже упрекнул меня, что на свадьбе у них я не был, и сказал, что уж на годовщине-то должен быть обязательно. Мне ничего не оставалось, как отправиться на юбилей.

Публики собралось человек двадцать. Все разместились на большой лужайке перед домом, где на специальных мангалах жарились шашлыки. Гости рассказывали анекдоты, о чем-то спорили. За столом, как я заметил, происходило что-то странное.

Алик почему-то сидел рядом со своими друзьями из люберецкой братвы, приехавшими его поздравить. Маша же была рядом с Кириллом.

Вечеринка проходила по обычному сценарию. После обильной еды и выпивки Алик удалился с друзьями к сосновым деревьям, растущим на его участке, и организовал там нечто вроде тира. У Алика было несколько пневматических ружей и пистолетов, из которых он стал стрелять, демонстрируя друзьям свое мастерство. Те, в свою очередь, принялись состязаться с Аликом.

Алику было весело с ребятами, и он не обращал внимания на свою жену...

Прошло несколько месяцев. Стояла поздняя осень. Снег в этот раз лег в Подмосковье рано. Как-то я приехал на дачу на выходные, решив подышать свежим зимним воздухом. Слава Богу, на работе образовался небольшой перерыв.

Около восьми часов вечера, перед ужином, я решил прогуляться по улицам нашего поселка. Ноги привели меня к коттеджу Алика. Я заметил, что верхний этаж ярко освещен, внизу же свет потушен. Но самое интересное, что привлекло мое внимание, — калитка, оборудованная серьезной сигнализацией, была приоткрыта.

Это насторожило меня. Я несколько минут стоял, раздумывая, как мне поступить — идти дальше или все-таки позвонить в домофон? А вдруг там что-то произошло? Ведь получается противоречие: с одной стороны, Алик обеспечивает себя очень серьезными средствами защиты — видеокамерами, домофонами, сигнализацией, а калитка приоткрыта — заходи кому не лень!

Я подошел к калитке, посмотрел. Во дворе, у самого коттеджа, стоял знакомый джип «Мицубиси» и незнакомый черный «Мерседес». Какое-то чувство беспокойства овладело мной. Я нажал на кнопку домофона. В динамике не сразу послышался голос Маши.

— Да, слушаю, кто это?

— Маша, это ваш сосед, адвокат. Вы помните меня? Я проходил мимо, смотрю — калитка приоткрыта. У вас все в порядке?

— У нас?..

Тут я услышал какой-то незнакомый голос, обращавшийся к Маше.

— Это адвокат, — пояснила Маша незнакомцу. Я понял, что это был Кирилл. Она вновь обратилась ко мне: — Вы не могли бы к нам зайти? Мне нужно поговорить с вами на одну тему.

— Хорошо, я зайду. Прямо сейчас?

— Да, конечно, заходите! Я вас очень прошу!

Я вошел во двор коттеджа и плотно прикрыл за собой металлическую калитку. Пройдя несколько шагов, подошел к знакомой стеклянной веранде. Моментально вспыхнул свет — вероятно, в ступеньки был вмонтирован фотоэлемент. Я нажал на кнопку звонка.

Дверь тут же открылась, и я вошел в стеклянную часть фасада.

Внутри было тепло. На кафеле лежало несколько ковров — вероятно, для того, чтобы утеплить помещение. Все было так же красиво. Только пропали коробки с выпивкой, которые, вероятно, ушли на свадебное застолье год назад.

Наверху послышались шаги. Я поднял голову и увидел медленно спускавшуюся по лестнице Машу. Она была в красивом махровом халате и в шерстяных носках. Я заметил, что, кроме носков, на ее ногах не было ничего — даже колгот. «Странно», — подумал я.

Маша, перехватив мой взгляд, потянулась и сказала:

— Я немного задремала. Так вы говорите, что калитка была открыта?

— Да.

— Может быть, Кирилл забыл закрыть? Он с собаками гулял.

— Может быть, — ответил я.

— Вы проходите, раздевайтесь, — пригласила Маша.

Я разделся и сел на знакомый кожаный диван. Маша села рядом и, смущенно прикрыв обнаженные коленки, начала:

— Вы знаете, я давно думала поговорить с вами. Но прежде всего хочу взять с вас слово, что эта беседа останется между нами и Алик не узнает о ней.

Я пожал плечами:

— Даже так?

— Это очень личное. Вы можете дать мне слово?

— Конечно. У нас же существует адвокатская тайна, — пояснил я.

— Очень хорошо. Поймите меня правильно, — начала Маша, — но тема, которую я сейчас подниму и по поводу которой хочу просить у вас совета, для меня очень важна. Как вы понимаете, в жизни все случается.

Я не понимал, куда она клонит.

— Меня интересует такой вопрос. Скажите, пожалуйста, что мне, как законной супруге, полагается в случае скоропостижной смерти мужа или его гибели?

— Погодите, — опешил я от неожиданности, — Алик ведь еще молодой, почему вы его хороните?

— Да, ему тридцать два года. Но вы же знаете, как он рискованно водит машину! Жутко! Иногда он садится за руль пьяным. С ним все может случиться. В конце концов, он может в той же бане угореть!

— Дело в том, — начал я, но заметил, как по ступенькам спускается Кирилл. Он был в спортивных брюках, в шерстяных носках, в кроссовках и в легкой майке. Было видно, что Кирилл тоже дремал. Он спустился по лестнице и уселся недалеко от нас.

Я сделал паузу и взглянул на Кирилла, кивнув ему в знак приветствия, а потом перевел взгляд на Машу.

— Нет, нет, говорите, он в курсе, — сказала Маша.

— Ну, — сделал я паузу, — все зависит от того, какой формой собственности владеет ваш муж.

— У него есть несколько небольших винно-водочных заводов.

— Нет, я не об этом. Каков статус этих заводов? Это

что — товарищество, акционерное общество или индивидуальное частное предприятие?

— Да, — кивнула Маша, — это индивидуальное частное предприятие.

— Погоди, — неожиданно вмешался в разговор Кирилл. — Какое индивидуальное частное предприятие? У него несколько предприятий как закрытые акционерные общества.

Маша кивнула головой.

— Да, это верно. Там у него есть какие-то партнеры.

— Все зависит от уставов этих предприятий, — начал объяснять я. — Если там оговаривается пункт о так называемом праве наследования, и если руководствоваться Гражданским кодексом...

Вдруг со стороны ворот раздался громкий гудок автомобиля. Маша вздрогнула от неожиданности.

Кирилл встал, взял из вазы яблоко и медленно направился к калитке. Я перевел взгляд на Машу. Она немного занервничала.

— Одну минутку, — сказала она, — сейчас я поднимусь наверх. — И поспешно поднялась на второй этаж.

Я остался сидеть в гостиной. Через несколько минут я увидел, как через раскрытые ворота во двор въехал джип, на котором ездил Алик. Вскоре в холле появился Кирилл, за ним Алик в расстегнутой дубленке.

— О-о, — помахал Алик рукой, увидев меня, — соседу привет!

По лестнице спускалась Маша.

— Машуня, милая, — повернулся к ней Алик. — Я по тебе очень соскучился!

— Ты почему сегодня приехал? Должен ведь в пятницу! А сегодня среда, — недовольно заговорила Маша.

— Машенька, не сердись! Я тут рядом, на заводе был. У меня сегодня большой праздник! Я еще один завод открыл. Скоро водяра рекой потечет! — стал оправдываться Алик.

Но Маша раздраженно отвернулась. Тогда Алик перевел взгляд на Кирилла.

— Кирюха, братишка! Кент мой родной! Пойдем в баньку!

Кирилл вопросительно взглянул на Машу. Та кивнула головой.

— Веди его побыстрее, чтобы глаза мои его не видели!

Они вышли. Мы посидели молча. В это время в холл вернулся Кирилл и быстро направился на кухню.

— Тебе что-то надо? — спросила Маша.

— Да Алик пива захотел, отнесу ему.

Через минуту Кирилл показался в дверях, таща под мышкой картонный ящик с импортным бутылочным пивом. Кирилл вышел из холла и направился в сторону бани. Как только за ним закрылась дверь, я обратился к Маше:

— А чем занимается Кирилл?

— Пока ничем. Кирилл вообще бедный. Просто дуракам везет, а Кирилл такой умный, такой... Но никак устроиться не может.

— Но он же обратился, наверное, к Алику?

— Кирилл хочет завести свое дело. А для этого необходим начальный капитал. У Алика же он брать принципиально не хочет. Хотя Алик предлагал ему деньги, тридцать тысяч долларов в качестве старта. Но Кирилл ничего не хочет брать.

Тут со стороны бани донеслись какие-то крики.

— Ну все, достали они меня! — резко сказала Маша. — Сейчас я разберусь! Извините, — обратилась она ко мне, — может быть, вы зайдете к нам завтра? Сейчас обстановка не та. А я бы хотела продолжить начатый разговор.

— Конечно, зайду, — кивнул я головой.

Через несколько минут я попрощался и вышел из дверей.

Почти целый вечер, несмотря на то что я смотрел телевизор, мысли об Алике и Маше не покидали меня. В результате этого ночью мне приснился кошмар: Алик погибает в горящей бане, Кирилл утром закапывает обгорелый труп в землю, а я стою на крыльце и все вижу, становясь свидетелем преступления.

Я проснулся и долго ходил по дому, никак не мог успокоиться. Рано утром даже поймал себя на мысли о том, что меня очень интересует, что же творится там, у Алика?

Быстро оделся и пошел к коттеджу Алика. Не доходя нескольких метров, я увидел, что металлические ворота плотно закрыты. Когда подошел вплотную к забору, я внимательно стал осматривать двор, не стоит ли там джип Алика. Но джипа не увидел.

Тут я заметил, как по улице, в сторону дома Алика, идет Нина Петровна. Она приветливо улыбнулась мне.

— Что это вы тут стоите? — удивленно спросила она.

— Да с Аликом хотел поговорить.

— Так он уже уехал.

— Как уехал?

— Да, рано, в шесть часов. Вот, пойду убираться. Что-нибудь передать Маше?

— Да нет, спасибо. Я с Аликом хотел поговорить, — повторил я и направился к своему дому.

Наступила весна. После майских праздников я заехал в следственный изолятор «Матросская тишина». Поднявшись на второй этаж, в картотеку, и заполнив листки вызова клиентов, хотел уже подняться этажом выше, чтобы передать талончики контролеру, как неожиданно на мое плечо опустилась чья-то рука. Я обернулся и увидел своего коллегу, адвоката Виктора. Он улыбался.

— Ну, привет, коллега! — сказал он. — Вот оно, место, где встречаются все хорошие адвокаты!

— Точно! Тюрьма — наша тусовка, — в тон ему ответил я.

— Как дела? — спросил Виктор.

— У меня все нормально. А у тебя?

— То же самое.

— Как Алик?

— Алик? — переспросил Виктор. — Он же твой сосед. Это у тебя я должен спрашивать, как у него дела. Впрочем, все нормально. За исключением того, что нас очснь серьезно трясла налоговая инспекция. Кстати, коллега, а у тебя нет никаких завязок в налоговой? Сейчас скажу, какой номер. — Он вытащил записную книжку, где был записан номер налоговой инспекции небольшого подмосковного городка.

Я отрицательно покачал головой.

— Слушай, я давно хотел тебя спросить, — осторожно начал я, — как там Кирилл? Как ты его находишь?

— В каком смысле?

— Да в прямом. Что он за человек?

— Отличный парень! — ответил Виктор. — Очень хороший — веселый, неглупый.

— Да нет, я в другом смысле. Он же сидел.

— Ну и что? Сидел по 218-й.

— Но за оружие много не дают. А он сидел пять лет. Тогда по этой статье больше трех не давали.

— У него была еще одна статья, — неожиданно сказал Виктор.

— Какая?

— Покушение на убийство. Ты разве не знал?

— Нет, не знал. А срок наказания у него уже кончился?

— Да нет еще. Месяца два или три осталось. Поэтому он и сидит до сих пор в коттедже у Алика, не высовывается, тише воды и ниже травы.

Мне стало ясно, почему Кирилл не устраивается на работу, почему так тихо себя ведет. Над ним еще висит приговор суда, судимость непогашенная.

Летом я пару раз видел Алика. Он так же занимался водным мотоциклом, ездил на рыбалку. Маша жила своей жизнью. Я несколько раз видел, как они с Кириллом ездили куда-то на машине. Создавалось впечатление, что супруги, которые не отметили еще и двух лет совместной жизни, живут каждый сам по себе.

Сенсацию произвели слова моего главного информатора, Нины Петровны, которая как-то вечером зашла к нам и рассказала, что Алик на машине поехал с друзьями по Европе.

Маша ехать отказалась наотрез, сославшись на то, что ей надоели его друзья, и осталась в коттедже.

Лето прошло быстро. Как-то в конце августа около нашей калитки остановилась незнакомая машина и начала сигналить. Я вышел узнать, в чем дело. В черном «Мерседесе» сидела Маша. В руках она держала носовой платок. Увидев меня, она вышла из машины.

— Я к вам, за помощью.

— Что случилось? — насторожился я. — Проходите, поговорим.

Маша прошла на террасу.

— Так что же случилось? — повторил я. — Что-нибудь с Аликом?

— Да с Аликом и Кириллом! — махнула рукой Маша. — Аликом и Кириллом. Их приняли.

— Как «приняли»?

— Арестовали сегодня, в Москве, — Маша сделала паузу.

— А что они там делали?

— Они поехали туда припугнуть одного человека. Он обижает друга Кирилла.

— А что за человек?

— Местный авторитет. Афоня. Слышали?

— Афоня? — переспросил я. — Это имя распространенное. Многие авторитеты имеют такую кличку.

— Ну вот, — продолжила Маша, — они поехали припугнуть, взяли пистолет. Что-то у них не получилось. Короче, милиция задержала их. Что ему теперь будет, как вы думаете?

— Ну, — я помолчал, — это зависит от показаний потерпевшего и собранных доказательств. Могут обвинить в покушении на убийство или угрозе убийством, а могут и за хулиганство. Это гораздо меньший срок. Или ношение оружия.

— А вы как думаете, что ему будет?

— Если этот авторитет, как говорится, в понятии, то

он, по всем их законам, не должен давать обвинительные показания. Все в руках следствия.

А тогда как?

— Тогда скорее всего оружие. Опять же, если будут обнаружены отпечатки пальцев на стволе и другие признаки, то важно будет, кто из них обладал этим оружием.

— А вы можете нам помочь? — с надеждой спросила Маша.

— Давай попробуем. Правда, дело нелегкое.

— А когда мы можем поехать? — сразу же спросила Маша.

— Погоди, не раньше понедельника. Сегодня же суббота, завтра воскресенье. Моя юридическая консультация не работает, а поехать я могу только на основании ордера, который нужно выписать в консультации.

— Одну минуточку, — неожиданно сказала Маша. Она достала из сумочки мобильный телефон и быстро набрала номер. — Алло, Иван Петрович? Это я, Маша. Мы нашли адвоката. Когда можно будет приехать?

Иван Петрович что-то объяснял. Я понял, что это был следователь.

— В воскресенье утром? — повторила Маша. — Хорошо. А в какое время? К десяти? Отлично, мы будем! — И она нажала на кнопку окончания разговора. — Вот, я только что говорила со следователем, — обратилась она ко мне. — Он дал согласие, разрешил вам приехать без ордера, завтра, к десяти утра. Мы поедем? Я заеду за вами, мы на моей машине поедем.

— Как же так? — удивился я. — Насколько мне известно, ты раньше часа дня не просыпаешься!

— Ой, не до того сейчас! Надо Алика и Кирилла выручать! — сказала Маша.

В семь часов на следующий день Маша подъехала к моей даче и посигналила. Всю дорогу мы разговаривали на разные темы.

Районное отделение милиции располагалось в двухэтажном каменном здании, напоминающем барак. Рядом стояли несколько милицейских «газиков» и легковые автомобили. Мы подъехали без нескольких минут десять. Народу почти никого не было.

Прошли по коридору и обратились к дежурному милиционеру, спросив, как нам найти следователя такого-то. Он назвал номер кабинета.

Там нас уже ждал мужчина лет пятидесяти — следователь Иван Петрович, точнее, начальник следственного отдела. Мы поздоровались с ним, я предъявил свое удостоверение адвоката.

— Ну так в чем обвиняют моих клиентов? — сразу перешел я в наступление.

Иван Петрович удивленно посмотрел на меня:

— А разве вас не поставили в известность?

— Я бы хотел услышать это от вас как от лица официального.

— В ношении оружия.

— Разрешите мне прочитать показания, которые дали мои подзащитные, — попросил я.

— Пожалуйста, это ваше право, — спокойно произнес Иван Петрович и протянул мне листок.

— А обвинение уже готово?

— Готово. Именно поэтому я и разрешил вам приехать сегодня без ордера, так как сроки поджимают. Дело в том, что в понедельник меня не будет, я еду в округ на совещание. Поэтому у меня единственный день, когда я могу предъявить обвинение вашим клиентам — сегодняшний. Мы можем это сделать?

— Конечно, без проблем, — сказал я. — Это ваше право. А что будет за обвинение?

— Ношение оружия, — повторил Иван Петрович. — Только ношение оружия и ничего больше.

— А можно мне посмотреть показания потерпевшего?

— Вообще-то, я не имею права делать это, — сказал следователь, — но в этом случае там ничего особенного нет. Пожалуйста, читайте. — И он протянул мне еще один листок.

На листке корявым почерком, судя по всему, того

самого авторитета Афони было написано, что он, возвращаясь домой, увидел незнакомого мужчину, бегающего по улице с пистолетом. Вскоре этот мужчина был задержан сотрудниками милиции, которые были вызваны соседями, живущими на первом этаже дома.

Таким образом, я оказался прав. Криминальный авторитет Афоня жил по понятиям и полностью отказался обвинять Кирилла и Алика в том, что они приехали пугать его.

Затем следователь обратился ко мне:

— Пойдемте на допрос.

Мы прошли вдоль коридора, через дежурную часть и оказались в небольшом отсеке с противоположной стороны здания. Там и находился местный изолятор временного содержания. Открыв толстую решетку, сержант поприветствовал следователя и пропустил нас внутрь.

Мы вошли в небольшое помещение, стены которого были окрашены в синий цвет. Это и был изолятор временного содержания, который состоял, как я заметил, из четырех комнат. Две комнаты были камерами, где находились заключенные, одна, с левой стороны, — караулка, где сидели дежурные милиционеры, а справа — единственная комната для допросов и бесед с подозреваемыми. Мы вошли в эту комнату. Помещение было разделено на две части каменной перегородкой не выше метра и не шире двух. В каждом отсеке стояло по деревянному столу с двумя лавочками. Это давало возможность одновременно вести допрос двоих подозреваемых.

Следователь попросил, чтобы сначала доставили Кирилла. Кирилл вошел в кабинет немного заспанный. Увидев меня, он сразу оживился, протянул руку.

— Вы что, знакомы? — поинтересовался Иван Петрович.

— Виделись как-то однажды, — сказал я неуверенно, — не больше того. А что, для дела это имеет какое-то значение?

— Да нет, просто так, интересно.

— Могу я побеседовать с Кириллом?

— Конечно.

Мы пересели за отдельный стол. Я тут же спросил Кирилла:

— В чем дело? Что случилось? Рассказывай!

— Понимаете, — ответил Кирилл, — я вляпался в неприятную историю. Я ж приехал только попугать его, взял с собой ствол. Стал с ним толковать. А он и говорит: знаешь, на кого наезжаешь? Он намекал на свое положение в криминальном мире. Я говорю ему: отстань от моего друга, чего на него наезжаешь? И тут появилась милиция. Но самое интересное, что теперь у меня возникли серьезные проблемы. Тема, так сказать, образовалась.

— Какая еще тема? — не понял я.

— Понимаете, район маленький, тут у него все схвачено. Вся ментура под ним. Теперь я даже до суда не доживу! Они меня кончат — это сто процентов!

— Почему ты так уверен в этом?

— Представляете, он же думает, что я его валить приехал, убивать. Как я теперь докажу ему, что это не так?

— Я тоже не знаю, как это сделать. Но не надо настраиваться на худшее. Давай все же продумаем позицию твоей защиты. Во-первых, ствол чей — твой или Алика? — спросил я Кирилла.

— Алика, но грузиться придется мне, — ответил Кирилл. — Пускай Алик гуляет, что ему зря сидеть, мне, правда, тоже париться неохота, — пояснил Кирилл.

— Ты точно так решил? — уточнил я. — Не передумаешь?

— Нет, не передумаю, — ответил Кирилл.

Тут неожиданно дверь открылась, и Кирилл испуганно выпрямился. В кабинет вошел мужчина невысокого роста, лет тридцати пяти, в спортивной куртке, джинсах и белых кроссовках. Он кивнул следователю и быстро подошел к Кириллу. Я обратил внимание, что на пальцах у незнакомца было надето несколько золотых перстней, на запястье — золотой браслет, а на шее — массивная золотая цепь.

Я понял, что этот человек не являлся сотрудником правоохранительных органов. Но тогда почему он беспрепятственно вошел в следственный кабинет? Это очень удивило меня.

— Ну чего, кореш, — неожиданно обратился незнакомец к Кириллу, — давай поговорим с тобой! — И, бросив взгляд на меня, сказал: — Разрешите нам поговорить, товарищ начальник!

Вероятно, он принял меня за какого-то сыщика. Я пожал плечами и отошел в сторону. Незнакомец сел на мое место и начал о чем-то шептаться с Кириллом.

Тем временем Иван Петрович, как бы не замечая происходящего, дал мне почитать другие документы дела. Я понял, что предыдущая судимость Кирилла была вскрыта.

Таким образом, он совершил второе преступление, находясь еще под действием неоконченного судебного приговора. Это в значительной степени ухудшало его положение как обвиняемого.

Следователь вопросительно взглянул на меня и сказал:

— Получается, что эта судимость, в которой он мне сейчас признался, с его слов. И теперь, в зависимости от этого, я должен предъявлять ему обвинение уже по второй части статьи, а это значительно удлиняет срок.

— Подождите, — сказал я, — вы не можете так делать.

— Почему? — удивился следователь.

— Мало ли что он сказал! Может быть, он себя оговорить захотел!

— А какой в этом смысл?

— Например, для того, чтобы иметь достаточно весомое положение в камере, куда он заехал. Будто бы он бывалый.

Следователь не очень поверил моим словам.

— Кроме того, вы должны основываться не на его показаниях, а на данных официальных запросов, поэтому вам необходимо запросить правоохранительные органы о его судимости, и только после этого вы можете перевести его на вторую часть.

— Это, конечно, верно, — кивнул головой следователь. — Хорошо, что я у вас спросил. А то бы сейчас влепил ему вторую часть. Пока я пущу его по первой, а когда документы придут, на вторую переведу.

Я бросил взгляд на Кирилла и незнакомца. Они о чем-то оживленно разговаривали. Кирилл размахивал руками и пытался что-то объяснять, но незнакомец делал какие-то жесты, напоминающие азбуку криминального обихода. Я понял, что передо мной человек, связанный с криминальным миром. Судя по всему, это и был пресловутый Афоня.

Вскоре Афоня вышел из кабинета. Мы продолжили допрос.

Линия показаний, выработанная нами с Кириллом, была простой. Суть ее заключалась в том, что Кирилл нашел этот пистолет и случайно оказался у подъезда, намереваясь это оружие сдать. Однако не успел, так как появились работники милиции.

При этом Кирилл никаких угрожающих криков не издавал. Я специально построил так позицию, полагая, что соседи не пойдут в суд показывать на то, что они слышали или видели. Уж такая у нас традиция!

Затем наступила очередь допроса Алика. Когда его завели, я просто ужаснулся — его вид был просто ужасным. Он был бледным, руки его тряслись.

Увидев меня, он сразу успокоился и посмотрел на меня с большой надеждой. Я постарался его обнадежить.

— Алик, не волнуйся, Кирилл дал признательные показания по стволу. Так что ты не при делах. Я буду настаивать на твоем немедленном освобождении.

В глазах Алика блеснула надежда.

В дальнейшем мы стали строить показания о непричастности Алика к пистолету.

Следователя, видимо, удовлетворили такие показания. Через некоторое время допрос окончился, и я вышел на улицу.

Все вопросы Маши были стандартными для любой

женщины: как там они, что сказали, как посмотрели, какие перспективы.

Вечером того же дня Маша вновь пришла ко мне на дачу еще раз подробно расспросить обо всем и узнать, что делать дальше.

Через пару дней она вновь попросила меня поехать к Алику и Кириллу, тем более что разрешение от следователя было получено.

Перед самым моим визитом Маша передала мне две записки для Алика и Кирилла.

Я обратил внимание, что записка для Алика была значительно тоньше, чем для Кирилла.

К первому я решил пойти к Алику. Алик уже значительно повеселел, я еще раз успокоил его, сказав, что скоро подам жалобу и его освободят дней через пять.

Кирилл два раза прочел записку Маши. Затем он задумался и неожиданно обратился ко мне:

— Знаете, не поймите меня плохо, я по определенным причинам хотел бы, чтобы у меня вообще не было адвоката, — сказал Кирилл.

От таких слов теперь я оказался в шоке. Конечно, у меня бывали ситуации, когда с клиентами начинались противоречия и я выходил из дела. Но здесь совершенно нестандартный вариант. Клиент, можно сказать, близкий знакомый, которому нужна моя помощь, вдруг отказывается.

«Здесь явно что-то произошло, но что?» — думал про себя я.

— Хорошо, — сказал я ему, — твое желание — это твое право. Тебе решать. Только напиши официальное заявление об отказе. Таков порядок.

Кирилл быстро написал заявление и протянул его мне.

— Только не обижайтесь на меня, выхода другого нет. Вы сами скоро это поймете, — сказал он мне на прощание.

Когда я вышел из изолятора и рассказал Маше об отказе Кирилла от меня, мне показалось, что она уже заранее знала об этом и совершенно не удивилась.

Но новые потрясения ждали меня при новой встрече со следователем. Когда я протянул ему заявление Кирилла, он тоже не удивился. Напротив, он вдруг мне заявил, что собирается выпускать Кирилла.

Тут уже не выдержал я сам и спросил у следователя, почему он поменял свое решение.

Ответ его был для меня не менее ошеломляющим.

Оказывается, вчера Кирилл отказался от своих первых показаний и дал новые показания, в которых указал, что пистолет не его и принадлежит он Алику.

От такой новости я снова был в шоке.

Когда я приехал домой, то странные мысли и подозрения закрались в мою голову. А может, записка Маши повлияла на решение Кирилла, думал я про себя.

Через три дня ко мне на дачу приехала Маша и сообщила, что Алика перевели из ИВС отделения милиции в следственный изолятор, который находится недалеко от Москвы, а Кирилла выпустили под подписку о невыезде.

Для меня такой перевод был очень странным. Обычно всех москвичей размещали в московские изоляторы. Правда, иногда, в силу определенных обстоятельств, например, когда следственные органы располагают данными о том, что подследственный осуществляет тесные контакты со своими сообщниками, которые находятся на свободе, или вступает в близкие контакты с работниками сизо, его переводят в другое место. Но ни первый, ни второй случай к Алику не относился. Значит, существует еще какая-то причина такого перевода. Следователь на мой вопрос о странности такого перевода формально сослался на перегрузку в сизо Москвы.

Маша предложила съездить к Алику, навестить его. Я сразу согласился.

— А я, — сказала Маша, — постараюсь передачу ему передать.

Конечно, перспектива частых поездок на большие расстояния меня не очень прельщала. Но отказывать было неудобно, и мы поехали в тот небольшой городок.

Когда мы приехали в город, то узнали, что Алика уже перевели в другой следственный изолятор, который находился шестьюдесятью километрами дальше.

Я понимал, что следователь затеял какую-то непонятную для меня игру. Но нам ничего не оставалось, как ехать в другой город.

Через полтора часа мы добрались до места. Следственный изолятор нашли без труда. Как ни странно, он находился в центре города и напоминал старую крепость с кирпичными стенами.

Вход в следственный изолятор был с двух сторон: с левой стороны были комнаты для свиданий и передач, справа — служебный вход, куда входили и следователи, и адвокаты.

Я пошел на встречу с Аликом. Он был подавлен и очень раздражителен. От него я узнал истинную причину такого перевода. Оказывается, его стали «колоть» на признание в убийстве местного авторитета Зеленого, которого Алик в глаза не видел. Правда, пистолет, из которого был убит Зеленый, был схож с оружием Алика, но экспертиза пока не подтвердила этого. Алик понимал, что самое страшное позади. Раз разборка в городе, который контролировал Зеленый и где находился первый изолятор, не состоялась, то теперь ему трудно будет его достать.

Алик сразу стал писать записку для Маши. Я тоже почувствовал себя не в своей тарелке. В том, что Алик не имеет никакого отношения к устранению Зеленого, у меня никаких сомнений не было: пути его никогда не пересекались с ним. Но тут Алик стал объяснять:

— Знаете, какую они выдвинули версию? Они же интересовались, кто моя «крыша». А затем стали утверждать, что якобы моя «крыша» враждует с бригадой Зеленого. Я, пожалуй, напишу маляву ребятам, пусть Машка им передаст. Они пусть чего-нибудь придумают.

Вскоре Алик написал небольшую записку. Теперь ему нужно было решить, запечатывать ли записку, как это обычно делалось, чтобы никто посторонний не читал, либо дать мне ее открытой. Вероятно, текст записки предназначался не для моих глаз, и Алик раздумывал. Я понял это и сам предложил ему:

— Запечатай, на всякий случай. Как-то неудобно просто так передавать.

Алик быстро вытащил прозрачную обертку от сигаретной пачки, аккуратно вложил записку и с двух сторон заплавил края зажигалкой.

— Вот, передайте Маше. И вот еще что. Наверное, вы не можете так часто ездить ко мне?

— Конечно, не могу. Расстояние-то больше ста пятидесяти километров.

— А Маша хочет, чтобы адвокат ходил ко мне каждый день. Вы не возражаете, если она пригласит местного адвоката?

— Конечно, не возражаю, — облегченно вздохнул я. — Пускай приглашает!

— А на суде будете вы, ладно?

— Конечно, Алик! Для меня это даже удобнее.

— А местный адвокат пусть ходит ко мне каждый день — передачи передает, записки.

Когда я вышел из следственного изолятора, Маши там еще не было. Я вошел в комнату, где принимали передачи. Там я застал неприятную картину. У маленького окошка столпилось много женщин со свертками. В них были так называемые продовольственные передачи.

У самого окна стояла Маша. Она плакала, вытирая слезы платком. На большом столе возле окошка были разложены ее продукты, и она занималась тем, что вынимала содержимое из каждой пачки сигарет и выкладывала в отдельный мешочек.

Я обратил внимание, что рядом валялись пустые емкости из-под шампуня и зубной пасты, содержимое их также было выдавлено в пакеты. Таковы требования тюремной администрации.

Очередь шумела, поторапливая Машу.

— Что ты там копаешься, как курица? — кричали ей женщины.

Наконец Маша закончила и снова стала передавать сверток. Но женщина, принимающая передачу, будто издеваясь над ней, сказала:

— А конфеты?

— Что конфеты? — переспросила Маша.

— Конфеты нужно тоже развернуть, — сказала женщина.

Очередь еще больше заволновалась. Маша вновь заплакала. Тут к ней подошли две старушки и стали помогать разворачивать конфеты.

Мне было как-то не по себе. Я вышел на улицу. Вскоре появилась Маша. Руки у нее тряслись, лицо было заплакано. Она начала курить одну сигарету за другой.

— Завтра нужно снова приехать сюда, мне разрешили еще одну передачу привезти, — сказала она наконец.

— Ты что, будешь теперь сюда каждый день ездить?

— А что делать! — ответила Маша, садясь в машину. — Придется. Надо же как-то поддержать Алика. Да, он вам передал записку для меня?

— Да, — кивнул я и достал небольшой пакетик. Маша быстро схватила его, развернула и прочла маляву. Вероятно, в этой записке и было сказано, что необходимо найти местного адвоката.

— Вам Алик говорил о том, что вам, наверное, трудно сюда каждый день ездить? — спросила Маша.

— Про местного адвоката? Конечно, говорил. Надо это сделать.

Вскоре мы вернулись в Москву.

Маша еще несколько раз заходила ко мне и рассказывала, как продвигается дело Алика. Я узнал, что она нашла двоих адвокатов, которые ходят к Алику каждый день.

Сама же она каждый день вставала рано утром и ездила к нему в следственный изолятор. Я был удивлен переменами, которые произошли в ней. Жена «нового русского», которая просыпалась не раньше часа дня, от которой нельзя было дождаться и чашки кофе, вдруг превратилась в жену декабриста и стала ездить к своему Алику каждый день, заезжая в магазины и покупая продукты, передавая записки.

Тем временем собы́тия продолжали развиваться. Не знаю, как получилось, но кто-то из друзей Алика все же встретился с людьми Зеленого, и обе стороны пришли к обоюдному решению о непричастности Алика к данному убийству.

А дело Алика продолжалось. Все подозрения по его участию в убийстве вскоре были сняты следствием. Это, с одной стороны, значительно улучшало его положение, но, с другой стороны, вышел Указ, который в значительной степени ухудшил положение Алика, — Указ по борьбе с незаконным оборотом оружия.

Приближался суд. Я, на мой взгляд, почти выработал хорошую и прочную позицию защиты, по моим планам, я рассчитывал отправить дело на доследование и добиться освобождения Алика под залог. Но тут вновь произошли непредсказуемые события.

Накануне суда между Машей и Аликом что-то произошло, и они серьезно рассорились. Маша неожиданно предложила мне не участвовать в судебном процессе, мотивируя тем, что местные адвокаты имеют контакт с местными судьями. К тому же адвокаты ей твердо обещали, что Алик получит минимум два года.

После такого разговора я не хотел присутствовать на судебном процессе, но как-то чувствовал себя неловко по отношению к Алику. Я понимал, что меня, вероятно, не случайно вывели из этого дела. Но какова истинная причина таких перемен?

Вскоре состоялся суд. Алика приговорили к пяти годам лишения свободы. Он получил почти максимум благодаря тому, что немаловажную роль сыграл Указ, который усиливал ответственность за применение оружия.

Не знаю, что произошо между супругами после приговора, но на свидании между ними произошла серьезная сцена, после которой Маша заявила, что будет разводиться с Аликом, и вновь пришла ко мне, уже за советом по процедуре развода.

Кроме того, она выдвинула Алику претензии, рассчитывая получить 50 процентов от его состояния, составив список всего имущества, включая доли в его предприятиях.

— Зачем тебе все это нужно? — спросил я.

— Я не буду с ним больше жить. Это невозможно.

— И что ты будешь делать?

— А что? Получу с него деньги — а они немалые — и буду жить одна.

Алик свои проблемы с криминальным миром, в частности с Афоней и людьми Зеленого, решил благополучно. Находясь в следственном изоляторе, он познакомился еще с одним уголовным авторитетом, который взял его под свою опеку.

Прошло некоторое время. Маша продолжала жить в коттедже. Кирилл там не появлялся, после выхода из сизо он вообще исчез.

Как-то я встретил Машу в поселке. Она шла, опустив голову. Я поинтересовался, как дела.

— Да никак, — сказала она грустно. — Живу тут, уезжать собираюсь, хочу продать коттедж, пока Алик сидит.

Что касается доли Алика в предприятиях, то она их не получила.

— А с Кириллом что? — спросил я.

— О нем я ничего не знаю, — ответила Маша.

Но меня очень интересовало — почему Кирилл неожиданно поменял вдруг свои показания, и я прямо спросил об этом Машу.

Она задумалась и тут же ответила:

— Наверное, на то были причины.

Из ее ответа я понял, что она хорошо их знала, только не хотела мне говорить.

— Адвокаты Алика подали во вторую инстанцию. Но я уже не интересуюсь этим делом, — сказала Маша.

— А как же ты? — осторожно поинтересовался я.

— Живу, как жила. Не знаю, может быть, вернусь в Питер, — ответила Маша.

— С Аликом сойдетесь? — осторожно спросил я.

— Зачем? Мне такая жизнь не нужна. Ведь хотя я и была замужем, но каждый из нас жил отдельной жизнью. К тому же Алик компенсировал все мои моральные издержки и теперь я богата...

— Ну что ж — удачи в жизни! — пожелал я ей и направился к своей даче...

ЛЮБОВНИК ОТ «КРЫШИ»

Дело о наркотиках, 1998 год

Для многих из нас уже стало традицией выезжать под Новый год на отдых за пределы России. Кто-то предпочитает зимний отдых, выбирая для этого соответствующие страны, где можно покататься на лыжах, заняться санным спортом.

Среди таких стран российские туристы чаще всего выбирают Австрию, Финляндию, в последнее время — Чехию.

Другие же предпочитают окунуться в лето — полежать на песке, искупаться в теплом ласковом море. Эти люди предпочитают Таиланд, Карибские острова, Арабские Эмираты. Правда, в последнее время новогодний праздник в Арабских Эмиратах совпадает с исламским праздником Рамадан, который вносит в отдых иностранных туристов определенные неудобства, связанные с запретом употребления спиртных напитков, еды во время службы, а также купания.

Посему многие туристы предпочли в этом году поехать на отдых в Таиланд и в другие места.

С Катей, героиней этой истории, мы познакомились именно в Таиланде, в одном из пятизвездочных отелей.

В тот день я, как обычно, лежал на пляже под пальмой и читал книгу, прихваченную с собой из Москвы. Моя жена с ребенком перебрались поближе к морю, время от времени купаясь.

Книга была не очень интересной, поэтому я часто бросал взгляд на посетителей пляжа. Я заметил, как к моей жене подошла какая-то девушка с ребенком и заговорила с ней. Затем дети пошли купаться, жена с незнакомкой остались сидеть на берегу, о чем-то оживленно беседуя.

К такому знакомству я отнесся безо всякого интереса, так как время от времени такие знакомства на отдыхе происходят: кто-то попросил крем, кто-то о чем-то спросил... Поэтому я снова открыл книгу.

Примерно через час жаркое солнце заставило меня пойти окунуться. Я встал и направился к воде. Тут я обратил внимание на то, что моя жена по-прежнему говорит с той же женщиной. Я подошел к ним и кивнул головой жене — мол, пойдем поплаваем. Но она отрицательно покачала головой, подав наш условный знак: погоди, не мешай.

Я пожал плечами и пошел в море. Поплавав минут десять-пятнадцать, вернулся обратно. Решил вновь подойти к жене. Увидев меня, она подняла голову и сказала:

— Катя, давай-ка я познакомлю тебя с моим мужем. Кстати, он адвокат и, возможно, сможет тебе помочь.

«Ну вот, начинается! — подумал я. — Хорошенький отдых! И в Таиланде думай о проблемах клиентов!» Но все же улыбнулся и наклонил голову, представляясь. Катя приветливо улыбнулась мне.

На вид ей было лет двадцать шесть — двадцать восемь. Среднего роста, круглое лицо, темные глаза. Волосы были короткие, выкрашенные в темно-рыжий цвет, достаточно полная грудь. Все это говорило о том, что Катя должна пользоваться успехом у мужчин.

Переведя взгляд на жену, я как бы между прочим спросил:

— А что, действительно, вам нужен адвокат?

— Конечно, нужен! — ответила Катя. — Я же нахожусь под следствием... — И поправилась: — Я даже больше скажу — под подпиской о невыезде!

— Вы? Под подпиской? — удивленно переспросил я. — А почему же вы здесь?

— Вот так, очень просто.

— А вы хоть представляете, что вам может быть за это? Какая у вас статья?

— 228-я.

Жена вопросительно посмотрела на меня, спрашивая, что это такое. Но Катя, перехватив ее взгляд, сама объяснила:

— Распространение наркотиков.

— И что, серьезное наказание может быть? — спросила жена.

— По-моему, до десяти лет, как я помню, — сообщил я.

— Да, что-то около этого, — подтвердила Катя. — Да мне уже все равно, что со мной будет. Вот даже решила напоследок с сынишкой съездить на солнышке погреться. Как знать, может быть, придется на нары сесть... Но это не главное. Главное — чтобы он был на свободе.

— Кто? — спросил я.

— Руслан, — пояснила Катя.

— А кто это такой?

— Это человек, которого она любит, — сказала жена.

— Ясно, — кивнул я. — Давайте с человеком немного подождем. Вы понимаете, что следователь может в любой момент вызвать вас на допрос, и в случае неявки вас могут арестовать, то есть изменить меру пресечения на взятие под стражу. Вы хоть это понимаете?

— Я все понимаю, — сказала Катя. — Но что будет, то будет. Я и так очень много повидала в жизни. К тому же следствие уже закончено...

— А, вы подписали 201-ю статью? — уточнил я.

— Да. Следствие уже закончено, даже назначен суд, только дата пока еще не определена. Поэтому никто беспокоить меня не будет.

Неожиданно жена встала:

— Что-то сегодня очень жарко. Давайте уйдем с пляжа.

Катя тоже встала, ища глазами своего сына.

— Давайте договоримся так, — сказала она. — Если у вас будет желание, приходите сегодня после ужина в бар, посидим, поговорим. Может, вы действительно сумеете мне помочь...

— Хорошо, обязательно придем, — сказал я.

— Значит, до ужина.

После того как Катя ушла, а мы направились к корпусу гостиницы, я спросил жену:

— А что случилось с этой Катей?

— Да все очень просто, — ответила она. — Бандита полюбила, из «крыши», где работала. Бросила мужа ради него. Ради него, чтобы помочь ему, пошла на преступление. И теперь сама под следствием.

— Хорошенькая история! А поподробнее можешь рассказать?

— Ой, поподробнее ты лучше у нее самой спроси. Пусть расскажет. Мы говорили обо всем с чисто женской точки зрения. Знаешь, мне ее так жалко! Я так сочувствую ей! За свои двадцать шесть лет она такого натерпелась, такого повидала, что мало не покажется! Поговори с ней сам.

Я был очень заинтригован, что за история приключилась с Катей.

Вечером, после ужина, мы с женой спустились в бар. Катя уже была там, сидела за отдельным столиком. На столе стояла бутылка мартини, четверть была выпита. Катя сидела и курила. Мы подошли, поздоровались и подсели к ней.

Увидев наши вопросительные взгляды, направленные на бутылку, Катя сказала:

— Представляете, вы как будто сглазили сегодня на пляже...

— В каком смысле? — спросил я.

— Я звонила в Москву, в суд. Дело назначили к слушанию 27 января, то есть через две недели.

— И что вы теперь будете делать?

— Как что? Отдыхать, — ответила Катя.

— А к делу готовиться не будете?

— Почему же? Буду. Когда в Москву приеду. А вы думаете, что можете мне чем-то помочь?

Я пожал плечами.

— Не знаю, смотря какая у вас позиция по данному делу.

— Позиция у меня самая что ни на есть обыкновенная, женская...

— Вы меня не поняли, — уточнил я. — Я имею в виду вашу версию, ваши показания, которые вы дали на следствии.

Но я уже видел, что взгляд ее, устремленный куда-то вдаль, был совершенно равнодушным.

— Так что же с вами произошло? Можете рассказать мне подробно, или у вас опять нет настроения?

— Да нет, как раз сейчас у меня настроение есть, — ответила Катя, наливая себе мартини в фужер. Потом, спохватившись, сказала: — Может быть, вы выпьете со мной?

— Если только минеральной воды или сока, — я заказал для себя апельсиновый сок со льдом. Жена присоединилась к Кате.

— Ну что вам рассказать... — начала Катя. — Родилась я двадцать шесть лет тому назад в маленьком провинциальном городке Золотого Кольца. Отца своего не помню. Точнее, когда я родилась, его уже не было. Моя мамаша тогда уже развелась с ним. Потом, когда мне было около восьми лет, неожиданно появился дядя Боря. Это мамин любовник. Дядя Боря был странный человек. По-моему, все пороки, существующие на свете, были собраны в этом человеке. Он отбывал свою вторую судимость в колонии, находящейся неподалеку от нашего города. Но за примерное поведение и поскольку срок у дяди Бори заканчивался, его определили на поселение. Не знаю, где они познакомились с мамашей. Дядя Боря часто стал останавливаться у нас. У него были какие-то связи со спецкомендатурой, где он обязан был отмечаться. Короче, стал он жить с матерью. Впрочем, жить — это слишком громко сказано. Точнее — сожительствовать.

Обычно целый день дядя Боря где-то шлялся, а вечером появлялся с бутылкой. Либо они вдвоем с мамашей пили, либо, что самое худшее, приходили его дружки и пили, сидя у нас на кухне.

Иногда такие пьянки заканчивались драками. А однажды, — Катя сделала небольшую паузу, — такая пьянка могла закончиться для нас трагически. Сели они как-то в карты играть.

Тогда, я помню, он все проиграл. И тогда его дружки, такие наглые — я их на всю жизнь запомнила, — сказали: играй на своих женщин, Борис!

Дядя Боря посмотрел пьяными глазами на мать и кивнул головой: ставлю ее на кон! Но дружки поправили его: нет, погоди, давай на обеих! Да вы что, братва, сказал дядя Боря, ей же только восемь лет! А дружок и говорит: вот и хорошо, — и уже руку ко мне протягивает, — давай играть на них!

Дяде Боре было уже все равно, и он поставил на кон маму и меня... И что вы думаете? Он проиграл. Встал из-за стола, налил себе полный стакан водки, залпом выпил и вырубился, упал без сознания.

А тем временем трое его дружков встали и направились к нам с матерью. Мы забились в уголок. Не знаю, откуда у матери силы взялись, но она схватила меня в охапку и, одной рукой отшвырнув одного из собутыльников своего муженька, бросилась к двери.

Мы выскочили на улицу и побежали. За нами двое гонятся.

Бежали мы долго, они нас почти догоняли. И тут мы свернули во дворик и закрыли за собой калитку. Стоим, ждем. Сердце у меня из груди выскакивает. Испугалась я страшно. И мама испугалась. Зажимает мне рукой рот, чтобы я не крикнула.

Пробежали эти двое и встали около калитки. Стоят, курят. Один из них говорит: «По-моему, они сюда побежали». — «Ты точно видел?» — спросил второй. «Кажется, сюда». Стоят, не знают, что делать. А мы уже настолько перепугались, что ноги стали ватными.

Вдруг один говорит: «Точно, они за забором стоят. Я их дыхание слышу». И он быстрым движением приподнялся. Его голова оказалась над нашими головами. А уже ночь на дворе. Во дворике, куда мы попали, какой-то частный домик деревянный стоит, маленький. Первая мысль — туда кинуться. А потом подумали: а вдруг там какая-нибудь старушка живет? У нас много таких домов со стариками. Как она сможет нас защитить? Но тем не менее, все равно бросились мы к двери, стали стучать.

Дверь открыл мужчина. А те двое уже через забор перелезли, бегут за нами. Мы кричим: «Помогите! Спрячьте нас быстрее!» Мужчина моментально сообразил — пропустил нас внутрь и закрыл за нами дверь.

Между ними началась драка, мужчину даже ранили. Потом они убежали, но долго кричали: «Ну, сучки, мы с вами еще разберемся! Такую подлянку нам устроили!»

На следующий день, в чем были, не заходя домой, мы уехали в деревню к бабушке, маминой матери. Там мы и остались, жили примерно месяц. Но мать стала тосковать по городу и решила поехать на разведку.

Поехала. Прошел месяц, второй. Она не возвращается. Мы поняли, что что-то случилось. Бабушка отправила в город своего дальнего родственника, чтобы он разузнал, в чем дело. Он вернулся и о чем-то долго шептался с бабушкой.

Позже я узнала, что дядю Борю убили, а мать спилась и пропала. Что с ней случилось — не знаю. Говорили, что по пьяной лавочке ее то ли зарезали, то ли сама под поезд попала...

Так я и осталась жить в деревне у бабушки. В четырнадцать лет пьяные деревенские парни сделали меня женщиной.

Кое-как я окончила восемь классов деревенской школы. Затем два года училась в небольшом поселке в вечерней школе, закончила десятилетку. Жила у бабушки, пока она не умерла. Осталась я в доме одна. А в город ехать все равно не хотела.

Когда мне было восемнадцать лет, к нам в деревню приехали студенческие отряды из московского института на сельхозработы.

Было очень распространено посылать студентов в деревни. Пробыли они у нас около месяца. Вот тогда я и встретила своего будущего мужа, Виталика.

Виталик был из Москвы, из очень интеллигентной семьи. Родители у него были учеными: мать — врач, а отец — то ли доктор наук, то ли кандидат, работал в одном закрытом НИИ.

Виталик учился в престижном экономическом вузе. Он влюбился в меня с первого взгляда. В общем, все у нас случилось достаточно быстро. Но он оказался порядочным парнем и сразу предложил мне выйти за него замуж и переехать в Москву. Я посидела, подумала и согласилась. Не оставаться же мне всю жизнь в этой Тмутаракани! Хотя я и не очень любила Виталика.

Переехала в Москву, познакомилась с родителями Виталика. Очень милые люди оказались. Помогли поступить в институт. Я начала учиться. Вскоре у нас родился сынишка, назвали Святославом.

Каким-то образом родители сумели купить нам однокомнатную кооперативную квартиру. Виталик к тому времени закончил институт и работал в НИИ, одновременно учась в аспирантуре. Я тоже училась в институте. Виталик был положительным мужем. Он не пил, много работал, занимался наукой.

Но дома он ничего не делал — либо читал книги, либо смотрел телевизор. Он был безразличен и ко мне, и к семейной жизни.

А потом началась перестройка и новые экономические отношения. В НИИ, где работал Виталик, прошло крупное сокращение. Его уволили. И стал он целыми днями дома без дела сидеть. Сидит, смотрит в потолок и ничего не делает. На работу устраиваться не хотел. А жить-то на что-то надо было! Родители его тоже потеряли работу. Мать получала очень маленький оклад, как врач, а отец практически все время болел.

Я уже несколько раз просила Виталика, чтобы он устроился на работу, хоть кем-то. А он отвечал: «Кем я пойду? Ночным сторожем? Это ниже моего достоинства!» — «Но ты же отец, глава семьи! — убеждала я его. — Ты же должен семью кормить!» Он твердил: «Это ниже моего достоинства — идти на какую-то подсобную работу. Я буду сидеть и ждать, пока не подвернется хорошая работа».

Короче, много раз я с ним говорила, но все было бесполезно.

Тогда я сама решила пойти на работу. Бросила институт. Через соседку, с которой мы часто гуляли с детьми во дворе, узнала, что требуются продавцы на вещевой рынок. Работа не пыльная — с десяти до пяти вечера, и платят сразу за день наличными, без всяких вычетов. Отработал день — получи зарплату. А можно раз в неделю получать. Никаких удержаний, никаких отчислений. Мне эта работа подходила.

Пришла я с подругой на вещевой рынок — к тому времени в Москве их было много. Представили меня сначала хозяевам товара — торговать мы должны были женскими сапогами, — а хозяевами товара были молодые супруги, жена раньше парикмахершей была, а муж — автослесарь. Поднакопили денег, стали пускать их в оборот — закупать в Италии сапоги, привозить сюда и через нанятых продавцов и арендованное место на рынке продавать товар. Так и трудилась я у них.

Проработала около двух месяцев.

Нравы и традиции рынка были достаточно своеобразны. Целый день продавцы стояли на ногах. Обычно продавцы были наемными, но иногда своим товаром торговали и сами владельцы, считая, что наемные работники не могут обеспечивать эффективную продажу.

Продавцы иногда накидывали свой процент на товар и продавали его дороже, чем устанавливали цену хозяева. Таким образом, эта разница шла продавцам в карман. Отсюда у многих продавцов были свои традиции — отмечать каждый прошедший торговый день. Обычно все заканчивалось выпивкой. Среди любимых напитков у людей, торговавших на рынке, были шампанское и джин с тоником.

Многие женщины нашли себе на рынке любовников. Оторвавшись от мужей, они сумели войти в контакт с грузчиками, с работниками охраны и продавцами-мужчинами.

Рынок жил своей жизнью. Иногда случались кражи или обман со стороны покупателя. Придет иногда покупатель, начинает отвлекать продавца какими-либо вопросами. Тут появляется другой покупатель, тоже начинает якобы интересоваться товаром. Раз — и неожиданно пара сапог пропадает. А иногда случались и кражи, когда воровали из кармана. Были большие проблемы и с так называемыми проверяющими.

На рынок постоянно наезжала то налоговая инспекция, то сотрудники УЭПа, бывшего ОБХСС, то санэпидстанция, то еще какие-нибудь проверяющие.

Я в то время работала честно. Все вырученные деньги — а выручка иногда составляла немалую сумму — я несла домой. Покупала продукты, фрукты для ребенка, обеспечивала мужа. Виталику же такая жизнь очень нравилась. Он ничего не делал, был одет, обут, сыт — и все за счет жены.

Виталик продолжал целыми днями сидеть на диване и смотреть телевизор. Правда, забирал ребенка из школы и занимался с ним, что тоже было немаловажно. Все мои попытки поговорить с Виталиком, чтобы он устроился на работу, были бесполезными. Он стоял на своем — не буду работать, пока не появится достойная должность. Но достойная должность так и не появлялась...

А вскоре появились новые проблемы. На рынке появились новые бандиты, вернее, поменялась «крыша».

Раньше рынок курировала одна из московских группировок, которая практически никогда ни во что не вмешивалась, никто никогда их не видел. Сидели бандиты в своей комнате и не высовывались.

Но потом в бандитских кругах что-то случилось, и рынок перешел к другой группировке. Вот тут-то все и закрутилось. Новая группировка сразу поставила все на место. Первым делом поменяли рыночную охрану — поставили своих дальних родственников. На рынке постоянно дежурила так называемая оперативная бригада, которая сидела в своей комнате.

Эту комнату продавцы называли «бандитской комнатой». Она, как ни странно, имела номер — 316. Бандиты иногда ходили по рядам, присматривались к товару. Могли просто подойти, взять ту или иную понравившуюся вещь. А вскоре они обнаглели — стали брать и продавцов.

Подойдут молча, кивнут тебе: зайдешь к нам на беседу! И симпатичная девчонка шла в ту самую «бандитскую комнату».

Ходили страшные слухи. Говорили, что там могли и изнасиловать. Но, в основном, вроде бы любовь была добровольной, то есть у продавщиц не было другого выхода.

Боязнь потерять место или просто стать жертвой бандитского наезда заставляла многих женщин идти и оказывать бандитам интимные услуги...

Обычно бандитская инспекция по торговым рядам начиналась ближе к концу рабочего дня. Они медленно, по-хозяйски ходили между рядами, оценивающе глядели на продаваемый товар, а также и на продавцов, примеряясь, кого вызвать сегодня в комнату на «беседу по душам».

Катя их сразу вычисляла. Обычно по рядам шел шепот: идут, идут, «крыша» идет! И все видели, как вдоль рядов медленно идут три человека. Среди них выделялся высокий парень, блондин, широкоплечий, крепкого телосложения.

Звали его Руслан. Он шел впереди, и было ясно, что он старший, вроде бригадира. Сзади него шли еще двое, а то и трое ребят с темными волосами. Однажды «крыша» подошла к соседке — продавщице Тамарке, которая работала через ряд от Кати, и один из темноволосых, посмотрев сначала на товар, а затем переведя взгляд на продавщицу, сказал:

— Зайдешь сегодня после работы в 316-ю...

Девчонки сочувственно посмотрели на продавщицу. Та пожала плечами, вытирая выступившие слезы платком.

На следующий день эта продавщица как ни в чем не бывало появилась на своем месте. Девчонки поглядывали на нее, но не знали, что сказать. Ведь сегодня снова должен быть обход, и не исключено, что бандиты могли подойти к кому-нибудь из них...

Тот день Катя запомнила надолго. Все было как обычно, шла торговля, везде ходили покупатели. Кто-то что-то покупал, примеривал товар. День для Кати был удачным — у нее купили три пары сапог, и это обещало приличную выручку.

Неожиданно около пяти часов появились бандиты. Они подошли к прилавку Катиной соседки и постояли немного. Соседку звали Вера. Ей было около тридцати лет. Полненькая, с высоким бюстом, черными волосами, она была эффектной женщиной.

Трое бандитов стали что-то рассматривать на прилавке. У Кати забилось сердце. Она понимала, что товар не интересует бандитов, тем более что это был товар для женщин. Бандиты с видом знатоков просматривали вещи.

Вдруг двое из них неожиданно посмотрели на Катю. У нее защемило сердце. Ну все, вот и моя очередь подошла, подумала она. Она опустила глаза. Однако двое черноволосых повернулись к Верке и сказали:

— Придешь сегодня к нам в комнату.

После этого у девчонок торговля не шла. Верка тут же схватила сигареты и стала курить одну за другой.

— Что делать, девчонки? Что делать?

Продавщица, которая стояла с другой стороны от Верки, сказала:

— Как что делать? Выхода нет, надо идти. Хочешь место потерять и безработной остаться — тогда иди домой. Считай, работы у тебя нет. Либо тебе, подружка, идти в бандитскую комнату, либо иди домой...

Верка с горя пошла за шампанским. Выпив, она пошла к бандитам...

Кате стало ее жаль, и она решила подождать Верку. Прошел час, другой. Рынок постепенно опустел. Появились уборщики, собирающие мусор, пустые коробки, которые оставляли покупатели и продавцы, а Катя все стояла у прилавка и ждала, охраняя товар Веры.

Минут через сорок появилась Верка, пьяная в стельку. Она подошла к Кате и сказала:

— Подруга, не так страшен черт, как его малюют! Давай выпьем! — И достала из сумки еще одну бутылку шампанского. Они сели и начали пить. Кате было, с одной стороны, очень интересно, что же там произошло — ведь завтра то же может случиться и с ней, — а с другой стороны, пока ведь не случилось.

Стояли они рядом, значит, никому она не приглянулась. Значит, в ближайшее время ей ничего не грозит...

Верка не стала распространяться, что она делала в комнате, только сказала:

— Жизнь есть жизнь, и она продолжается.

Катя стала подбадривать Верку:

— Не расстраивайся, подруга, ничего страшного не случилось.

Та хитро посмотрела на нее, улыбнулась и сказала:

— Конечно, ничего страшного. А завтра твоя очередь.

— Как моя? — Катя опешила от неожиданности. — С чего ты это взяла? Мне же ничего не говорили...

— Я тебе это говорю. Они сказали, чтобы я тебе это передала. Завтра, около пяти часов, ты должна явиться к ним, в бандитскую комнату. Я тебе это и передаю, — сказала Верка, опустошая стакан с шампанским.

Катя не знала, что делать. Шла домой медленно. Ноги были ватными. Всю ночь она не спала. Как быть? Мужу говорить нельзя. Что он может сделать? Не идти — значит потерять работу. А идти...

Она вспомнила детство, когда дружки пьяного дяди Бори хотели изнасиловать их, вспомнила, как пьяные ребята в деревне у клуба затащили ее в кусты и втроем изнасиловали... Все это было очень неприятно. Неужели опять то же самое?! Сколько их там будет — двое, трое? А может, и больше?

Под утро она решила, что придет на рынок и разберется. Так и получилось. Она пришла к девяти и стала ждать Верку. Но та в этот день почему-то не появилась. Теперь круг замкнулся. Спросить не у кого. Катя ждала четырех часов. Обычно в это время появлялись бандиты, которые проводили ревизию. Но в этот день их не было...

Время приближалось к пяти. Надо было принимать решение. Внутренний голос сказал: «Нужно идти». Катя механически собрала товар, отнесла в камеру хранения, сдала, зашла в туалет, взглянула в зеркало и медленно пошла по направлению администрации рынка, искать злополучную бандитскую комнату...

Трудно передать, с какими чувствами она шла по коридору. Ей казалось, что она шла больше часа. Какие-то картины возникали в ее сознании. Наконец она остановилась у нужной комнаты, на дверях которой были цифры 316. Она стояла и думала: стучать или просто открыть дверь?

Прислонив ухо к двери, прислушалась. В комнате слышался шум. Видимо, обитатели ее смотрели телевизор. Она приоткрыла дверь и медленно вошла.

Катя огляделась. Комната представляла собой помещение около двадцати метров, с нехитрой обстановкой. Два кожаных дивана стояли там — один у окна, другой у стены. Большой дорогой красный ковер лежал на полу.

Посредине комнаты стоял столик с видеодвойкой. Показывали какой-то боевик. На диванах вразвалку сидели два черноволосых бандита и смотрели фильм, куря сигареты.

Катя вошла и спросила:

— Можно?

Те вопросительно взглянули на нее. И тут у нее мелькнула мысль: «А вдруг Верка меня подставила? Вдруг она решила отомстить мне, мол, я такое пережила, а тебя не вызывают, я тебя к ним сама зашлю. Уж они-то наверняка не откажутся!»

— Ну, что стоишь? Заходи, — сказал один из них.

Катя подошла.

— Что тебе нужно? — спросил бандит.

Катя помолчала. Она не знала, что сказать. А вдруг действительно Верка ее подставила и они ничего не хотят от нее? Надо было срочно что-то придумывать.

— Чего молчишь? Проходи, — сказали бандиты.

Катя подошла ближе и остановилась.

— Мне Верка сказала зайти к вам... Это правда?

— Какая еще Верка? — недовольно спросил второй парень, бросив взгляд на Катю. — Что она сказала? Что ты тут стоишь? Никакой Верки мы не знаем.

— Тогда я пойду, — сказала Катя и уже повернулась к двери.

Вдруг один парень вскочил, догнал ее и взял за руку.

— Зачем уходишь? Раз пришла — оставайся. Ничего плохого тебе не сделаем! Раздевайся, на саксофоне играть будешь!

— На каком еще саксофоне? — удивленно переспросила Катя.

Второй парень стал смеяться так сильно, что даже уронил бутылку пива.

— Ты что, ничего не понимаешь, что ли? С гор только что спустилась? — сказал он.

Тот, который держал Катю за руку, тоже заулыбался:

— Не знаешь, как на саксофоне играть? Ты даешь! Что же ты сюда пришла?

— Я не приходила, я мимо проходила.

— На саксофоне — значит, минет делать будешь. Иди за ширму, дура! — сказал один из них.

— Ничего я делать не буду, — неожиданно сказала Катя и отрицательно покачала головой. — Я не к вам пришла.

— Как не к нам? А к кому же? — спросил второй парень.

— Я к Руслану пришла!

Эта мысль пришла Кате в голову буквально в последнее мгновение. Она подумала: раз уж пришла, зачем отдаваться каким-то черным плюгавым бандитам, лучше уж тому высокому блондину... А этим откажу. Наверняка Руслан — их старший.

— Где Руслан?

— Какой еще Руслан? Никакого Руслана мы не знаем, — проговорил парень. — Ты сюда пришла — иди за ширму, по-хорошему тебе говорю!

— Никуда я не пойду. Я пришла к Руслану, — стояла на своем Катя.

— Ладно, погоди. Что, у тебя дело какое к нему есть?

— Да, именно дело.

— Говори нам, какое дело.

— Я скажу это только Руслану, — упрямо сказала Катя.

Бандиты стояли в недоумении.

— Что делать будем, брат? — спросил один.

— Звони ему на трубку, — ответил другой. — Пускай сюда подтягивается.

Парень взял телефон и стал набирать номер, наверное, звонил Руслану.

— Алло, Руслан? Братан, тут к тебе коза одна пришла, только тебя хочет, говорит, с тобой будет говорить...

На другом конце, вероятно, прозвучал вопрос, что ей нужно.

— А я знаю? Она не говорит. Тебя хочет, и все.

Потом он поднес телефонную трубку к Катиному уху и сказал:

— На, говори с Русланом!

Катя взяла телефонную трубку.

— Что тебе надо? — услышала она повелительный голос Руслана.

— Руслан, мне надо с вами поговорить, — перейдя на «вы», сказала Катя.

— Так говори, я слушаю!

— Я не могу. Только вам.

— Хорошо, буду через десять минут, — сказал Руслан.

Катя отдала трубку и повторила:

— Он сказал, что будет через десять минут.

Парни пожали плечами.

— Хорошо.

Они сели и продолжали смотреть телевизор, не обращая никакого внимания на Катю.

Наконец дверь приоткрылась и появился Руслан. Катя рассмотрела его.

Руслану было около двадцати пяти лет. Высокий, плотного телосложения, с широкими плечами. Круглое лицо с небольшим румянцем, пышные светлые волосы тщательно уложены.

Руслан подошел к ней и спросил:

— Ты меня вызывала?

— Да, я.

— Какое у тебя ко мне дело?

Катя молча посмотрела на двоих бандитов, сидевших на диване.

— Пусть они выйдут, — сказала она.

— Хорошо, — сказал Руслан и указал парням на дверь. Те встали и молча вышли в коридор.

Руслан продолжал стоять, ожидая продолжения разговора. Тогда Катя подошла к нему вплотную и, приподнявшись немного на цыпочках, обняла его за шею.

— Руслан, я хотела тебе сказать, что я... Ты мне очень нравишься, и я тебя давно хочу.

Он моментально сообразил, что делать — взял ее за

плечи и повел к ширмочке, стоящей в углу комнаты. Там был оборудован «сексуальный кабинет» — небольшая кушетка и стул рядом.

Руслан сел на кушетку и молча расстегнул джинсы. Катя стала на колени и принялась со страстью выполнять то, о чем она втайне мечтала... Все произошло в течение десяти-пятнадцати минут.

Вероятно, Катя превзошла саму себя, так как Руслан стал постанывать и поглаживал ее время от времени по голове. Затем Руслан приподнял ее и быстрым движением уложил на кушетку...

Вошел в нее он не сразу, а сначала разогрел ее — довел до кондиции. Все время Катя шептала:

— Руслан, милый мой, любимый... — и поглаживала его по волосам, по плечам...

Руслан поднялся первым и стал натягивать на себя сползшие брюки. Катя встала и начала поправлять одежду и прическу.

— Слушай, а почему я раньше тебя никогда не замечал? — неожиданно спросил Руслан. — Ты что, у нас стоишь?

Катя утвердительно кивнула головой.

— А ты молодец! Такое у меня редко бывает...

Катя прекрасно знала, что Руслан был любимцем женщин, и многие просто шли к Руслану для того, чтобы иметь красивого мужчину. У него была куча поклонниц. Катя все это знала из разговоров коллег.

— Ты ж все по красивым ударяешь, — улыбнувшись, сказала она.

— А ты разве некрасивая? — спросил Руслан. Катя пожала плечами.

— А ты свой товар выставляешь или в продавцах ходишь?

— В продавцах. Товаром супружеская пара одна владеет.

— Может быть, тебе помощь какая нужна?

— Нет, не нужна. Хотя, знаешь что? Хотелось просто уточнить...

— Уточняй, — разрешил Руслан.

— Но это нужно спросить у твоих ребят.

— Хорошо, сейчас сделаем. — Руслан открыл дверь. Ребята стояли в коридоре. Он сказал им: — Заходи, братва!

Ребята смущенно вошли. Они догадались, что между Русланом и Катей что-то произошло.

— Ну, давай, что ты хотела сказать? — проговорил Руслан.

— Я хотела спросить у тебя и у твоих ребят вот что. Мне сказала зайти к вам в комнату Верка, моя соседка, она рядом со мной торгует. Якобы твои орлы передали через нее. Это так?

Руслан молча взглянул на них, ожидая ответа. Те сразу поняли, в чем дело, и стали мотать головами.

— Верка была, знаем. Но мы никого не вызывали!

Теперь Кате стало ясно, что Верка решила ей даже не отомстить, а поставить ее на то же место, на котором она была день назад, зная, что Катя верна мужу и не гуляет на сторону, в отличие от Верки, довольно развратной женщины.

Всю обратную дорогу Катя только и думала, как отомстить Верке. Весь вечер она чувствовала себя не в своей тарелке, а когда легла спать, с наслаждением стала вспоминать те моменты, когда она была с Русланом.

На следующий день Катя как ни в чем не бывало пришла на работу. Верка бросала на нее любопытные взгляды.

— Ну как, подруга, как? — не выдержала она.

— Да все нормально. Сама знаешь как, — ответила Катя и не стала продолжать беседу.

Торговля шла плохо. Покупателей практически не было. Верка время от времени бегала курить. Катя заметила, что уже днем та начала прикладываться к стакану с шампанским. К концу дня неожиданно появился Руслан. Он был один. Молча подошел к прилавку, осмотрел товар, потом кивнул ей, чтобы она отошла с ним на минутку. Катя отошла на несколько шагов.

— Слушай, — сказал Руслан, — я что хотел сказать... Может быть, сходим посидим в баре или поужинаем где?

— Ты что это, решил за мной приударить, поухаживать? — спросила Катя.

— Да хочу поближе тебя узнать...

— А сначала мне к тебе в 316-ю зайти?

— Да брось ты! Какая комната? Давай в бар приходи после работы. Ты когда заканчиваешь?

— Да могу хоть сейчас. Все равно покупателей нет.

— Все, — Руслан взглянул на часы, — минут через тридцать я жду тебя в баре. Договорились?

— Хорошо.

Катя быстро сдала вещи и направилась в бар. Он находился на втором этаже крытого рынка. Бар тоже был арендован предпринимателем.

Когда она вошла, Руслан сидел за стойкой.

— Что будешь пить? — спросил он.

— Что-нибудь легкое. Мартини или шампанское...

— Мартини и шампанское, — сказал Руслан бармену. Тот уточнил:

— Какого мартини? Белого, красного?

— Белого, — сказала Катя.

Когда принесли мартини и шампанское, они начали разговор. Руслана интересовало все: кто она, откуда, есть ли у нее семья и так далее. Катя рассказала свою историю.

— Знаешь, — сказал Руслан, взяв ее за руку и гладя ладонью, — я после вчерашнего думал о тебе. Может быть, ты мне очень нравишься...

После бара само собой получилось, что они оказались у 316-й комнаты. Руслан открыл дверь. Там уже никого не было. И они снова предались любовной страсти.

С этого дня Катя стала любовницей бригадира боевиков. Они встречались практически каждый день. После работы она приходила в комнату. Все коллеги Руслана знали ее и приветливо здоровались с ней.

Вскоре Катя почувствовала, что отношение к ней

резко изменилось. Администраторы, контролеры, даже охранники стали с ней учтивы и внимательны.

Затем, при продаже абонементов на следующий месяц, Руслан подошел к ней и сказал:

— Что ты торчишь на этом поганом месте? Давай-ка мы тебе центровое дадим, — и предложил шикарное место в секторе «А», который находился у входа и был самым прибыльным.

После этого прибыль у Кати возросла. Хозяева были довольны. А однажды навестить ее пришла Верка. Она стояла и ехидно улыбалась.

— Ну что, ты одним местом себе это заработала? — хихикнула она.

Кате стало не по себе. В тот же вечер она пожаловалась Руслану.

— Знаешь, — сказала она, — это из-за нее я оказалась в вашей комнате. Меня же никто не вызывал.

Руслан молча кивнул головой.

— С одной стороны, Верку надо наказать. А с другой — поощрить, потому что только благодаря ее стараниям я встретил тебя, — и он поцеловал Катю. — Мы ее накажем, не волнуйся!

Вскоре Катя узнала, что в один из выходных Верку вытащили в бандитскую комнату, «субботник» отрабатывать. Что там было — неизвестно, только потом Верка две недели сидела на больничном.

Дела у Кати пошли в гору. Она скопила приличную сумму. Тогда Руслан предложил ей:

— Ты выкупи часть товара у своих хозяев и оставайся на этом месте, а мы им другое подберем. Я сам с ними все улажу.

Действительно, когда пришел день обмена абонементов — к этому времени сами хозяева подъезжали с большой суммой денег выкупать абонемент, Руслан вызвал их в 316-ю комнату на разговор. После этого хозяева вернулись раздраженные.

— Ну что, какой товар ты хочешь у нас выкупить? — спросили они Катю. — Отбирай.

Катя молча отобрала сапоги и туфли тех моделей, которые пользовались наибольшим спросом.

— Сколько это будет стоить? — спросила она.

— Какая разница, сколько это будет стоить, — раздраженно бросила хозяйка. — Сколько дашь — столько и будет стоить.

Катя заплатила им по оптовой цене. Со следующего месяца она продавала уже свой собственный товар. Заработок ее резко возрос.

Теперь она ездила на такси не только с работы, но и на работу. Вскоре она взяла себе личного водителя, который помогал ей заниматься не только коммерческими делами, но и бытовыми — возил ее ребенка на занятия в секции. В общем, жизнь шла нормально.

Катя продолжала встречаться с Русланом. Вскоре она узнала, что Руслан женат, что сам он из одной из кавказских республик, которая объявила себя независимым государством, что там у него жена и двое детей.

В последнее время Руслан изменился. Ему очень нравилась Катя. Он бросил всех своих любовниц. Даже ушел от своей московской жены. Он оказывал Кате большое внимание и часто дарил разные подарки.

Вскоре у Кати появился пейджер, а затем и мобильный телефон. Теперь она уже не встречалась с Русланом в бандитской комнате и настояла на том, чтобы он либо снял квартиру, либо другие престижные апартаменты. И Руслан быстро нашел выход. Он стал арендовать двухместный номер в находящемся рядом пятизвездочном отеле, в котором останавливались в основном транзитные авиапассажиры. Теперь они встречались там.

Однажды Руслан сказал:

— Ну что ты все работаешь? Возьми себе продавцов. Это одно. А второе — я хочу, чтобы ты ушла от своего мужа. Тебе нужны деньги на квартиру — я тебе дам их.

— Куда же я уйду? Ты же не уходишь от своей жены...

— Это невозможно, — оборвал ее Руслан. — Забудь

об том и никогда больше на эту тему не говори! У нас это не принято.

— Я не могу пока уйти. Я еще не так хорошо тебя знаю, — сказала Катя.

— Слушай, я ради тебя бросил всех баб, даже московскую жену! — стал говорить Руслан. — Почему ты не можешь сделать это для меня?

— Руслан, зачем тебе это нужно?

— Я хочу видеть тебя не только два часа в день, но и вечером, и ночью!

— Но у тебя ведь много работы — и по вечерам, и по ночам, — сказала Катя, намекая на то, что иногда Руслан выезжал на стрелки и встречи с коллегами.

— Ну и что? Я всегда буду возвращаться к тебе.

Катя пожала плечами.

— Давай для начала, — предложил Руслан, — поедем на два-три дня куда-нибудь. Хочешь, в Питер, хочешь — за границу слетаем...

— Кто же меня отпустит? — спросила Катя.

— Тебе же за товаром пора ехать. Ты весь товар расторговала!

Тут он был прав. И действительно, в ближайшее время Руслан сказал, что через четыре дня Катя должна лететь за товаром в Италию.

— Тебе бабки нужны? — спросил он.

— Да у меня есть...

— Я добавлю. Купишь товара побольше. И еще, полетишь с одной опытной челночницей, с Тамаркой. Она там знает всех местных коммерсантов. Я с ней договорился, она поможет тебе подобрать товар.

Через несколько дней у Кати уже были на руках билеты на самолет и заграничный паспорт с итальянской визой.

— Только вот что, — сказал ей Руслан, — ты скажешь мужу, что улетаешь завтра, а полетишь через три дня.

— Зачем? — удивилась Катя.

— Для того, чтобы мы с тобой эти два дня спокойно пожили в нашем гостиничном номере.

Так они и поступили. Катя сказала мужу, что она улетает в Италию на 9 дней. На самом же деле улетела на неделю.

Два дня они провели вместе с Русланом. За это время даже не выходили из номера. Катя давно взяла продавщицу, а Руслан забросил свои дела. Время от времени коллеги звонили ему по мобильному и докладывали, как идут дела, какие происшествия. Ни на одно из них Руслан не выходил, только давал указания.

Наступил день отъезда. Руслан сам довез Катю до аэропорта, познакомил с Тамаркой и сказал ей еще раз:

— Тамара, ты теперь будешь опекать Катерину.

Катя была спокойна, что Тамарка подберет ей самый хороший и недорогой товар.

Потом Руслан сказал Кате:

— Мне будет трудно без тебя.

— Ничего, Русланчик, ты за это время свои дела сделаешь! — улыбнулась Катя.

— Да, я буду интенсивно работать. Надо провести несколько стрелок, с ребятами кое-какими встретиться, — стал перечислять свои дела Руслан.

Вскоре Катя была уже в небе. Самолет направлялся в сторону Римини, куда летали за товаром все русские челноки.

Римини был курортным итальянским городком, где широко была поставлена туристическая и одновременно челночная индустрия. Кроме того, там существовало много специальных магазинчиков и мини-фабрик, которые предлагали русским туристам и челнокам широкий выбор обувной продукции.

Неделя пролетела быстро. Тамара действительно была профессионалом. Она познакомила Катю со многими оптовиками. Сама же брала товар практически бесплатно — часть на реализацию, а часть под честное слово, так как она работала с этими итальянскими оптовиками больше двух лет.

Катя выбрала самые лучшие модели и считала дни, когда вернется в Москву.

Скоро этот день наступил. Как только она вышла из зала таможенного оформления и прошла паспортный контроль, она стала искать в зале ожидания Руслана. Но, как ни странно, Руслана в толпе встречающих не было.

Катя вышла на улицу и взяла такси. Товар с карго должен был прийти через неделю. Она поехала домой. На следующий день вышла на работу. Через час после открытия рынка она пошла в 316-ю комнату, чтобы встретиться там с Русланом. Но комната была закрыта.

В течение нескольких часов Катя возвращалась к комнате, но она так и осталась заперта. На территории рынка не было ни Руслана, ни его помощников. Тогда она пошла к Егору — здоровому парню, который служил в охране рынка.

Егор часто играл в бильярд с бандитами и хорошо знал всех.

— Егорушка, привет. Как дела?

— Нормально, — ответил он. — Ты что, в Италии была?

— Да.

— Что интересного привезла?

— Да я все по женской линии...

— Ну и что? У мужиков тоже есть женщины.

— Я тебя хотела спросить, где ребята из 316-й?

— А кто тебя интересует? — улыбнулся Егор, хотя прекрасно знал, кто ей нужен.

— Руслан.

— С Русланом беда, — сказал Егор и полушепотом продолжил: — Его приняли.

— Как это?

— Арестовали, задержали.

— За что?

— Насколько мне известно, была стрелка с одной из бригад, и их накрыли. Ему вроде бы шьют сопротивление работникам милиции.

— А как узнать, где он сейчас?

— Видишь, никого из них нет. Все проблемы сейчас

легли на нас. Так что за товар привезла, когда можно посмотреть, что-нибудь для жены и любовницы подобрать со скидками?

— Да хоть сегодня приходи. А кто следствие ведет?

— А зачем тебе это?

— Я хочу встретиться с ним и переговорить.

— С Русланом? Да кто же тебе это разрешит? Он, по-моему, в изоляторе сидит.

— Послушай, Егорушка, приходи ко мне, я тебе все дешево продам, по оптовой цене, только скажи — ты можешь узнать, где он сидит и кто ведет дело? — спросила Катя.

Егор пожал плечами.

— Хорошо, я постараюсь. Давай так — завтра я к тебе подойду и к этому времени постараюсь все узнать.

На следующий день у Кати уже был адрес изолятора и телефон следователя, который вел дело Руслана. Она позвонила ему в тот же день, назвалась женой Руслана. Следователь сказал, что она может приехать к нему в этот же день в любое время.

Когда Катя открыла дверь кабинета, в котором сидел следователь, то увидела, что за столом, заваленным огромным количеством бумаг, каких-то папок, сидел мужчина лет тридцати, худощавый, с овальным лицом. Следователь предложил ей сесть.

— Значит, вы его жена будете? — хитро прищурился он.

— Да, — кивнула головой Катя. Она решила сказать, что она гражданская жена.

— А документы у вас есть?

Катя протянула паспорт. Следователь тут же открыл его в графе «семейное положение».

— А что, гражданка, — следователь обратился к ней по имени-отчеству, — почему у вас в документах стоит фамилия другого мужа? Как это понимать?

— Понимать так, что с этим человеком мы больше не живем. А живу я с Русланом, и он мой настоящий муж.

— Ясно, — сказал следователь. — А в его показаниях сказано, что его жена живет на Северном Кавказе. Вы об этом знаете?

— Знаю. И что из того? Мало ли, кто где живет...

— А что вы от меня хотите? — спросил ее следователь.

— Я хочу, чтобы вы дали разрешение на встречу с ним.

— Ничего себе! — протянул следователь. — А на каком основании я должен давать вам такое разрешение? Вы ведь не законная супруга ему. А у нас согласно законодательству свидание полагается только с родственником, и то, — следователь как бы выделил слова, — только с разрешения следственных органов.

— Я все понимаю, — кивнула она.

— Но, я вижу, вы действительно его любите, — следователь сделал паузу. — Пожалуй, я дам вам свидание. Все равно мне его на допрос вызывать. Приезжайте завтра к двум часам дня, в мой кабинет. Встретится с вами Руслан.

На следующий день Катя хорошо оделась, наложила косметику, взяла кое-какие вещи, чтобы передать Руслану. Ровно в два часа она была в кабинете следователя.

Следователь не обманул. Руслана привели через десять минут. Он был осунувшийся, помятый. Щеки густо покрыты щетиной.

— Ну что, хотите поговорить? — сказал следователь. — Говорите. — И отошел к двери кабинета, сел за стол напарника и стал читать уголовные дела.

Руслан сидел на стуле рядом с Катей. Она, взглянув на следователя, обняла Руслана и поцеловала его.

— Ну как ты?

Руслан наклонился к ее уху и ответил:

— Ничего. Откуда ты узнала, что меня взяли?

— Как только я прилетела, сразу узнала от Егора. Как это случилось?

— Стрелка была, а потом, в этот же день авторитета тех, с кем мы встречались, убили в подъезде. Все косяки на нас, конечно. Меня на рынке задержали, со всей нашей братвой. Естественно, когда эти хмыри вошли, я не позволил им со мной вольно обращаться... Теперь мне шьют еще и сопротивление сотрудникам милиции. А за это срок немалый...

— Ой, Русланчик, как мне тебя жалко! Что мне для тебя сделать? Тебе адвокат нужен?

— Адвокат у меня уже есть, — сказал Руслан. — Знаешь, что мне нужно? Может, ты мне передачу сделаешь?

— А что тебе можно передавать?

— Езжай в Бутырку, почитай список. А я тебе напишу, что нужно сделать. — И он стал составлять список необходимых вещей.

Когда он все написал, то наклонился к ней и прошептал:

— Ты следователя не щупала? По-моему, с ним можно договориться.

— С чего ты это взял? — удивилась Катя.

— Да потому, что он все интересовался нашими заработками — сколько процентов имеем, какие у нас доходы...

— Но ведь это его работа.

— Да нет, он не для протокола интересовался, а для себя. Видно, человек деньги любит. Посмотри, как у него глаза горят! Ты попробуй его раскрутить, вдруг что получится...

— А что может получиться? — спросила Катя.

— Может, он мне меру пресечения изменит, под подписку о невыезде выпустит. Предложи ему осторожно, только, прошу, очень осторожно! И, главное, сделай передачу как можно быстрее. А то есть в камере нечего.

Вскоре Руслана увели. Следователь тут же занял свое место и, хитро улыбаясь, сказал:

— Ну что, гражданочка, удовлетворены? Вот видите, не такие уж мы и страшные. Все мы люди! Я вам дал встречу с ним...

— Знаете, что я хочу? — сказала Катя. — Я вижу, вы человек добрый и отзывчивый...

Следователь расплылся в наглой улыбке.

— Вы не могли бы... изменить ему меру пресечения?

— Так он же бандит! Кто же на это пойдет?! — сказал следователь.

— Но нет же прямых доказательств, что он является, как вы сказали, бандитом, — продолжила Катя. — Я знаю, что существует такая практика...

— Существует. Но если бы он хотя бы москвичом был... А он иногородний, у него нет московской прописки... Впрочем, — он сделал паузу, посмотрев наверх, — есть такая возможность. Вы-то сами москвичка?

— Да, — кивнула Катя.

— Обычно делается вот как. Вы приходите сегодня, часов в восемь вечера, и я вам объясню подробно, как это делается.

— А почему в восемь вечера? — насторожилась Катя.

— Во-первых, я в это время дежурю, а во-вторых, меньше людей вокруг и больше возможности нам поговорить. Вы ведь этого хотите? Не правда ли?

— Конечно, — кивнула Катя, — я очень хочу пообщаться с вами.

— Ну вот и договорились, — удовлетворенно сказал следователь.

Тогда Катя не знала, что имел в виду следователь.

Вечером, когда она стала собираться на встречу со следователем, к ней подошел Виталик и стал настаивать, что она должна сидеть дома. У Кати не было времени объяснять ему суть дела. Она просто хлопнула дверью и ушла.

Примерно в половине девятого она подъехала к месту. Кабинет был закрыт. Она подошла к дежурному по отделению и спросила, где следователь.

— А он на выезде, — ответил дежурный. — А он вам назначал?

— Да, назначал.

— Тогда подождите в коридоре. Скоро вернется.

Через полчаса приехал следователь.

— Ну что же вы опоздали? — укоризненно сказал он. — Я вас ждал.

— Пробки на дорогах... — начала оправдываться Катя.

— Ладно, проходите, — кивнул следователь. — Ну что, вы хотите, чтобы вашему супругу... возлюбленному, — поправился он тут же, — изменили меру пресечения?

— Да, именно так, — кивнула Катя. — Сколько это будет стоить?

— Тише, тише! — зашипел следователь раздраженно. Он подбежал к двери, приоткрыл ее и выглянул в коридор. — Кто вам сказал, что это будет чего-то стоить? С чего вы это взяли?

— Но вы же не будете это делать просто так?

— Вы правильно думаете, что просто так не буду. Но, понимаете... Вы сами должны понимать, что мне от вас нужно.

Катя поняла, куда клонит следователь. Он хотел ее. И выхода у нее не было...

— И тогда это будет возможно? — спросила она.

— Конечно! — ответил следователь. — Ну, как вы?

— Я согласна. Когда?

— Да можно прямо сейчас, здесь... — сказал следователь, поворачивая ключ в замке.

Катя подошла к дивану и начала расстегивать блузку. Все продолжалось в течение двадцати-тридцати минут. Следователь жадно набросился на нее и, в отличие от Руслана, без всякого подогрева, быстро вошел в нее... Он делал все как-то по-звериному, жестоко...

Когда все закончилось, он встал и начал приводить в порядок одежду.

— Ну что, — сказал он, — теперь можно и помочь вам. Пишите заявление.

— На чье имя?

— На мое. — И он продиктовал ей текст заявления, суть которого заключалась в том, что она, такая-то, обязуется предоставить юридический адрес такому-то задержанному и сообщать ему о всех вызовах на следствие и суд по такому-то уголовному делу.

— Теперь это заявление заверьте у себя в ДЭЗе печатью, пусть они подтвердят, что вы живете по этому адресу. И через пару дней принесете мне.

В течение двух дней Катя с большим трудом заверила заявление, так как сначала она ждала начальника, потом — пчать, которая хранилась у бухгалтера, а та заболела. Наконец она пришла к следователю.

— Ну что, я буду подписывать это заявление у начальника, — сказал тот. — А вы пока можете сделать передачу своему хахалю. Тем более, он спрашивал о ней на последнем допросе.

Катя в тот же день поехала в Бутырку. Бутырская тюрьма, или следственный изолятор, находилась недалеко от Новослободской улицы.

Когда она вошла в арку, за которой находился тюремный двор, то сразу заметила железную дверь, к которой вели несколько ступенек. Это и был вход.

Пройдя через металлическую калитку, она повернула налево. Там находилось специальное помещение, где люди ждали встречи с задержанными. Это была комната для следователей и адвокатов. А справа находилась комната для посетителей — родственников заключенных.

Катя взяла карандаш и бумагу и стала переписывать перечень продуктов, которые можно передавать заключенным, переходя от одного стенда к другому. Это заняло около двух часов.

Народу в комнате было очень много. Все толкались. Стояла жуткая духота, так как окна были закрыты наглухо.

Наконец она переписала все, что было нужно. В этот же день она стала закупать продукты. Закупка оказалась делом непростым, потому что перечень строго лимитировал продукты. Наконец за два дня Катя с помощью своего водителя сумела набрать полный перечень.

Когда они набрали пакет, поехали взвешивать его, чтобы общий вес не превышал нормы. Оказалось, что они перебрали лишнего. Потом Катя упаковала все и подошла к окошку узнать, когда можно передать продукты. Контролер в окошке вопросительно посмотрела на нее:

— А вы в списке стоите?

— В каком списке?

— Так вы что, ничего не знаете? Идите спросите у других.

Вскоре Катя с ужасом узнала, что передать передачу — дело не простое. Нужно отстоять два-три дня и ночи в так называемой черной очереди, как раньше это было с дефицитом, с перекличками, устраивавшимися по несколько раз в день.

Нельзя было опоздать на эти переклички, так как, если опоздаешь, тебя тут же вычеркивают из очереди, и ты теряешь возможность сдать передачу в ближайшее время.

С большим трудом Катя приезжала на перекличку. Наконец все было позади. Наступил день передачи. Тут уже стояла живая очередь. Она выстроилась в шесть утра. Катя приехала тоже к шести и заняла свое место согласно списку.

Когда очередь дошла до нее — а это было около часа дня, — неожиданно перед самым ее носом окошко закрылось на обед. Так она простояла еще целый час, голодная, с пакетами, ожидая, когда сотрудники тюрьмы пообедают.

Ровно в два часа она протянула список и хотела было выложить продукты, как контролер сказала:

— А где ваш второй список?

— Какой второй список?

— Вы разве не знаете, что нужен второй список?

Катя лихорадочно стала переписывать список второй раз. Когда она закончила и снова протянула бумаги контролеру, та сказала:

— Погодите, милочка, а что же у вас продукты не расфасованы? Вы в первый раз, что ли?

— Да, в первый раз.

— Так узнайте у очереди, что необходимо сделать.

К своему ужасу, она узнала, что необходимо еще сделать так называемую расфасовку. Нельзя передавать многие продукты и предметы обихода в упаковке.

Так, например, зубную пасту нужно выдавливать в

отдельный полиэтиленовый пакет, шампуни также освобождать от упаковки. Надо вытаскивать из пачек все сигареты. Все это касалось и многих других предметов.

Эта процедура заняла больше часа. Очередь толкалась, шумела, многие пытались пролезть без очереди. Катя стояла возле стола, перебирала продукты. Ее уже трясло от этой унизительной процедуры.

Наконец она сдала передачу. Большую часть продуктов и вещей отмели, сказав, что это, мол, в следующей передаче, а это вообще не положено.

— А почему же в списке указано? — возмутилась Катя.

— Где? Списки старые, — сказала сотрудница изолятора. — Нужно было уточнить у очереди. Очередь все знает.

Наконец все закончилось, и Катя поехала домой. Но дома ее ждали выяснения отношений с мужем. Он уже догадывался, что у Кати появился любовник, и пытался устроить сцену ревности.

Они ругались целый вечер и половину ночи. В конце концов Катя объявила, что жить с ним больше не будет и уходит от него, и попросила больше не вмешиваться в ее жизнь.

На следующий день она должна была ехать к следователю за ответом. Приехала в следственный отдел к десяти утра. Но, подойдя к двери кабинета, увидела, что дверь закрыта. Катя прождала около часа. Наконец подошла к дежурному по отделению и спросила у него о следователе.

— Я не знаю, где он, — сказал дежурный. — Его нет уже два дня. Вы сходите к его начальнику.

— А кто его начальник?

Дежурный назвал фамилию начальника следственного отдела.

Катя поднялась к нему. Начальник следственного отдела был мужчиной лет пятидесяти.

— Я к следователю такому-то... — начала Катя.

— А кто вы будете? — перебил ее начальник.

— Я — родственница задержанного такого-то, — произнесла Катя.

— И что вы от него хотите?

— Я хотела бы увидеться с ним, переговорить...

— Дело в том, что он ушел на учебу и теперь будет не скоро.

— А когда же он будет?

— Через месяц-полтора. У него еще отгулы накопились... И я не уверен, что он будет продолжать ваше дело.

Катя была ошарашена этой новостью. Как же так, она столько сделала, даже пошла на связь с этим противным человеком! Выходит, он её просто обманул?

— Вы знаете, — решительно сказала Катя, — я написала ему заявление о предоставлении моего юридического адреса моему родственнику и об изменении меры пресечения. Можно узнать, каков результат?

Начальник удивленно взглянул на нее.

— Какое заявление? Никакого заявления не поступало. Да ему вообще не полагается никакого изменения меры пресечения. С чего вы это взяли? Кто вам об этом сказал?

— Следователь.

— Ну, дает! — покачал головой начальник. — У вас будет новый следователь через пару дней. Приходите, я назову вам его фамилию. А этот следователь уже не будет вести ваше дело.

Катя вышла из кабинета. Снова ее унизили! Первый раз — в тюрьме, в этой безумной очереди, второй раз — нагло обманута следователем, который вел ее дело. Он овладел ею, воспользовался ее бедой и спокойно ушел на учебу. Ищи теперь его!

Зато начальник ее не обманул. Через два дня он действительно назначил нового следователя. Это был молодой парень лет двадцати трех по фамилии Антошкин.

Он учился то ли в вечернем, то ли в заочном институте и одновременно работал следователем. Был он очень немногословен. Сразу расставил все точки над «i»: никакого свидания, никаких освобождений, все только по закону.

— Впрочем, — добавил он, — единственное, что могу для вас сделать — это познакомить с его адвокатом.

Адвокатом оказался пожилой мужчина, Илья Захарович. Катя позвонила ему в тот же вечер. Сначала он долго говорил с ней, а потом сказал, чтобы она позвонила ему завтра, а он уточнит у Руслана, действительно ли она является тем человеком, за кого себя выдает.

На следующий день они встретились. Адвокат даже передал ей записку от Руслана. Руслан просил ее прийти к стене следственного изолятора, где, оказывается, вечерами можно перекрикиваться. Он сообщил номер камеры, в которой сидел, и описал, как найти его окно.

В этот же вечер, около девяти часов, Катя приехала к Бутырке. Она обошла двор и нашла большую стену.

Действительно, туда выходили окна камер. Там уже стояли несколько человек и кричали своим. Она стала выспрашивать, где какая камера. Наконец ей сказали:

— Вон там камера 164, иди туда и кричи.

Катя подошла к указанному месту и стала кричать:

— Руслан! Руслан!

Вскоре издалека послышался его приглушенный голос. Они говорили минут двадцать. Потом во двор выскочили милиционеры и разогнали всех. Оказывается, тюремщики вызвали специальный наряд, чтобы разогнали всех, кто занимается перекличкой. Катя снова ушла ни с чем.

Так прошел месяц с тех пор, как задержали Руслана. Как-то ей позвонил адвокат и предложил встретиться. Катя приехала к нему в юридическую консультацию.

Адвокат сказал, что он практически договорился со следователем, что Руслана можно выпустить под залог. Но сумму следователи называют немалую. Но Катя уже ничему не верила.

— Я пойду сама уточню у начальника, — сказала она. Ей казалось, что начальник ее никогда не обманет.

Как ни странно, начальник подтвердил сообщение адвоката. Но сумма была названа и в самом деле фантастическая.

— Сможете за три дня собрать такую сумму? — спросил начальник. — Тогда мы решим вопрос об освобождении под залог вашего жениха.

Катя вернулась домой. Она стала пересчитывать наличные деньги. Наличными было от силы две-три тысячи долларов. На следующий день она поехала на рынок, продала весь товар по ценам даже ниже оптовых своим бывшим хозяевам и продавцам, которые стояли рядом. Товар расхватали моментально.

Но денег опять не хватало — только половина названной суммы.

И тогда какое-то чутье подсказало ей: надо пойти в 316-ю комнату. А вдруг там появились ее друзья? И она не ошиблась. Комната была занята все теми же ребятами с Кавказа.

Но это была новая бригада, и ее никто не знал. Наконец она вышла на бригадира, долго объясняла, кто она такая, какая связь между ней и Русланом. Вскоре бригадир понимающе кивнул головой и сказал:

— Да, мы про тебя слышали. Руслана хорошо знаем. Что ты хочешь?

— Мы договорились об его освобождении. Нужно деньги собрать.

— Откуда же мы такие деньги возьмем? Мы же только приехали, у нас денег еще мало...

— Но ведь он ваш товарищ, и ему нужно помогать!

— Да, это так, — кивнул бригадир. — Впрочем, есть у меня один коммерсант, он может дать тебе деньги за одну работу...

— Какую? — насторожилась Катя. — Переспать с ним, что ли?

— Почему ты так сразу говоришь? — удивился бригадир. — Нет, работа коммерческая. Ты встретишься с ним, и он все тебе растолкует.

Коммерсант приехал на рынок в этот же вечер. Катя встретилась с ним в бандитской комнате. Коммерсанту на вид было около сорока лет, он тоже был кавказец. Он предложил ей выйти на улицу поговорить. Когда они покинули здание рынка, они обратили внимание, что на улице было много людей. Каждый шел по своим делам.

— Ну что, значит, заработать хочешь? — спросил коммерсант, посмотрев на нее.

— Да, — кивнула Катя.

— Я дам тебе возможность заработать. Какая сумма тебе нужна?

Катя назвала нужную сумму.

— Да, сумма немалая. В два приема ты ее вполне заработаешь...

— Что значит в два приема? — переспросила Катя.

— Нужно кое-какое лекарство кое-кому передать, — уклончиво сказал коммерсант.

— Лекарство или наркотики? — напрямую спросила Катя.

— А ты что, из Управления по борьбе с наркотиками?

— Конечно, нет, вы же знаете...

— А тогда зачем спрашиваешь? Для меня это лекарство, — сказал коммерсант. — Тебе что-то нужно? Вот передашь его двоим людям и получишь свои деньги. Ты согласна? — Коммерсант вопросительно взглянул на нее.

Катя кивнула головой.

— А вот тебе задаток. — Коммерсант внимательно посмотрел по сторонам и вытащил из кармана куртки заранее приготовленные деньги, свернутые в тонкую трубочку. — Покажи мне свою руку!

Катя протянула ему руку. Коммерсант быстрым движением положил ей деньги на ладонь.

— Работать будешь по следующей схеме. У тебя машина есть?

— Да, есть, с водителем.

— Подъедешь по этому адресу, возьмешь товар. Затем... — коммерсант вновь посмотрел по сторонам.

— Да что ты все время дергаешься? — спросила его Катя.

— Работа у нас такая, постоянно надо контролировать. Нас ведь пасут... Так вот, приедешь, возьмешь товар. А затем вот тут, на развилке дороги, остановишь машину. К тебе подойдут покупатели. Какой номер машины?

Катя назвала номер машины.

— Они заберут товар. Все. Через пару дней снова сделаешь то же самое.

На следующий день Катя появилась в условленном месте в условленное время. Она оставила машину у подъезда и поднялась на восьмой этаж девятиэтажного блочного дома, расположенного недалеко от Белорусского вокзала. Позвонила в дверь.

Открыла девушка лет двадцати двух, заспанная и какая-то растрепанная. Катя назвала условленный пароль. Девушка молча кивнула и вынесла небольшой сверток.

— Вот, осторожно, — сказала она.

— Что тут? — спросила Катя.

— Не знаешь, что ли? Экстэзи.

— Экстэзи? — переспросила Катя.

— Да, синтетический наркотик, — сказала девушка и захлопнула дверь.

Катю затрясло. Она сунула сверток в карман и спустилась вниз. Теперь нужно было ехать к ночному клубу, где у нее должен был принять товар один из дилеров наркобизнеса.

Вскоре она была на месте. Ночной клуб — время было около полуночи — освещался достаточно ярко. На площадке перед ним стояло несколько машин. Теперь она ждала, пока дилер выйдет на улицу, якобы покурить, подойдет к ней и возьмет товар.

На этом миссия Кати заканчивалась. Катя с нетерпением ждала минуты, когда вся эта работа и страхи будут позади.

Неожиданно водитель, обернувшись к ней, сказал:

— По-моему, за нами «хвост».

Катя резко обернулась и посмотрела назад. Но ничего подозрительного она не увидела.

— С чего ты взял? — спросила она.

— Вон та машина, — сказал водитель, показывая на черную «Волгу», стоящую недалеко с потушенными фарами. — Она ехала за нами от самого вокзала.

— Тогда трогай потихоньку, поедем.

Они тронулись. «Волга» тут же поехала за ними.

— Набери-ка скорость, — сказала Катя.

Водитель переключился на четвертую скорость. Машина резко рванула вперед. «Волга» тоже. Катя увидела, как «Волга» начала моргать. На ее крыше появился синий «маячок».

Громкий голос, доносящийся из громкоговорителя, приказывал их машине остановиться и прижаться к обочине.

— Все, захомутали! — сказал водитель. — Что там у тебя? Ты можешь выбросить?

— Попробую, — сказала Катя. — Притормози! — И она быстрым движением выбросила из окна сверток. Тем временем водитель стал притормаживать. Вероятно, из «Волги» не заметили, что Катя выбросила сверток. «Волга» подъехала к ним и также остановилась. Из нее выскочили несколько мужчин с криками: «Милиция! Всем выйти из машины!»

Оперативники грубо вытащили водителя и Катю. Их поставили лицом к машине, руки приказали положить на капот. Один из милиционеров начал их обыскивать, другой — шарить в салоне.

— Где? Где наркотики? — требовал один из оперативников, обыскивая Катю.

— Вы не имеете права меня обыскивать! Это должна делать женщина! — кричала Катя.

— Я тебе сейчас покажу женщину! — пригрозил ей оперативник.

— Михалыч, нашел! — закричал второй оперативник, доставая небольшой пакетик, завернутый в серебристую бумажку. Катя знала, что это не ее наркотик, и поняла, что они просто подложили ей сверток. Значит, тот, выброшенный, они не заметили...

— Это не мое! Вы не имеете права! — начала протестовать она.

— Мы на все имеем право, наркоманка хренова! — выругался оперативник. — Давай зови понятых!

Понятыми оказались проезжающие по Ленинградскому проспекту водители, которых милиционеры остановили.

Стали составлять протоколы. Сначала — протокол изъятия наркотиков, который подписали двое понятых.

Затем Катю доставили в ближайшее отделение милиции. Там составили протокол задержания и ареста. Ее тут же стали допрашивать. Катя поняла, что никакую партию наркотиков они не обнаружили, а только несколько таблеток кодеина, подброшенные оперативниками.

Вероятно, другая группа оперативников поехала продолжать поиски наркотиков. Она поняла это из разговоров с оперативниками. Те понимали, что она сбросила товар.

— Все равно мы выведем тебя на чистую воду! Мы же следили за вами! И следили давно! — похвастался один из оперативников. — Так что срок тебе, считай, обеспечен!

Катя находилась в милиции около трех суток. Наконец ее выпустили. Учитывая то, что она имеет маленького ребенка, прокурор не подписал постановление об ее аресте, и она стала находиться под подпиской о невыезде.

Потом пару раз она ходила на допросы, на очную ставку со своим водителем. Но никаких перемен не происходило. Руслан тем временем продолжал сидеть в тюрьме.

Следствие по ее делу продолжалось не больше месяца, так как фактического материала и доказательств по нему не было.

Потом она подписала обвинительное заключение и даже не стала читать свое уголовное дело. До суда оставалось еще недели три. Суд был перегружен. В канцелярии только и сказали, чтобы звонили время от времени.

— Мы вам потом скажем, кто судья и на какое число назначено ваше дело, — сказала девушка из канцелярии по уголовным делам.

Оставаться в Москве Катя не могла. Слишком много всего навалилось — арест Руслана, свое уголовное дело. И она решила напоследок поехать отдохнуть...

— Вот так я и оказалась здесь, — закончила Катя, отпив из фужера немного мартини. — Вот такой у меня расклад на сегодняшний день. Можно что-то сделать?

Я молчал.

— Знаешь что, — сказал я наконец, обратившись к ней на «ты», — надо все внимательно почитать. Наверняка можно найти какие-то дырки. Давай так — как вернемся в Москву, так сразу свяжемся и почитаем твое дело.

Вскоре наш отпуск закончился, мы вернулись в Москву. Я сдержал свое слово — встретился с Катей, заключил с ней соглашение. Потом пришел в суд и стал читать дело.

Бог ты мой! Я сразу же увидел много дырок. Прежде всего, было огромное расхождение, и я решил построить свою защиту именно на этом. А расхождение было очень важным, процессуального характера.

Дело в том, что сыщики при задержании и при оформлении протокола изъятия поставили разное время. Получилось так, что задержание было гораздо раньше, чем изъятие, хотя по факту все было наоборот. И эта разница в тридцать минут имела, на мой взгляд, огромное значение.

Таким образом, вырубался протокол задержания и не являлся основным доказательством.

Кроме того, сыщиками был допущен еще один прокол — при описании наркотиков в протоколе изъятия было сказано, что вещество темно-желтого цвета. При направлении того же вещества на экспертизу было указано, что оно светло-коричневого цвета.

Таким образом, было разночтение и в описании предмета, который был обнаружен у Кати.

Помимо плюсов, которые имела защита, имелись и существенные минусы. А минусом было то, что Катя полностью признавала свою вину. Только поэтому, объяснила она, ее и выпустили под подписку о невыезде. Теперь надо было все переигрывать.

— Значит, так, — сказал я ей, готовя к суду, — мы с тобой полностью отрицаем твою причастность к наркотикам. Тебе же подкинули эти наркотики?

— Конечно, — кивнула Катя.

— Вот и говори, что подкинули.

— Кто же нам поверит?

— Ничего, по крайней мере, попытаемся, — заверил я ее.

Наконец наступил день суда.

Судьей был мужчина лет сорока пяти, грузный, с вьющимися волосами. Когда я узнал, что не явился основной свидетель, водитель Кати, я тут же пошел в кабинет к судье и предложил перенести дело.

— А зачем его переносить? — удивился судья. — Тут и так все ясно. Ваша подзащитная во всем призналась. Дело пустяковое. Мы за десять минут его выслушаем.

— Вы знаете, — сказал я, — у меня другая позиция.

— Какая? — удивился судья.

— Вы узнаете все на суде.

— Хорошо. Давайте слушать дело.

Дело мы начали слушать быстро. Судья зачитал все формальные слова, потом задал главный вопрос:

— Признаете ли вы себя виновной?

Катя встала и решительно сказала:

— Нет, не признаю.

— Да вы что? — разозлился судья. — Вы что думаете, если вы будете слушать вашего адвоката, то выиграете это дело? Следствие пошло вам навстречу, вы признались, вас выпустили под подписку о невыезде, хотя должны были держать под арестом, и вы могли больше двух месяцев находиться в Бутырке! Зачем же вы начинаете юлить? Вы понимаете, что теперь вам грозит очень серьезное наказание, если вы будете пытаться ввести суд в заблуждение и обмануть его?

— Позвольте, — не выдержал я. — Вы оказываете давление на мою подзащитную, конкретно — запугиваете ее.

Судья взглянул на меня.

— Хорошо, — сказал он, — вы сами выбираете этот путь. — И начал процесс.

Процесс продолжался немного вяло. Наконец очередь дошла до допроса понятых.

Это были два парня, автолюбители, которые проезжали тогда мимо на своих машинах. Одного я здорово раскрутил. Я стал спрашивать:

— Какое это было время?

Он четко ответил:

— Одиннадцать часов тридцать минут.

— Что вам сказали оперативные работники, когда позвали в качестве понятого?

— Они сказали мне, что я буду понятым.

— Они что-то говорили вам заранее? Говорили, в отношении чего вы будете понятым?

— Конечно. Они сказали, что нашли наркотики.

— Не стоит ли сделать из этого вывод, — обратился я к нему, — что оперативники уже знали, что там находится наркотик?

— Да, — кивнул головой парень.

Второй свидетель также показал в нашу пользу. Он даже конкретно описал, как один из оперативников быстрым движением бросил в карман Кате блестящий сверток.

— И вообще, — продолжил свидетель, — я имею очень серьезные претензии к милиции. Например, у меня недавно в гараже... — начал он рассказывать обиду, которую он вытерпел недавно от работников милиции.

Но судья его остановил:

— Нас не интересуют ваши личные проблемы. Говорите только по существу. Что вы можете еще сказать?

Свидетель раздраженно взглянул на судью, потом перевел взгляд на меня. Я смотрел на него ожидающе — ну давай, голубчик, выдай что-нибудь еще!

— Я могу с уверенностью подтвердить, что наркотик этой гражданке подкинули сотрудники милиции, — сказал свидетель.

Затем выступали сотрудники милиции. В конце предоставили слово мне.

Я подытожил, что сотрудники милиции — люди заинтересованные, они не могут быть истинными свидетелями по делу, что свидетели и понятые показали, что наркотик был подкинут, что, наконец, экспертиза дала неправильное описание наркотика, и в этом плане есть разночтения.

Наконец, самое главное, что протокол изъятия должен быть полностью вычеркнут из дела, поскольку он не является правильно оформленным процессуальным документом, и дата в нем указана неправильно.

То есть изъятие произошло раньше, чем человека задержали.

— Такого же не может быть, — сказал я.

Судья пристально посмотрел на меня.

Затем слово предоставили Кате. Она вообще отказалась говорить что-либо. Тогда суд удалился на совещание для вынесения приговора.

Подготовка приговора заняла сорок минут. Мы сидели как на иголках. А вдруг сейчас судья вкатит ей на полную катушку восемь лет за то, что мы изменили свою позицию! Я чувствовал, что и Катя волнуется. Она без перерыва курила, руки у нее дрожали. Я успокаивал ее:

— Не волнуйся. В конце концов, если тебе сейчас дадут срок, во второй инстанции мы тебя точно освободим!

Вдруг я заметил, как к судебному кабинету, где проходило слушание нашего дела, прошли два милиционера с наручниками.

Все, подумал я, арестуют! И под стражу возьмут прямо в зале суда...

Через три минуты милиционеры вышли. Один из них подошел ко мне и сказал:

— Судья попросил вас зайти. Сейчас будет оглашение приговора.

Я вошел. Руки у меня тряслись — милиционеры с наручниками сделали свое дело. Появилась секретарь суда.

— Встать, суд идет! — сказала она официальным тоном.

Появился судья в черной мантии. На листке была написана его речь. Он стал читать:

— Приговором такая-то признается виновной в совершении умышленного преступления по статье 128, — и стал перечислять все признаки состава преступления. — Однако, — судья сделал паузу, — учитывая то, что на следствии были допущены грубые нарушения, выразившиеся в том-то и том-то, — он перечислил все мои аргументы, — а также учитывая, что подсудимая ранее к судебной ответственности не привлекалась и имеет на иждивении малолетнего ребенка, суд приговорил... — Судья снова сделал паузу.

Я посмотрел на Катю. Она стояла белая, в напряжении. Я тоже волновался. Теперь все зависело от последней фразы.

— ...суд приговорил: к двум годам лишения свободы с отсрочкой наказания на два года, — произнес судья.

Я облегченно вздохнул. Все! Катя посмотрела на меня, не понимая, к чему ее все же приговорили.

— Условно, условно, — сказал я.

Судья сложил листки, в последний раз взглянул на меня и Катю и вышел.

— Ну вот, — сказал я, — ты свободна.

— Погодите, а вдруг будут опротестовывать решение? — сказала Катя.

— Прокурора ведь на суде не было, — успокоил я ее. — Кто же будет опротестовывать?

Мы с ней вышли из зала суда.

— Что, — обратился я к ней, — переволновалась?

— Ой, не то слово! Я уж подумала, все, конец. Я даже плохо о вас подумала...

— Ничего, и это бывает, — улыбнулся я. — Главное — ты теперь свободна.

На прощание Катя сказала:

— А можно я буду приезжать к вам в консультацию по делу Руслана?

— У нас это не принято, — ответил я. — У него есть действующий адвокат, который с ним работает. А ты будешь как бы проверять его, что ли?

— Но я просто буду с вами советоваться. Так можно делать?

— Хорошо, приезжай.

Но прошло полтора месяца, и лишь тогда Катя позвонила мне. Она спросила, можно ли приехать в консультацию.

— Давай, приезжай.

Катя вошла улыбающаяся, но в глазах виднелась грусть.

— Ну что, как дела? — спросил я.

— Как вам сказать... Руслана выпустили.

— Вот видишь, — обрадовался я. — Что произошло?

— Во-первых, нашли убийцу того уголовного авторитета. И, соответственно, дело по сопротивлению сотрудникам милиции само рассыпалось. Но самое главное и самое неприятное для меня — Руслан сразу же уехал к себе на родину, даже не попрощавшись со мной. Говорят, к жене вернулся.

— Что же теперь ты будешь делать?

— Не знаю... Денег нет, место на рынке я потеряла, товар — тоже, с мужем развелась. Человек, которого любила, уехал, даже не попрощавшись. Не знаю, что буду делать дальше, — сказала Катя, выходя из кабинета консультации.

ЖЕНА ИЛИ ЛЮБОВНИЦА?

Дело о заказном убийстве, 1995 год

Влада Листьева, известного журналиста, убили в подъезде собственного дома 1 марта 1995 года. Это злодейское преступление сразу попало в разряд самых громких. В Москве начался шум. Тут же были сняты с работы городской прокурор, начальник московской милиции.

После телевизионного выступления Президента России с угрозой в адрес криминальных кругов по Москве прокатилась волна облав и шмонов. В город приехали несколько подмосковных ОМОНов, которые быстро разбирались с посетителями казино, ночных клубов.

На улицах — бесконечные облавы. ОМОН делал свое дело — останавливал иномарки, тряс братву. Затем был создан штаб по расследованию этого громкого преступления. Туда вошли многие следователи районных прокуратур.

Возглавляли штаб следователи по особо важным делам из Генеральной прокуратуры России.

Штаб по раскрытию убийства Влада Листьева стал действовать активно, и по Москве сразу пошла череда арестов и признаний подозреваемых.

Многие уголовники стали признаваться в совершении преступления или оказании содействия в совершении этого преступления.

Где-то в мае был арестован один из главных подозреваемых в этом убийстве — представитль так называемой солнцевской группировки. Его задержание в Тбилиси было проведено спонтанно. В средствах массовой информации тут же прошло сообщение, что задержали основного исполнителя этого злодейского убийства.

Однако впоследствии сыщикам так и не удалось доказать, что именно этот человек был наемным убийцей известного журналиста, поэтому следственная группа продолжала свою работу. Возникали все новые подозреваемые...

В мае 1995 года я получил новое дело. Тогда я еще не знал, что мне придется столкнуться с одним из подозреваемых по этому громкому убийству.

Субботним майским днем, когда погода была уже теплая и мы старались проводить как можно больше времени за городом, на мой мобильный телефон позвонил знакомый коммерсант. Он интересовался моими делами, здоровьем.

Потом попросил меня взять защиту одного из его приятелей, помочь ему и испрашивал разрешения, чтобы супруга приятеля сама позвонила мне и договорилась о встрече. Я согласился.

Через несколько минут — звонок. Женщина с приятным голосом, назвавшись Мариной, супругой задержанного, стала договариваться со мной о встрече. Договорились мы встретиться в понедельник, у проходной Петровки, 38, так как задержанный находился в изоляторе временного содержания именно на Петровке.

В понедельник ровно в двенадцать часов, в назначенное время, я был на проходной в бюро пропусков. Я осмотрелся, ища свою будущую клиентку Марину. Я заметил, что от машины, стоящей недалеко от проходной, отошли две девушки.

Одна была с темными волосами, другая — светловолосая. Они подошли ко мне. Одна из них назвала меня по имени-отчеству.

— Да, это я, — кивнул я и спросил: — А вы Марина?

— Нет, я Аня, — смутилась девушка. — Марина вот, — и она показала на блондинку, стоящую рядом.

Марина была пышной блондинкой, лет двадцати двух — двадцати трех, высокого роста — около ста семидесяти сантиметров, — с достаточно симпатичным лицом, голубоглазая.

Аня же была брюнетка, такого же возраста, тоже достаточно симпатичная и чем-то похожая на Марину. Сразу было видно, что они — подруги.

— А вы тогда кто? — недоуменно спросил я.

— Я? — помедлила Аня. — Я Аня...

— А кто вы ему?

— Я? — Снова длительная пауза. — Я его партнер по бизнесу и подруга Марины.

Я почувствовал неловкость. В конце концов, какое мне дело, кто эта девушка. Но в дальнейшем все разъяснилось.

От Марины, супруги задержанного, я узнал, что Александр, ее муж, был задержан по подозрению в убийстве одного криминального авторитета по имени Дмитрий Видов, кличка Видик.

Дело вела прокуратура района, в котором проживал Александр. А задерживали его сыщики из отдела по расследованию заказных убийств МУРа. Марина добавила:

— Я очень беспокоюсь о нем. Дело в том, что, когда его задерживали, оперативники были очень агрессивны в отношении него, и я боюсь, — Марина сделала паузу, — что, возможно, его могут заставить признаться в преступлении, которое он не совершал.

— Ничего, — успокоил я ее. — Все сделаем, чтобы нейтрализовать их рвение и агрессивность.

Так мы незаметно подошли к главному входу на Петровку, 38. Вдруг Аня взяла меня за руку и сказала:

— Смотрите, вон он! Сашу ведут!

Я повернул голову и сквозь решетчатый металлический забор, отделяющий улицу от садика, примыкающего к Главному управлению внутренних дел Москвы, заметил, как трое оперативников, в костюмах, выводили из подъезда парня в спортивных брюках и штормовке.

Рука парня была пристегнута наручником к руке одного из оперативников. Я дождался, когда они вышли за проходную и уже направились к тротуару, где стояла легковая машина, ожидающая их, и приблизился к этой группе, громко сказав:

— Куда это вы ведете моего подзащитного без моего ведома?

Оперативники остановились и удивленно посмотрели на меня. Один из них от неожиданности ответил:

— Как куда? На следственные действия.

— В таком случае я, как его адвокат, обязан присутствовать на этих следственных действиях.

Я прекрасно понимал, что все, что говорю, не имеет никакого значения, что оперативники никогда не возьмут меня на следственные действия. Но я преследовал цель поставить своего подзащитного в известность, что у него есть адвокат.

Оперативники немного растерялись.

— Подождите, сейчас наш старший выйдет, — сказали они.

Действительно, со стороны проходной уже бежал мужчина в костюме, с русыми волнистыми волосами. Он направлялся ко мне, вероятно, приняв меня за какого-то друга или сообщника Александра. Он подбежал ко мне, но оперативники предупредили его:

— Это адвокат задержанного.

— Что? Какой адвокат? Что вы тут делаете? Почему задерживаете оперативную группу? — резко заговорил старший.

— Послушайте, — сказал я, — вы отлично знаете, что по существующим законам мой клиент не обязан ничего говорить без согласия адвоката. — Эта информация также адресовалась Александру, чтобы он держал язык за зубами и ничего не говорил без моего присутствия.

Сыщик зло взглянул на меня.

— Все вопросы к следователю. Мы вообще разговаривать с вами не обязаны! — бросил он сухо и стал заталкивать своих коллег в машину.

«Ничего, самое главное — он предупрежден», — подумал я.

Я вернулся к стоящим у забора девушкам.

— Вот видите, они его куда-то повезли! Наверное, на опознание! — заволновались они.

— Ничего страшного, самое главное — я предупредил его, что у него есть адвокат и чтобы он ничего не говорил. А теперь поедем к следователю, возьмем разрешение на встречу.

Мы потратили около двух часов, чтобы добраться до районной прокуратуры, дождаться следователя и взять у него разрешение. Наконец я вернулся на Петровку. Позвонил в изолятор временного содержания, чтобы узнать, вернули моего клиента или нет. Дежурный по ИВС долго выяснял это, наконец ответил:

— По-моему, его не доставили, или он в отделе сидит. Сейчас я позвоню ребятам в отдел, узнаю точнее. А вы мне перезвоните.

Через десять минут я перезвонил дежурному, и милиционер сказал:

— Доставили его, сейчас спускают. Проходите, вас встретит дежурный.

По существующему порядку, на проходной Главного управления внутренних дел Москвы меня встречал дежурный милиционер по изолятору временного содержания. Таков порядок — сопровождать адвоката от и до: сначала тебя провожают туда, потом — обратно, чтобы адвокат лишний раз не ходил по коридорам и не узнал какую-либо секретную информацию. Самое интересное, что такой указ был подписан еще лет 15—20 назад, во времена шпиономании и борьбы со всякими врагами народа.

Наконец я с дежурным сержантом милиции подошел к зданию изолятора. Прошел на первый этаж, протянул дежурному милиционеру свое удостоверение и стал заполнять листок вызова клиента.

Неожиданно ко мне подошли двое мужчин в штатском. Я сразу узнал в одном из них оперативника, который садился в машину.

— Вы и есть тот адвокат, который попытался сорвать наши следственные действия? — неожиданно сказал он.

— Почему сорвать? Я просто поставил своего клиента в известность, что у него есть адвокат, не более того.

— Мы много про вас слышали, — сказал оперативник, — и знаем про ваши связи с преступным миром.

— И что? Работа у нас такая. И у вас есть такие же связи с преступным миром.

— Но мы их ловим, а вы их защищаете, вытаскиваете.

— Извините, я же не как частное лицо действую, а как представитель организации, которая по Конституции, по соответствующим законам, призвана защищать права любого гражданина, попавшего в беду, — ответил я. — Или вы против этого? Давайте отменим адвокатов.

— Ну зачем же так? — сказал один из оперативников. — Просто обидно, что вы защищаете бандитов...

— А с чего вы решили, что бандитов?

— Будто вы не знаете, что ваш клиент, Александр, — активный участник преступной группировки?

— Представьте себе, не знаю. Для меня он коммерсант, задержанный правоохранительными органами. А все, что касается вашей информации, то вам виднее. Но я у него об этом обязательно спрошу.

Затем мы еще минут десять разговаривали на различные темы. Вскоре я получил разрешение и стал подниматься на третий этаж, где находятся следственные кабинеты.

Поднявшись на третий этаж, я передал листок вызова конвоиру и, пройдя в кабинет, стал ждать своего клиента.

Дверь открылась, и вошел Александр. Это был крупный парень, около метра восьмидесяти ростом, с мощной шеей, коротко стриженный. Он улыбался мне. Я протянул ему руку, мы поздоровались. Я сразу наклонился к нему и прошептал, от кого я и кто меня порекомендовал для его защиты. Такой у нас традиционный прием.

Александр кивнул головой и сказал:

— Очень хорошо, что вы пришли. А то у меня уже возникли проблемы.

— Что за проблемы? — спросил я.

— Да не сложились у нас отношения с операми.

— А что такое?

— После того, как вы на них наехали у проходной, они повезли меня на следственные действия, на причал, где этого Видика убили. Стали колоть — признавайся быстрее, а то тебе хуже будет. Я, естественно, в отказе — как вы сказали, без адвоката ничего говорить не буду. Тогда они еще больше разозлились и сказали: значит, так, мы тебя сегодня в пресс-хату опустим и будем колоть на убийство журналиста. А я этого журналиста и в глаза не видел!

— Ты что, Листьева имеешь в виду? — удивился я.

— Конечно.

Тут я успокоил его:

— Не волнуйся, не ты первый, не ты последний. Сейчас у них что-то типа кампании идет по поиску убийц Листьева, поэтому они трясут всех и требуют, чтобы все признавались в его убийстве. Ты же его не знаешь?

— Конечно, не знаю, — кивнул Александр.

— Да, а ты знаешь, что они мне про тебя сказали? — И я пересказал Александру мой разговор с операми. Александр улыбался, но ничего не ответил.

Суть же его дела сводилась к следующему. Действительно, у него был конфликт с авторитетом Видиком. Тот приезжал к нему на предприятие. А предприятие Александра — это что-то типа сауны с бассейном и тренажерным залом, которые он держал на окраине Москвы. После встречи с Видиком они сели с другом в машину и поехали в сторону одного из водохранилищ. После этого никто больше Видика не видел.

Поэтому, естественно, поскольку многие видели, как Александр садился с Видиком в автомобиль, Александр стал одним из главных фигурантов по убийству. Но самым интересным было то, что милиционеры не нашли трупа Видика. И это сразу вселило в меня большую уверенность. Нет трупа — нет убийства.

— Ничего, мы с тобой будем строить защиту очень четко. И я попытаюсь выпустить тебя в ближайшее время.

Дальше мы с ним стали обговаривать варианты его показаний, которые он должен будет дать в ближайшее время.

Уже когда я собирался уходить, Александр неожиданно спросил меня:

— А что, сейчас вас на проходной Аня и Марина ждут?

Я кивнул головой и поинтересовался:

— А кто тебе Аня?

— Аня? — Александр загадочно улыбнулся. — Вам я могу сказать... Это моя любовница.

— А Марина?

— Марина — жена. Они подруги.

— А Марина знает про Аню?

— Конечно же, нет.

— А записку ты будешь кому-нибудь из них писать? — спросил я.

— Нет, ничего я никому писать не буду.

— Погоди. Эти женщины очень сильно волнуются. Хоть что-то им напиши! — И я стал уговаривать Александра, чтобы он написал хоть пару строк. Но тот наотрез отказывался писать. Тогда я не понял, что он просто не хотел это делать ни для Ани, ни для Марины.

Я покинул стены следственного изолятора. На выходе на меня налетели обе девушки.

— Ну что, ну как? — наперебой заговорили они. — Он записку написал?

— Нет, не написал.

— Как же? Он должен был написать!

— Я его уговаривал это сделать, но он не захотел.

— А что он говорил? — начали они расспрашивать меня. Я рассказал о его опасениях попасть в пресс-хату.

— А что это такое? — спросила Аня.

— Это камера, где подозреваемого могут подвергать физическому и психологическому воздействию, — объяснил я.

— Короче говоря, бить, — уточнила Марина.

— Да, — кивнул я.

— Нет, надо что-то делать! Нельзя допустить, чтобы его сегодня туда отправили! — деловито сказала Аня.

— А что же я могу сделать?

— Позвоните оперативникам, в конце концов, припугните их!

— Смешно даже — мне запугивать сыщиков из уголовного розыска! — улыбнулся я. — Кто я такой? И как, интересно, смогу их припугнуть?

— Но вы же адвокат! — напирала Аня.

Я понимал, что ничего не остается, как предпринять какой-то хитрый ход в отношении этих сыщиков. Я опять подошел к проходной и через справочную узнал телефон соответствующего отдела МУРа.

Я позвонил туда и попросил позвать оперативника, который представился мне два часа назад. Вскоре тот снял трубку.

— Слушаю вас!

— Это вас опять беспокоит адвокат, активный, как вы меня назвали.

— В чем у вас проблемы?

— Проблемы вот в чем. Мне стало известно, со слов моего подзащитного, что вы собираетесь пропустить его через пресс-хату.

— С чего это вы взяли? — спросил сыщик.

— Он мне это сказал. Так вот, я хочу вас предупредить, что я сфотографировал его сегодня. И если завтра найду на нем следы побоев, то соответствующее заявление с его фотографиями ляжет на стол прокурора города.

— Зачем же сразу к прокурору? Никто его в пресс-хату пускать не собирается. И вообще, мы не знаем, что такое пресс-хата, — ответил он, разыгрывая из себя простачка.

Наконец я повесил трубку и подошел к девушкам.

— Все, я напугал его прокурором Москвы.

— Вот видите, — обрадовались девушки. — Вы думаете, он теперь не отправит его туда?

— Конечно, не отправит!

Хотя я прекрасно знал, что у сыщиков есть собственные приемы воздействия на подозреваемых, не оставляющие никаких следов.

Когда я вернулся домой и отдыхал после тяжелого дня, раздался телефонный звонок. Это была Аня.

— Вы знаете, — начала она, — я бы хотела вас попросить, не могли бы вы более подробно рассказать мне, что вам говорил Александр?

— Подробно? — повторил я и подумал: «Опять все сначала!» Конечно, я понимаю тех женщин, чьи мужья попадают в следственный изолятор. Конечно, их интересуют все подробности. Но как мы, адвокаты, можем подробно все пересказать — как он вошел, сел, — это просто невозможно запомнить! Нужно иметь феноменальную память, чтобы фиксировать все детали.

Понимая, что отказывать бесполезно, я начал:

— Говорю подробно. — И стал, придумывая половину, рассказывать, как Александр вошел, сел и стал со мной разговаривать.

— Что-то это не похоже на него, — сказала Аня.

— Аня, мне же нет смысла вас обманывать! — Хотя, конечно, тут я лукавил.

— Да, вот еще что я хотела вам сказать, — добавила Аня. — Я хочу приехать к вам и передать записку для Александра, чтобы вы передали ее ему завтра.

— Так завтра и передадите, на Петровке.

— Но я не хочу передавать эту записку при Марине...

— Хорошо, подъезжайте.

— А куда?

Я назвал место. Минут через сорок Аня приехала и передала мне записку, тщательно запечатанную в конверт.

На следующий день в одиннадцать часов, как мы и

договаривались, я был на Петровке. У проходной меня уже ждали Аня и Марина.

Марина протянула мне записку для Александра. Я положил ее в карман, где уже лежало письмо от Ани.

— Да, вот еще сумка, — протянула мне Марина полиэтиленовый пакет. — Мы тут собрали для него кое-что поесть-попить...

— Да вы что! — улыбнулся я. — Вы думаете, что мне с сумкой разрешат пройти в следственный изолятор?

— А что, разве это запрещено? — удивились девушки.

— От силы я могу взять пачку сигарет и шоколадку. Больше ничего нельзя.

— Он не курит...

— Не курит — для камеры пригодится.

— Хорошо, мы сейчас достанем, — и девушки мигом принесли из машины пачку «Мальборо». — Мы вас будем ждать!

— Ему передать что-нибудь?

— Нет, все в записке, — сказала Марина.

К Ане я не обращался.

Заполнив все документы, я поднялся в кабинет.

— Ну, как дела? — спросил Александра, когда он вошел. — В пресс-хату не опускали?

— Нет, все обошлось. Даже никто не приходил.

— Ясно. Вот тебе две записки, — сказал я, доставая из кармана одновременно обе. — Одна от Ани, другая от Марины. Держи!

Я протянул ему записки, а сам с любопытством смотрел, какую Александр будет читать первой. Но он безразлично взял ту, что лежала сверху, и стал читать.

Пока он читал, я стал ходить по кабинету взад-вперед, время от времени выглядывая в окно. Окно выходило во внутренний дворик.

Вскоре Александр прочел обе записки.

— Ну что, будешь ответ писать? — спросил я.

— А как я могу написать? — Он посмотрел на меня. — Что вы мне посоветуете?

— А что я могу посоветовать?

— Вы же мой адвокат...

— Но я же адвокат не по твоим любовным делам! Завел двух женщин, теперь сам и расхлебывай!

— Вам легко говорить... Каждая ждет от меня записку, и та, и эта. А как я буду писать? Они же опять вместе!

— Да, их водой не разольешь! — пошутил я. — А как это тебе удалось-то? Две подруги, друг дружку прекрасно знают. Жена ни о чем не догадывается, любовница хранит тайну, обе о тебе беспокоятся... Сам-то кого выберешь?

Александр пожал плечами.

— Да мне бы отсюда выбраться...

— Да выберешься, не волнуйся! Не такое уж у тебя серьезное дело. Давай лучше пиши записку кому-нибудь из них.

— Вот что, — сказал Александр, немного подумав. — Я напишу записку для Марины. Жена все-таки... А Ане вы скажите, что я не мог ей при Марине ничего писать.

— Обязательно. Только как я это сделаю? Они же вместе стоят!

— Ну, поймаете момент!

— Ладно, давай пиши.

Александр начал писать записку.

Когда я вышел из следственного изолятора, девушки ждали меня на старом месте. Я молча протянул записку Марине и, глядя на Аню, стал подробно рассказывать, как выглядел Александр сегодня, что говорил.

Все это удовлетворило молодых женщин.

— Ну а вам, — я обратился к Ане, — большой привет. Он очень волнуется о вашем бизнесе, как там дела.

— Все в порядке, все в порядке, — закивала головой Аня, поняв, на что я ей намекал.

С каждой такой встречей я чувствовал, что все больше влезаю в эту любовную интригу, хотя мне, как адвокату, это совершенно не нужно.

Так как мне нужно было вплотную заниматься делом Александра, я поменял свой распорядок дня. Начинал уже не с Петровки, где находился Александр, а с прокуратуры, которая вела его дело. Я начал «бомбить» ее достаточно активно. Каждый день приезжал к следователю и его начальнику, говорил им о том, что нет трупа — нет преступления, что всевозможные подозрения уголовного розыска, построенные на оперативных показаниях, к уголовному делу не пришьешь.

Тем более что оперативные разработки наверняка официально не оформлены, и суд их никогда не примет во внимание. Кроме того, я постоянно говорил им, что собираюсь жаловаться в городскую и Генеральную прокуратуру. Вероятно, им это надоело, и они пообещали мне освободить Александра в ближайшее время.

Я позвонил Марине, чтобы сообщить ей эту новость и обрадовать ее. Но Марина, как ни странно, была печальна и тут же попросила меня о встрече.

— Хорошо, приезжайте, — сказал я и назвал небольшое кафе недалеко от моего дома. В этом месте мне часто приходилось встречаться с клиентами.

Вскоре Марина приехала. На сей раз она была одна.

— А где же Аня? — спросил я.

— Аня? Вот именно о ней мы и поговорим, — ответила Марина.

Мне ее тон не понравился. «Так, — думаю, — раскрыли меня!»

Мы сели за столик.

— Слушаю, — я заранее придумывал, что мне сказать в свое оправдание по поводу записки Ани.

— Я долго думала, обращаться мне к вам или нет, — неуверенно начала Марина, — но сейчас у меня нет другого человека, с которым я могла бы посоветоваться, поскольку вы посвящены в наши дела.

— Простите, в какие дела?

— В отношении Александра.

— Да, скоро его освободят, — пытаясь сменить тему, я чувствовал, что Марина чем-то очень расстроена.

— Знаете, что случилось? — спросила Марина, напряженно глядя на меня. Я отрицательно покачал головой, хотя, конечно, подразумевал, что, вероятно, Марина узнала о записке от Ани.

— Мне стало известно, что Александр и Аня — любовники.

— Любовники? — Я сделал вид, что для меня это новость.

— Да, представьте себе, это так.

— А откуда это вам стало известно?

— Аня сама сказала.

Вот этого я и в самом деле не ожидал! Зачем она это сделала, зачем высказала все супруге Александра — непонятно.

— И что произошло после этого?

— Ничего не произошло. Вчера сели с ней, открыли бутылку вина, стали говорить о своем, о женском, и тут ни с того ни с сего она призналась мне...

— И что теперь будет?

— Сама не знаю... Никак не могу поверить в это! А вы что посоветуете?

— В каком плане?

— Как мне себя дальше вести?

— Ну, Марина, какие же тут могут быть советы? Это вам решать!

— Я решила, что буду серьезно с ним разговаривать. Но вас я хотела попросить вот о чем... Вы — единственный человек, который контактирует с ним. Вы не могли бы с ним поговорить?

— По поводу чего?

— Насчет меня. Пусть он определится, кто ему нужен — я или она.

— А как мне говорить с ним об этом? Поймите, это же не мое дело...

— Это нужно мне, — произнесла Марина. — Обещайте, что поговорите!

Мне стало жалко ее.

— Ну хорошо, я обещаю, хотя, если честно, даже не представляю, как с ним говорить.

— Пусть он определится, с кем будет! — повторила Марина. На этом мы простились.

Я находился в странном положении. Увяз в какую-то семейную интригу! Не успел я вернуться домой, как зазвонил телефон. На этот раз — Аня.

— Мне нужно с вами встретиться, — деловито произнесла она.

— Хорошо, — сказал я, — приезжайте в кафе, — и назвал ей время.

Через полтора часа Аня приехала.

— Вы знаете, что случилось? — спросила она с ходу.

Я отрицательно покачал головой: зачем мне рассказывать, что сюда уже приезжала Марина, что мы уже говорили с ней?

— А Марина к вам не приезжала?

Я пожал плечами.

— В общем, она все знает. Я ей рассказала.

— А зачем вы это сделали? — спросил я.

— Нет смысла скрывать это сейчас. Неизвестно, как все дальше получится.

— Что получится?

— Он должен сам определиться, с кем ему быть, — Аня слово в слово повторила фразу Марины.

Мне была совершенно непонятна эта странная женская логика: зачем любовница сказала жене про то, кто она есть? Может быть, она надеется на то, что Александр, выйдя из следственного изолятора, станет жить с ней?

Дальнейший разговор с Аней строился по той же схеме, что и с Мариной — вы с ним поговорите, пусть он решит, с кем будет, и так далее.

С этим заданием я и шел на следующий день к Александру. Сначала я обрадовал его.

— Ну все, завтра тебя освобождают. Уже договорился со следователями. Может быть, потом и дело прекратить удастся.

Александр очень обрадовался, заулыбался.

— А теперь приготовься к серьезному разговору, — охладил я его радость.

— К какому? — удивился Александр.

И я пересказал ему все то, о чем узнал вчера. Сначала Александр улыбался, затем улыбка медленно сползла с его лица, и он обратился ко мне с вопросом:

— А как вы мне посоветуете поступить? С кем мне быть?

— Ну, парень, ты даешь! — От неожиданности я даже присвистнул. — Может, еще скажешь, что сделаешь так, как я тебе посоветую?

— Нет, я и вправду попал в дурацкое положение...

— Ты попал в очень хорошее положение. Ты завтра, надеюсь, выходишь на свободу. Хотя мог тут остаться, и на достаточно длительное время. Ну так что, кто из женщин будет тебя встречать? Решай. Они меня просили решить этот вопрос с тобой. Марина или Аня?

Александр долго молчал, глядя в потолок, как бы размышляя.

— С одной стороны, конечно, Марина — законная жена, — сказал задумчиво Александр, — а с другой — Анька баба боевая... А знаете, передайте им, чтоб никто меня не встречал!

— Как это? — удивился я. — В такой день и никто не встречает? Так нельзя.

— Нет, нет, категорически скажите, чтобы никто — ни Марина, ни Аня... Я приеду домой и там со всем разберусь.

В тот же день я сообщил о решении Александра. Но женщины наотрез отказались следовать этому.

— Нет, кто-то из нас обязательно придет!

И действительно, на следующий день, в десять часов, подъехали обе и стояли, одна красивее другой. На Марине был необыкновенно красивый костюм розового цвета. Аня была одета в черное платье с открытой грудью. Обе были чертовски привлекательны.

Я стоял неподалеку, смотрел на них и думал: «Не хватает еще у каждой в руках букета цветов! Вот будет интересная сцена: он выходит — они стоят рядом друг с дружкой. К кому он пойдет — к Марине или к Ане?

Прямо мелодрама получается!»

Я пошел звонить дежурному по ИВС, узнавать, когда отпустят Александра. Но дежурный сказал мне:

— Знаете, ситуация изменилась. Пройдите, пожалуйста, переговорим.

Я, не понимая, в чем дело, прошел в изолятор. Там меня уже встречал дежурный.

— Вот какая ситуация... Позвонили из прокуратуры, его завтра выпускают.

— Почему? На каком основании?

— Какие-то документы не подписали, и результаты какой-то экспертизы не поступили. Вот это меня просили вам передать.

— Но завтра его точно выпустят?

— Да, да, сказали, что гарантируют.

— Ну, хорошо, завтра так завтра...

Тут я решил сыграть на руку Александру. Я вернулся к девушкам и сказал:

— Девушки, все изменилось. Его выпускают послезавтра.

— Как послезавтра? — в один голос спросили обе.

— Там ждут результата какой-то экспертизы. Завтра она поступит, ее изучат, а послезавтра его выпустят. Может быть, даже завтра вечером. Так что вы, пожалуйста, будьте дома.

— Хорошо, мы будем ждать.

На следующий день я подъехал к изолятору один. Примерно около одиннадцати показался Александр. Мы обнялись, я усадил его в машину.

— Ну, куда тебя везти? — спросил я.

— Домой, если можно...

Я проехал несколько метров, и Александр попросил меня остановиться.

— Давайте так, — сказал он, — сначала я к родителям съезжу, поговорю с ними, а потом уже поеду к своим женщинам.

— Так к кому ты все же решил ехать? — уже не скрывая любопытства, спросил я

— Да сам пока еще не знаю, — улыбнулся Александр. — Главное — я на свободе.

Я протянул ему руку. Александр вышел и стал ловить такси.

Три дня спустя он позвонил мне и сообщил радостным голосом, что он был в прокуратуре у следователя и что дело в отношении его прекращено. Он стал приглашать в гости, в баню, отметить это, или в ресторан. Я стал отказываться — мол, не до того. Поинтересоваться, с кем он остался, у меня не было возможности, хотя было безумно любопытно, что он решил.

Прошло полгода, потом год. Я практически стал забывать об Александре и его деле. Девушки его мне не звонили. Но как-то я попал на день рождения того самого знакомого, который рекомендовал меня для защиты Александра.

День рождения проходил в большом ресторане. Народу было много — человек шестьдесят-семьдесят. Столы ломились от всякой всячины. Мы с женой здоровались с гостями. Неожиданно заметил невдалеке очень знакомую женщину. Я вгляделся — Марина!

Она тоже узнала меня и приветливо улыбнулась. Я подошел к ней. Мы поздоровались и отошли в сторону.

— Ну как дела, Марина?

— Ничего, все нормально, — ответила она. — А у вас как?

— Да тоже нормально. Как Александр? — с интересом спросил я.

— Не знаю, — Марина пожала плечами. — Мы с ним развелись.

— Как? Столько бились, столько трудились — и развелись?

— Так получилось. После освобождения он приехал ко мне, стал просить прощения, стоял на коленях, а я его не простила, — гордо сказала Марина.

— Он теперь, наверное, живет... — осторожно сказал я и сделал паузу, не называя имени Ани.

— Нет, и с ней он тоже не живет. Он живет один.

— А что Аня?

— Она теперь с другим человеком.

Это было для меня неожиданной новостью.

— Интересно, как же так получилось — вы обе его так любили, бились за него, и вдруг бац — обе от него отвернулись?

Все-таки женская логика — очень странная штука...

Одной из самых «раскрученных» фигур криминального мира был Александр Солоник, суперкиллер номер один, как окрестили его средства массовой информации. Чего только не писали о Солонике! Казалось, уже вся страна знала, что он совершил три побега, из них один из зала суда, второй — из колонии, и третий — из знаменитого спецкорпуса «Матросской тишины». Знали, что Солоник подозревался в убийстве криминальных авторитетов и воров в законе и одновременно в убийстве нескольких милиционеров и охранников Петровско-Разумовского рынка.

Сообщение о загадочной смерти Александра Солоника 2 февраля 1997 года не заставило поверить в то, что суперкиллер погиб. И многие журналисты продолжали писать о его личности, отыскивая различные факты его криминальной биографии. Но практически никто никогда не писал о Солонике как о любовнике. Хотя неоднократно в прессе упоминалось его неравнодушие к женскому полу.

Я сам, написавший несколько книг о Солонике, всегда обходил эту тему. Мне казалось, что она неинтересна читателям. Главное — показать психологический портрет Солоника, его криминальную биографию, описать убийства и дерзкие побеги, которые он совершал.

Однако материал о его любовных похождениях накопился достаточно большой и, на мой взгляд, интересный. Ведь основу его составляли мои личные наблюдения во время нахождения его в стенах изолятора «Матросская тишина», разговоры с ним, а также отрывки из его дневника, записанного на аудиокассеты, которые я нашел в банковском сейфе в Греции.

Весь собранный материал о любовницах Солоника я все же решил вынести на суд читателя. Пусть знают, каким был Александр Солоник в отношениях с женщинами.

Да, Александр Солоник любил женщин и был любим ими. Но — все по порядку.

Итак, все началось с того момента, когда Солоник находился в стенах следственного изолятора «Матросская тишина».

Позади была перестрелка на Петровско-Разумовском рынке, его ранение, нахождение в тюремной больнице и этапирование в спецблок «Матросской тишины».

Прошел уже месяц, а то и полтора. Солоник немного окреп. Опасность смерти была позади. И он стал разговаривать со мной на различные темы. Любовная тема возникла у нас тоже примерно через месяц. Солоник как бы между прочим сказал мне:

— Хорошо бы книжку почитать, на эротическую тему...

— Да кто же тебе такую книжку позволит принести и тем более читать? — удивился я.

— Но можно же что-то придумать, — не унимался Солоник.

«Хорошенькая идея! — подумал я. — Ну ладно, попытка не пытка, в конце концов...»

В этот же вечер я пошел в книжный магазин и, подойдя к разделу любовных романов, стал отыскивать там литературу подобной тематики.

Нужно сказать, что я сам никогда не читал такой литературы, даже близко к ней не подходил. Всегда считал несерьезной. Но желание смягчить строгий, унылый тюремный быт своему клиенту все же одержало верх.

Начал я копаться в книгах. Нашел книгу потолще, на обложке которой красовалась полуобнаженная девица в объятиях мужчины. Тогда мне показалось, что эта книжка должна быть ему интересной. Взял в руки, смотрю на нее и думаю: «Ну как книгу с такой обложкой примут в тюрьме? Конечно, сразу же отметут!»

И тут мне в голову пришла интересная мысль. Иду в другой отдел, начинаю подбирать книгу, похожую по формату. Нахожу — «История Шотландии». О, классное название! И формат, главное, тот же самый! Покупаю вторую книгу.

Теперь дело за малым. По справочнику нашел адрес типографии, которая оказывает переплетные услуги. Еду туда. Показываю приемщику две книги.

— Вот, — говорю, — хочу своего товарища разыграть. Нельзя ли поменять обложки на этих книгах?

Приемщик взял книги, взглянул на них и сказал:

— С вас десять тысяч (по старому курсу). Платите в кассу. Завтра получите.

На следующее утро у меня уже были в руках книги. Было невозможно заметить, что обложки на книгах поменялись местами. Одну я сунул в портфель, а вторую хотел было выбросить, а потом подумал: «Нет, зачем же? Она у меня будет отвлекающей».

Иду в тюрьму. Показываю книгу Солонику, подмигиваю:

— Посмотри, почитай.

Он открывает книгу, читает и улыбается:

— Да, смекалистый вы! Интересно, удастся ли опыт?

— Конечно, — сказал я. — У нас тут есть еще кое-что, что мы обыграем. Главное — психология человека, не так ли?

Когда конвоир пришел забирать Солоника, я как бы между прочим спросил:

— А книжки мне можно ему передать?

Конвоир автоматически ответил:

— Смотря какие. Что там у вас?

Я показал ему две книги, причем первую с обнаженной девицей, а вторую — об истории Шотландии. Конвоир сразу взял книжку с обнаженной девицей и начал ее рассматривать. «Ну все, — думаю, — попались! Сейчас листать начнет. Текст-то внутри другой!» Тут же начинаю:

— Да это книга не порнографическая, а эротическая...

Конвоир тут же захлопнул книгу и резко сказал:

— Не положено!

Я продолжаю говорить, чтобы отвлечь его:

— А где сказано, что не положено? Где у вас инструкция?

— Не положено и все! Не буду я вам ничего показывать! Не устраивает — обращайтесь к начальству.

— А эту-то книгу можно передать? — показываю ему на «Историю Шотландии».

Он взял ее в руки и пролистал ее, проверив, нет ли там каких записок.

— Да, эту можно, — и протянул книгу Солонику. — На, держи!

— Тогда, — сказал я, — разрешите мне передать ему еще журналы.

— Какие?

— Отечественные. Я читал инструкцию, отечественные журналы можно передавать.

— Показывайте журналы!

Показываю ему российское издание журнала для мужчин «Андрей», что-то типа «Плэйбоя», и похожий по тематике журнал «Медведь». Там и там, естественно, присутствуют женщины в обнаженном виде. Конвоир, только увидел первое фото, сразу:

— Не положено, не положено! Все к начальнику!

Ладно, думаю, книжку он у меня принял. Уже хорошо!

Солоник ушел довольный.

Прошло недели две. Я осторожно спрашиваю у Солоника, как с книжкой, прочитал?

Он подмигнул и сказал:

— В общем, да. Уже несколько раз перечитал. Как-то отвлекает от грустных мыслей.

— Я понимаю, — кивнул я.

— Да, кстати, о женщинах, — неожиданно сказал Солоник. — Я уже заметил пару раз, когда меня вели, что женщины тут убираются...

— Какие еще женщины? — удивился я.

— Из обслуживающего персонала.

— Да они же заключенные! — сказал я. Я знал, что где-то ближе к осени 1995 года, как раз за пару месяцев до перевода Солоника в «Матросскую тишину», из следственного изолятора Бутырки этапировали двадцать женщин для уборки «Матроски» причем они были поделены на две группы.

Десять из них были женщины лет за сорок. Кстати, как я потом выяснил, все эти женщины проходили по умышленным убийствам — была такая статья, 103-я. В основном, так называемая бытовуха. Мужей своих убивали, собутыльников, и получали «червонец», кто-то — восьмерку. А молодой состав женщин — от двадцати шести до тридцати двух лет. В основном эти были осуждены за грабеж. Вероятно, тюремная администрация, подбирая такой коллектив, исходила из определенных внутриведомственных соображений, тайну которых мне так и не удалось раскрыть.

Я примерно понимал, почему при подборе женщин на уборку администрация не брала обвиняемых в употреблении и распространении наркотиков. Но почему они направили сюда женщин, обвиняемых в грабежах и убийствах, для меня был неясно. А впрочем, осталось непонятным и многое другое. Но об этом чуть позже.

Я вспомнил, что на этаже пару раз действительно мелькнула молодая женщина, лет двадцати пяти, которая убирала именно коридор и кабинеты пятого этажа, где я и встречался со своим клиентом.

— Ну, что, попробуете?.. — как бы издалека начал Солоник. — Попытка не пытка. Вдруг нам что-то удастся?

— А как я буду пробовать? — спросил я. — Что мне, сразу напрямик ей предлагать?

— Нет, сразу напрямую не надо. Надо сначала человека узнать, найти ходы и выходы, — стал советовать мне Солоник.

— А ты, я смотрю, тонкий психолог!

— Психолог не психолог, но девчонки на голодном пайке сидят. А так — какие-то деньжата получат, что-то купить смогут в тюремном ларьке... Попробовать-то можно?

— Хорошо, давай попробуем, — кивнул я головой.

На следующий день я пришел, как обычно, и вышел в коридор, вытащив из кармана пачку сигарет. Я уже приметил ту девушку, которая убирала наш коридор.

Она стояла метрах в пяти от меня за металлической сеткой, которая разделяла пятый этаж на две части, и работала шваброй. Я открыл пачку и достал сигарету. Вообще-то я не курил, но решил сделать это специально. Я подошел к ней вплотную и спросил:

— Не будет у вас огонька — зажигалки или спичек?

Она молча выпрямилась, сунула руку в карман халата и вытащила оттуда коробок спичек. Я взял его и, прикурив, вернул ей, поблагодарив. Тут же достал пачку «Мальборо», протянул ей и сказал:

— Хотите? Угощайтесь.

Она взяла. Так мы с ней познакомились. Звали ее Кристина. Приехала она из другого города и была, как я узнал позже, осуждена по 146-й статье — за грабеж.

На следующий день, придя на встречу с Солоником, я уже принес пачку «Мальборо» и подарил ей, добавив еще и шоколадку. Мы начали разговаривать на разные темы.

Надо сказать, что в моем распоряжении всегда было не больше пяти-десяти минут, когда коридор был пуст, так как иначе любой конвоир мог бы запретить ей разговаривать с адвокатом.

Такой был порядок, и все это прекрасно знали. Поэтому в течение нескольких минут день за днем я сумел расположить к себе Кристину. И она стала мне почти полностью доверять. Один раз она даже специально подгадала свою уборку так, что, когда я пришел, она оказалась именно в том кабинете, куда должны были привести Солоника.

Солоник уже несколько раз видел ее в кабинете, но обычно она заканчивала свою уборку и выходила. Он прекрасно понимал мою миссию в отношении Кристины и все время улыбался, сам начал с ней здороваться. Как-то Кристина поинтересовалась:

— А что это за клиент, с которым вы работаете каждый день? Он что, важный, шишка какая-то?

— Конечно, важная.

— А по какой статье проходит?

— Ну, тебе сразу и статью назови! Если скажу — изнасилование, испугаешься? — осторожно перешел я ближе к нужной теме.

— А чего мне бояться? — ответила она. — Мне бояться нечего. Я умею за себя постоять.

«Ну вот, — подумал я, — и получил от ворот поворот!»

— Ну все же, по какой статье он проходит? — вновь спросила Кристина. — На насильника он не похож...

— А откуда ты знаешь, похож или не похож? Что, опыт был?

— В тюрьме человека видно насквозь, — сказала Кристина. — Наверное, убийство заказное?

— Наверное, — кивнул я.

Время шло, но подойти к нужной теме я никак не мог. Солоник постоянно спрашивал меня, как успехи. Я говорил ему:

— Пока все нормально. Сам понимаешь, миссия-то деликатная, сразу начать нельзя — можно рыбку спугнуть.

Он понимающе кивнул.

Но последующие события изменили все. Как-то я пришел, смотрю — Кристины нет. На ее месте другая женщина работает.

— Меня зовут Зоя, — представилась женщина, лет за сорок.

Она была осуждена как раз за убийство.

— Кого же ты завалила? — поинтересовался я.

— Негодяя, — ответила она.

— Сожителя, что ли?

— Да, его. А вы что, прокурор, что ли?

— Да нет, Зоя, я адвокат. Закуривай, — и я протянул ей пачку сигарет.

Она взяла сигарету.

Я встречал ее несколько дней. На третий день я решил спросить ее:

— Зоя, а здесь раньше Кристина убиралась. Где она сейчас?

— Кристину перевели на третий этаж. Пока я тут убираться буду.

«Все, — подумал я, — не успел я начать нужный разговор... Теперь попробуй найди ее! Я же не имею доступа на третий этаж... Теперь только если придет сама...»

И она пришла, на четвертый день. Пришла нарядная, я даже не узнал ее. Она окликнула меня, когда я заходил в кабинет.

Смотрю — стоит девица расфуфыренная, в кожаной мини-юбке, кожаной куртке, на высоких каблуках и с хорошей прической. Что мне бросилось в глаза и больше всего удивило — огромные клипсы. Вот уж никогда не подумаешь, что эта девушка в заключении! Будто девушка собралась на дискотеку или на концерт...

Тогда я ничего не понял. Но охотно подошел к ней и стал разговаривать.

— Как ты, однако, преобразилась! Что, у тебя праздник, может быть, день рождения? — спросил я.

— Нет, — сказала она, — обычный день. Просто надоело ходить в потрепанной одежде. А как у вас дела?

— У меня ничего. А ты почему пропала?

— Да меня на третий этаж перевели. У нас же свои интриги.

— Интриги? — переспросил я.

— Что-то типа борьбы за лучшие места. Вот и пошла я на третий этаж.

— Это ты сама пошла или тебя попросили пойти?

— Конечно же, меня попросили... Кому-то не нравится, что я здесь работаю, — сказала Кристина, намекая на Зою.

— Я понял тебя. А когда к нам вернешься?

— Постараюсь поскорее, — улыбнулась Кристина.

Потом я направился в кабинет...

Прошло еще два дня. А на третий, когда я спускался по лестнице, по дороге встретил трех или четырех женщин из той же обслуживающей группы. Все они как-то странно посмотрели на меня. Подошел я к зеркалу, посмотрел на себя — вроде все в порядке. Странно...

Прихожу на следующий день, открываю дверь кабинета — а вдруг там Кристина? А там опять Зоя. Она закончила уборку и неожиданно сказала:

— Я хотела вас предостеречь.

— Меня? От чего? — удивился я.

— Здесь разговоры пошли, которые могут быть для вас неприятными, — осторожно начала Зоя.

— Какие еще разговоры?

— Знаете, вечерами нам делать нечего в камере. Мы сидим, друг другу байки травим, романы пересказываем. Так вот, Кристина, с которой вы разговаривали, всем своим сокамерницам заявляет, что ее полюбил адвокат и, возможно, даже женится на ней.

Я опешил от такого заявления.

— Как это? — еле выдавил я из себя.

— Вот так и говорит. Я, конечно, этому не верю, — сказала Зоя, — а подруги... Ведь тюрьма очень чувствительная, многие верят... В общем, если хотите, делайте вывод.

«Так, — думаю, — час от часу не легче! Попал в ситуацию!» Я-то понимал, чем это может закончиться. Попробуй теперь докажи, что это не так!

— Но это еще не все, — помолчав, продолжила Зоя. — Она тут письмо собиралась прочитать нам всем, которое вы ей написали, любовное...

— Я? Письмо? Никакого письма я не писал!

Тут уже Зоя пожала плечами.

Я, конечно, мог понять женскую психологию: женщина находится в тюрьме. Колючая проволока, мощные решетки, кирпичные стены, тоска. Мужчины далеко. А тут адвокат появился. Почему бы и не романтизировать образ? Вот тебе и тюремный роман в чистом виде!

Можно что-то приврать, главное — чтоб для других интересно было.

Я не ожидал услышать такое.

Тут привели Солоника. Сижу, думаю — рассказать ему или не рассказать? Сейчас он меня опять спросит про любовную тему, как у нас, мол, перспективы? Я тут ему все и выложу.

Но Солоник почему-то никак не спрашивал меня об этом. Тогда я сам сказал:

— Ну что, подставил ты меня!

Он удивленно взглянул на меня.

— Как это? Ничего я не делал! Вы что имеете в виду?

— Да с Кристиной.

Он еще больше удивился. Тогда я все ему рассказал. Он начал смеяться.

— Кто же знал, что так получится! Я-то тут при чем? Я не виноват.

— Но я же для тебя старался!

Он еще громче засмеялся.

— Ладно, давайте закроем эту тему и не будем к ней возвращаться.

Но потом, чуть позже, когда я стал изучать его магнитофонные записи, его воспоминания, я услышал продолжение истории с Кристиной, которое и постараюсь воспроизвести.

ОТРЫВОК ИЗ ДНЕВНИКА А. СОЛОНИКА

Тюрьма, одиночная камера — это то место, где человек постоянно думает о прожитой жизни, о людях, которые остались на свободе. Среди тех, кто остался на свободе, прежде всего у меня была единственная любимая женщина, которую я любил и которая меня ждала. Нет, я был далеко не ангел. Кроме нее, у меня были связи с другими женщинами, включая проституток и моих любовниц, которые также остались на воле.

Поэтому, сидя в одиночной камере, вечерами я только и думал о них, воскрешая в памяти сексуальные сцены недавнего прошлого, когда был на свободе.

Телевизионные передачи, которые стали показывать в ночное время, эротического содержания, еще больше меня возбуждали. А какой выход из такого состояния в тюрьме? Два выхода: либо идти опускать петухов (пассивные гомосексуалисты — тюремный сленг), либо заниматься самообслуживанием, то есть онанизмом. И то, и другое противоестественно. Поэтому идея, пришедшая мне в голову в отношении той зечки, которая убиралась в коридоре на нашем этаже, меня в первое время захватила. Я подкинул ее адвокату. Он отнесся к этому скептически, мол, ничего не получится. Но попытка не пытка! Я его все же уговорил. Вообще ему многое удается. Может, и это получится? Хотя, конечно, с трудом верится в успех...

Ну вот, вскоре я узнал, что вся наша авантюра по поводу Кристины, которую адвокат попытался подложить под меня, полностью провалилась. Девчонку перевели на другой этаж. Теперь возможности нет. Ну ладно, можно смириться и с этим...

Но однажды я шел по этажу с конвоиром на очередную встречу с адвокатом. Тут я заметил, что женщина, похожая на Кристину, возится в конце коридора, возя шваброй по полу. Я всмотрелся внимательнее. Так и есть, это Кристина!

Кристина деловито подхватила швабру, сунула ее в

ведро и вошла в туалет. Бог ты мой! У меня был прекрасный шанс... И он есть! Надо обязательно им воспользоваться. Эх, жаль, не было вертухая Сергея (**намек на конвоира С. Меньшикова. — Авт.**). Он сейчас точно подсобил бы в этом деле! А этот долговязый может только мешать и испортить все дело. А что я, собственно, теряю? Подумаешь, ну будет у меня еще одна статья — изнасилование, ну и что? В карцер посадят, побьют, зато какое удовольствие могу получить! Нет, надо решаться!

Не доходя до туалета, я сделал резкое движение и схватился двумя руками за живот. Конвоир удивленно взглянул на меня:

— Что случилось?

— Да что-то живот прихватило... Слышь, командир, я сейчас в туалет быстро слетаю...

Конвоир взглянул в сторону туалета. И поскольку наш этаж был мало посещаем сотрудниками следственного изолятора и следственные кабинеты почти все были свободны, можно было предположить, что в туалете никого не было. Вероятно, конвоир не заметил, что туда вошла зэчка, которая убирала этаж, иначе бы он вошел и обыскал этот туалет или, по крайней мере, запретил мне туда заходить.

— Ну давай, валяй! — сказал он. — Только быстро! — И остановился у двери.

Я быстро влетел в туалет. Все, теперь самое главное быстрота и оперативность, которая может меня спасти. Я быстро огляделся. Кристина мыла в умывальнике тряпку. Она удивленно взглянула на меня. Я посмотрел в сторону двери. Деревянная швабра стояла в углу. Я быстро схватил ее и заблокировал ею ручку. Таким образом, дверь открыть было нельзя. Теперь я был возле Кристины. Я обхватил ее обеими руками, одной рукой плотно закрыл рот, чтобы она не кричала, а другой схватил за талию, прижав к себе.

— Тихо, девочка, не рыпайся! А то завалю тебя! Ты же меня знаешь? — угрожающим тоном сказал я.

Она молча кивнула головой. Вероятно, адвокат что-то рассказал ей про меня.

Другой рукой я уже лез спускать ее трусики.

— А ну быстро, помогай мне! Если все будет хорошо, быстро кончится. Я тебе еще денег за это дам!

Кристина понимала всю нелепость своего положения. Кричать она не могла, сопротивляться — тоже: я крепко держал ее. Она медленно стала стягивать с себя трусики. Я же левой рукой спустил свои спортивные штаны...

Мой член вошел в нее быстро и стремительно. Я наклонил ее вниз. Теперь я хорошо чувствовал женское теплое тело, которое я не видел три месяца пребывания в тюрьме.

Весь процесс закончился очень быстро — в течение двух-трех минут: сказалось длительное отсутствие у меня женщины и сильное возбуждение.

Я поправил штаны и отпустил Кристину.

— Ну что, будешь молчать?

Она кивнула головой. Я понимал, что ей этот процесс, видимо, тоже доставил удовольствие.

Я скользнул рукой в спортивные штаны. Там у меня были спрятаны три стодолларовые купюры. Быстрым движением я оттянул резинку и вытащил аккуратно скрученную трубочку.

— Вот тебе, — протянул я деньги Кристине, — на конфеты. Главное — молчи.

В дверь уже начал стучать конвоир.

— Чего ты там, закрылся, что ли?

— Иду, иду, командир! — закричал я, быстро открыл дверь и вышел из туалета.

Конвоир ничего не заподозрил.

— Ну что, полегчало? — спросил он.

— Конечно, — улыбнулся я.

Потом, когда меня доставили в камеру, после встречи с адвокатом, я долго в подробностях вспоминал эту странную сцену молниеносного секса в тюремном туалете...

Все же, если очень сильно захотеть, мечты сбываются, думал я, лежа в камере и смотря телевизор...

...Ну вот я и на свободе! С трудом в это верится. По-думать только, еще вчера я сидел в своей одиночной каме-ре «Матросской тишины». Затем был побег...

Минут пятнадцать-двадцать мы ехали на машине по каким-то переулкам в специально снятую квартиру, рас-положенную недалеко от Сокольников. И сегодня я нахо-жусь именно в этой квартире, отдыхаю. Позади тюрьма, я ушел от суда, который наверняка влепил бы мне «вышку» или, как благо, — лагерь, в котором бы меня кон-чили на второй или третий день моего пребывания... Те-перь об этом можно забыть. Думать надо только о хоро-шем.

Я уже отъелся, отмылся, отоспался. Квартирку ребя-та подобрали хорошую. Она небольшая — две комнаты, — но очень уютная, и, самое главное, есть возможность уйти. Окна одной комнаты выходят во двор, другой — на улицу. Так что, если что-то, не дай Бог, случится, мож-но будет легко перепрыгнуть из второй комнаты на бал-кон соседнего подъезда. Кроме того, со мной постоянно находятся два пацана со стволами, которые в случае чего будут оказывать ментам сопротивление, если те нагря-нут неожиданно. Да нет, ничего не должно случиться. Во-первых, правильно сделали, что срезали городской те-лефон, стоявший в этой квартире, чтобы никакого со-блазна не было. Есть у меня мобильник, звоню по нему кому захочу. Тем более что он подключен пиратским спо-собом и никакие спецслужбы не смогут зафиксировать звонки.

Вчера целый день я смотрел телевизор. В новостях передавали подробности моего побега, показывали мои фотографии. Теперь меня знает вся страна, я стал зна-менитой личностью! Мне очень хочется выйти на улицу и сказать: вот видите, какой я герой! Сумел и третий раз убежать, на этот раз из тюрьмы! А ведь никто в это не верил. Да и сам, честно сказать, слабо верил в возмож-ность этого. Но попытка была, вернее, шанс, и его нужно было использовать полностью — терять-то мне было уже нечего.

Я взял в руки мобильник, хотел набрать номер... Нет, нельзя! Соблазн большой. Хочется позвонить Алке, Людке, Ниночке и сказать: вот я, сбежал, теперь я могу с вами встретиться... Но это слишком уж рискованно. Но очень хочется позвонить!

Сегодня должны приехать ребята, обещали привезти двух девчонок, которые постоянно тусуются в одном из ночных клубов. Девчонок ребята должны были привезти проверенных, то есть тех, которые жили с нашими пацанами и, соответственно, умели хранить тайну. До приезда их оставалось два часа. В последние дни я стал часто вспоминать, как сидел в тюрьме, как мог так долго терпеть такое воздержание! Нет, был, конечно, эпизод с Кристиной, и я запомнил это надолго.

Сейчас, в предвкушении того, что я снова увижу обнаженное женское тело и буду им обладать, мое сердце забилось чаще.

Около полуночи приехали ребята.

— Братишка, — обратился один из них ко мне, — прости, что так задержались. Вот тебе куколка, в ночном клубе выбирали. Видишь, какая хорошенькая? — И он пропустил вперед девушку лет двадцати трех — двадцати четырех, с волосами, выкрашенными в темно-коричневый цвет.

— Анжела, — кивнула мне головой девушка.

Я сразу впился глазами в ее большой бюст. Грудь у нее была невообразимого размера, наверное, шестой номер. А девушка действительно была хороша — модно одета, симпатична.

Мы немного поговорили, попили кофе. Потом мы с ней пошли в другую комнату, где был расположен мой «сексодром».

Анжелу я взял быстро, впившись в ее тело. Она только и говорила:

— Ну погоди, не торопись! Куда же ты спешишь? Подожди! Я так быстро не умею!

Но я ничего не слышал. Я хотел взять от нее немного энергии. И опять я быстро кончил... Наконец, выбившись из сил, упал на кровать.

Анжела села рядом со мной и начала нежно поглаживать меня своей рукой по груди.

— Как же ты быстро все делаешь! Куда ты торопишься?

— Так получилось, — неохотно ответил я.

Потом мы разговорились. Через некоторое время Анжела осторожно спросила меня:

— Слушай, а правду говорят твои друзья, что ты из тюрьмы освободился?

Я кивнул головой.

— Правда.

— А сколько лет ты сидел?

— Сколько? — улыбнулся я. — Много сидел. — Не буду же я ей рассказывать, что только что сбежал из тюрьмы! — Много. А что, чувствуется?

— Конечно. Ты такой голодный! Прямо сразу меня взял, без всякой подготовки!

Затем она встала, и я увидел ее тело. Грудь ее оказалась силиконовой — искусственной. У нее была неплохая фигура. Анжела выпрямилась и спросила:

— А где у вас ванная?

— Иди по коридору, увидишь. Не вилла же тут, — пошутил я.

— А ничего, — она улыбнулась, — если я прямо так пойду? Что твои друзья скажут?

— А что, они тебя раньше обнаженной не видели?

— Видели.

— А что ты меня тогда спрашиваешь?

— Тогда я так и пойду, — сказала она. — Ты меня не заревнуешь?

— Конечно, буду ревновать! — улыбнулся я.

— Я быстро!

Как только она вышла, у меня снова возникло желание обладать Анжелой, что я и сделал тут же по возвращении ее из ванной. На сей раз я имел ее уже около тридцати-сорока минут, выдумывая все новые и новые способы.

После отъезда Анжелы я успокоился. Наконец я достиг того, чего был лишен в недалеком прошлом. Нет, все же должен быть какой-то баланс в природе, думал я. Человек должен получать то, что он должен получить. Раз природа создала женщину, значит, она должна работать. Конечно, я не говорю о том, чтобы при тюрьмах были свои телки, которые снимали бы напряжение, но, вероятно, было бы снято много проблем и вопросов, если бы существовала такая служба, пускай даже платная...

На следующий день ребята привезли мне другую девчонку, Любу. Люба была помоложе Анжелы, на вид ей было лет двадцать, тоже с пышной грудью, блондинка. Она была одета в очень дорогое белье и сразу стала демонстрировать мне его, медленно раздеваясь, постепенно стаскивая с себя то чулки, то еще что-то.

— Слушай, — не выдержал я, — ты что, стриптиз мне показываешь?

Люба улыбнулась и сказала:

— А как ты догадался?

Когда Люба почти разделась и осталась лишь в узеньких трусиках, она сказала:

— Ужасно хочется выпить шампанского. У тебя есть?

— Есть, в комнате, в баре стоит.

— Я схожу, принесу?

— Конечно, сходи, — кивнул я.

Люба вышла почти обнаженная. В соседней комнате сидели пацаны. Увидев Любу, они открыли рты. Тем более, они совсем недавно приехали из другого города, и Москва с ее нравами была для них тайной. Люба бесцеремонно подошла к бару, где стояло несколько бутылок, взяла шампанское, два фужера и вернулась ко мне.

— Открой, пожалуйста, — сказала она и протянула мне бутылку. Я быстро, практически беззвучно откупорил бутылку.

— Налей, — протянула она фужер. Я наполнил его. — Теперь себе, — добавила она.

— А я не пью.

— Как не пьешь?

— Вот так, не пью и все.

— А может, все же за знакомство выпьешь со мной?

— Ну, давай за знакомство, — сказал я и налил себе чуть-чуть шампанского. — Давай тогда чокнемся.

Люба медленно чокнулась со мной.

— А теперь давай поцелуемся, — сказала она и подошла ко мне вплотную. *Она поцеловала меня.*

— У тебя что, ритуал такой? — улыбнулся я.

— Да, это меня очень возбуждает.

Затем Люба приподняла свою шелковую коротенькую маечку и, продемонстрировав мне свои прелести, неожиданно схватила меня за мои детали и начала перебирать их пальцами.

— Ты чувствуешь мое тело? — спросила она негромко, не выпуская мой член.

— Чувствую...

— А что ты чувствуешь?

— Что ты больно меня схватила, — улыбнулся я.

Люба решила взять инициативу в свои руки. Она была достаточно опытной проституткой и знала все тонкости искусства любви. Мы с ней прошли всю азбуку — от начала до конца.

Минут через сорок, когда все закончилось, я достаточно выдохся.

— А ты молодец, — сказала Люба, — рекордсмен — сорок минут держался! Я три раза кончить успела.

— Я старался! — улыбнулся я.

Потом Люба вышла в ванную и вскоре вернулась, неся в руке еще одну бутылку шампанского.

— Что дальше делать будем? Мне уехать или остаться? — спросила она, пристально глядя на меня, заранее зная, что я, конечно же, выберу последний вариант.

— А сама ты как хочешь? — задал я провокационный вопрос.

— Как бы я ни хотела, будет так, как скажешь ты. В данном случае ты хозяин.

— Я хотел бы, чтобы ты осталась.

— Я так и думала! Давай за это выпьем, — сказала Люба, открывая бутылку шампанского.

После этого я имел ее ночью еще три раза. Утром я, совершенно обессиленный, завалился спать. Люба уехала с ребятами домой.

Через несколько дней я стал готовиться к отъезду из Москвы. Для этого мне принесли парики, паспорт с моей фотографией на другую фамилию. Все было готово. Мы должны были выехать вначале во Владимирскую область, затем путь мой лежал в Киев, затем — Тбилиси и, наконец, — Греция.

Во Владимирской области была заранее куплена большая деревянная дача. Купили мы ее для себя, для троих человек, так, чтобы никто об этом не знал. Даже наши боевики не знали об этом. Поэтому я и решил немножко отсидеться на ней.

Выехали мы ночью, на двух машинах. Я ехал впереди, без всякого оружия, один. За мной — машина, в которой находились водитель и еще два пацана со стволами — моя охрана. Наконец мы нашли знакомую деревушку и оказались на нашей даче.

Дача была двухэтажная, большая, обнесенная высоким деревянным забором. Она была летняя. В ней была печка, но, поскольку на улице был июнь, топить печь не нужно было.

Пару дней я лежал в тоске, пока не почувствовал, что мне опять необходимо женское тепло. Стали думать, где раздобыть девчонок. Ближайший город — Владимир. Он находился примерно в пятидесяти километрах от деревни. Привезти девчонку на дачу было очень рискованно. Во-первых, если раньше мне в Москве привозили девчонок, то они были повязаны с нами, и они не могли расколоться. А тут, во Владимире, мы никого не знали. И поэтому я отправил одного из пацанов во Владимир, в какой-нибудь бар или ресторан, чтобы он снял там для меня симпатичную девчонку, снабдив ее соответствующей суммой за это.

Вскоре паренек вернулся. Когда я увидел девушку, мне стало не по себе. Можете себе представить — девчонка лет двадцати, с яркими черными волосами, на вид такая

шалава — будто из дешевого борделя! Пьяная, с сигаре-
той, курила не переставая, — одна заканчивалась, она
тут же прикуривала другую. Я недовольно спросил у пацана:

— Откуда такую лахудру притащил — с вокзала, что ли?

Паренек смущенно стал оправдываться:

— Почему сразу с вокзала? С автобусной станции. Я там
ее снял. Лучше ничего не было!

— Ну вот, притащил мне какую-то козу!

Но делать было нечего — не везти же ее обратно!
Пошли мы с ней в комнату, попользовался я ею без всякого
удовольствия один раз, а потом сказал:

— Иди к пацанам, пусть они оттянутся.

Она спокойно, зная, что за все заплачено, пошла об-
служивать ребят.

Через два часа мы отправили ее в город.

Афины — греческая столица меня потрясла. И прежде
всего — обилием ночных клубов, казино и прочих увесе-
лительных заведений. Говорят, в Греции таких заведений больше трех тысяч на одиннадцать миллионов насе-
ления. В основном, все они расположены вдоль набережной. Едешь на машине вдоль набережной, и там, где
заканчивается яхт-клуб, стоят один ночной клуб за
другим. Все они напоминали большие ангары, квадрат-
ные или овальные, усеянные разноцветными огоньками,
с надписями типа «Пират-клуб», «Казино» и разными
другими названиями. Перед каждым клубом были большие автостоянки. Начиная с полуночи, машину практически некуда было поставить. Вообще, греческие клубы
очень дешевые, и греки любят оттягиваться в них. В основном там проводят время молодые.

Клубы работают по следующему распорядку. Где-то с
одиннадцати до двух-трех ночи играет западная музыка,
а затем начинаются греческие танцы. Греки помешаны
на своей национальной музыке. Как только начинаются
греческие танцы, все тут же поднимаются и пускаются
в пляс. Когда я прожил немного в той стране, я также

полюбил эту музыку. И когда я ехал на машине, предпочитал слушать именно ее.

Греческие ночные клубы практически одинаковы — сцена, где время от времени выступают какие-либо артисты или балет, и обязательно стойки, у которых исполняется так называемый топлес — когда девчонки танцуют полуобнаженными или исполняют стриптиз. В основном этим делом там занимаются наши девушки, которые приезжают туда с Украины и из Молдавии. Правда, есть в Греции много румынок и албанок, которые во время эмиграции заполнили Афины и их предместья.

Теперь мне необходимо было выбрать кого-нибудь из них для любви. Проституция в Греции тоже находится на весьма высоком уровне. Практически все газеты и журналы пестрят объявлениями такого рода. В телефонных будках оставляются визитки колл-герлс — девушек по вызову. Один раз и я решил воспользоваться такой услугой.

Я набрал номер, указанный на листовке, и после нескольких гудков услышал приветливый голос, говоривший по-гречески. Поскольку я не знал греческого, я сразу перешел на английский.

— Do you speak English? — спросил я.

— Yes, I do, — услышал я ответ.

— I want to call girl, — с трудом подбирал я слова. — Одну минуточку, — сказал я в трубку по-русски.

Неожиданно на другом конце провода я услышал смешок и далее:

— Да говорите по-русски! Вы русский?

— Да, я русский. Я эмигрант из России, — продолжил я. — Вернее, я грек, приехал из России...

— Это не имеет значения, — перебила меня девушка. — Что вы хотите? Вы хотите девушку из России?

— Нет, нет, я не хочу из России! Я хочу иностранку! — Хотя, впрочем, какая иностранка, если я нахожусь в Греции, сообразил я.

— А какую иностранку вы хотите? — уточнил женский голос.

— Любую, только не из России.

— Из Румынии или из Албании вас устроит?

— Давайте лучше из Румынии, — решил я.

— Вы предпочитаете блондинку, брюнетку? Какой комплекции? — стала уточнять девушка.

— Мне все равно, — сказал я, — главное, чтобы она была симпатичная и темпераментная.

— Вы наши условия знаете?

— Да, да, все знаю, — сказал я, хотя для меня условия не играли никакой роли — деньги у меня были.

— Говорите адрес, куда привезти девушку, — продолжал женский голос.

Договорились мы о том, что к моей вилле, которую я снял недалеко от Афин, в курортном местечке, приедут две или три девушки.

До назначенного часа у меня было время, и я стал готовиться к приему. Ребята, которые жили со мной в качестве охранников, были удивлены моим желанием иметь любовную связь с иностранкой. Они стали интересоваться этим.

— А чего ты иностранку-то взял? — спросил один. — Чего русскую не хочешь?

— Дурак, — ответил я, — ничего ты не понимаешь! Русская приедет — опять начнется: откуда ты, зачем, почему приехал, где жил в России... Тысячи ненужных вопросов! Ты что, не знаешь наших? А эта... Я не понимаю ее языка, и она не понимает русского. Все в порядке, — сказал я, наивно полагая, что румынка уж точно не знает русского языка. — Спокойно, без слов, занимайся своим делом! Получил свое — до свидания. Удобно и хорошо! К тому же экзотика — попробую хоть раз, как иностранки трахаются!

Ребята посмотрели на меня с завистью.

В назначенное время мы спустились в начало улицы, где было условлено место встречи. Машина с девочками представляла собой четырехместный «Опель Вектра», который подъехал точно в назначенное время. Я подошел. Мужчина, вероятно, выполняющий сразу роль водителя, телохранителя и сутенера, поздоровался со мной по-гречески, назвав мою вымышленную фамилию, под которой я вызвал девушек. Я кивнул ему.

— Выбирайте, мистер, — сказал он мне.

Я посмотрел на девушек. В салоне сидели двое. Вероятно, одна из них была албанка, другая — румынка. Я показал на девушку с темными волосами, достаточно худощавую, с симпатичным лицом, с короткими волосами.

— О'кей, — сказал водитель и показал мне на часы, говоря, что время пошло. Тут же он протянул мне ладонь, что означало — давай деньги. Я вытащил бумажник, отсчитал несколько драхм (греческая валюта) и передал водителю. Он похлопал меня по плечу.

Я кивнул девушке — пошли, мол, со мной. Девушка послушно пошла с нами в сторону виллы.

Через несколько минут мы вошли в ворота и сразу направились к бассейну. У нас было любимое место рядом с водой. Там было несколько лежаков, фонари. Подсветка в бассейне создавала атмосферу уюта. Мы сели за столик. Там уже стояло пиво, кола, греческий коньяк и мартини. Мы показали девушке на столик — выбирай что хочешь. Она налила себе немного мартини, выпила, потом бесцеремонно подошла к магнитофону, стоящему недалеко на столике, и включила его. Послышалась греческая музыка.

Девушка плавно сбросила с себя шаль, лежавшую у нее на плечах, и начала извиваться в медленном танце. Это была прелюдия.

Я сидел и внимательно смотрел на ребят. Они наблюдали за происходящим вытаращенными от удивления глазами. Для них это был настоящий спектакль.

— Вот, видишь, какой у них сервис? — обратился я к одному парню. — Сначала они тебе показывают, на что они способны, — стал я комментировать поведение румынки.

— А затем, — усмехнулся парень, — она тащит тебя в кровать и трахает по полной программе!

Мы засмеялись. Румынка, вероятно, поняла, что мы говорим о ней, и тоже стала улыбаться.

Наконец танец кончился. Она стала садиться к каждому из нас на колени, что-то говоря по-румынски. Наконец, поняв, что старшим в этой группе являюсь я, она подсела ко мне. Я взял ее за руку и повел в спальню.

Когда мы вошли в спальню, я быстрым движением сбросил покрывало с широкой кровати.

— Как тебя зовут? — спросил я девушку по-русски.

Румынка назвала мне имя, которое я тут же забыл.

Потом она медленно стала раздеваться, подошла ко мне и так же медленно стала снимать с меня одежду. Вероятно, это доставляло ей большое удовольствие. Затем мы с ней упали в кровать.

Румынку я гонял в течение тридцати-сорока минут. Она стонала, иногда выкрикивала слова на румынском, на английском, на греческом. А в конце сказала по-русски, улыбаясь:

— Хорошо, хорошо!

«Видимо, были у нее клиенты из России», — подумал я. Когда румынка пошла в душ, я вышел к бассейну. Ребята смотрели на меня с любопытством.

— Ну как, Санек? Как румынка? — спросили они.

— Попробуйте сами, — сказал я. — За все уплачено.

— Нет, ты скажи!

— Да все как обычно. Женщина как женщина. Баба есть баба. У всех все одинаково — что румынка, что албанка, что русская...

Но меня уже никто не слушал. Один из пацанов бежал в душ, где была румынка...

Шло время. Я использовал его с эффективностью для познания города и обычаев греческого народа. Вечерами на вилле было нечего делать. Сидеть и смотреть телевизор надоело. Тем более что в вечернее время Афины были очень интересным городом. Там вовсю бурлила жизнь. Все кафешки, бары, ресторанчики, пабы были полностью забиты греками и гостями Афин. Все сидели, не спеша пили либо легкое греческое вино, либо пиво, многие — кофе, оживленно разговаривали друг с другом.

К этому времени мы уже приобрели очень дорогой мотоцикл — «Харлей Дэвидсон», и вдвоем с кем-то из ребят выезжали в город. Один же обязательно оставался на вилле в качестве охранника.

Вскоре мы узнали, что в Афинах есть так называемая «улица красных фонарей». Не буду ее называть, чтобы не обидеть греков, но каждый, кто живет в этой стране, эту улицу хорошо знает. Она располагается между набережной и въездом в город. На ней находятся несколько гостиниц, большой ипподром, на котором днем любят ездить на лошадях греческие аристократы. Эта улица представляет собой достаточно просторный проспект, по обе стороны которого стоят, прохаживаются или сидят в машинах проститутки.

Однажды мы решили снять одну из них. Услуги таких проституток стоили от ста до двухсот долларов, в зависимости от типажа и ее возможностей. Всегда при этом можно было поторговаться, и ту, которая просила сначала сто пятьдесят, можно было снять за сто двадцать — сто тридцать. Конечно, это переводилось в греческую валюту.

Мы медленно ехали на мотоцикле и наконец остановились возле одной симпатичной девушки. Она была высокого роста, эффектная. Я сразу сказал пацану:

— Сейчас мы с ней договоримся, ты ее сажай на такси, а я поеду на виллу. Там и встретимся.

Парень слез с мотоцикла и начал ловить такси. Я подошел к ней и сказал по-английски:

— Good evening, miss!

Она кивнула мне головой и что-то пробормотала в ответ по-гречески, вероятно, тоже приветствие. После этого я спросил:

— How much?

Девушка назвала мне цифру по-английски, но я ее не понял — не так уж хорошо я знал английский. Тогда я, с трудом подбирая английские слова, попросил:

— Repeat once more, please! (Повторите еще раз, пожалуйста!)

Поняв, что я плохо знаю английский, девушка быстро

достала из сумочки губную помаду и написала на листке цифру 150.

— O'key, — сказал я. — Sit to the car, please! (Садитесь в машину, пожалуйста!)

В машине нас уже ждал мой приятель.

— This is my friend, — сказал я, объясняя, что это мой товарищ. Девушка кивнула головой. Она села в машину, я на мотоцикл, и мы поехали.

Не успели мы проехать несколько шагов, как я увидел, что такси, которое ехало позади меня, начало мигать мне фарами. Я притормозил. Из машины выскакивает парень и хохочет в голос.

— Что ты смеешься? — удивился я. — Что случилось?

— Иди посмотри на нее! Ты сейчас упадешь!

Я подошел к машине, ничего не понимая. Подхожу. Девушка сидит, улыбается.

— Посмотри на нее внимательно! — продолжает мой спутник.

Смотрю. Черные волосы, хорошая косметика, длинные брови, подведенные глаза — ничего особенного...

— Ты это... Посмотри, что у нее под юбкой-то! — заливается парень.

— А что смотреть?

— Нет, ты попробуй! — подталкивает он меня рукой к машине.

— Ладно, что ты себе позволяешь? — одернул я его.

Но тот еще громче засмеялся и обратился уже к девушке:

— Скажи, скажи ему, кто ты!

Девушка кокетливо улыбнулась и сказала:

— I'm not girl, I'm a boy.

— Что?! Парень?

— Конечно! Он же мужик! — давился смехом мой спутник. — Понимаешь? Ты снял педика!

Мне уже и самому стало смешно.

— I am sorry, I am sorry, — сказал я, достал деньги и протянул ей, вернее, ему двадцать долларов.

Мы с парнем отъехали несколько метров на мотоцикле, остановились и стали хохотать.

— Ты представляешь, что могло бы быть? — не унимался мой спутник.

— А что могло быть?

— Представь себе — входит в душ, ты смотришь, и...

Мы представили картину, как из снятой девушки получался мужик...

Так закончилось одно из наших приключений.

Но вскоре мы стали пользоваться услугами такого рода в одном ночном клубе, назовем его условно «Пират», чтобы не обидеть другие.

В «Пирате» мы познакомились с русскими ребятами, точнее, с понтийскими греками, выходцами из России. Некоторые из них приехали из Казахстана, кто-то из Грузии, кто-то из других мест. Но все они были уже полноценные греки, имели греческое гражданство. Они достаточно любезно приняли нас в свою компанию. Мы уже многих знали.

«Пират» обслуживала в основном бригада молдаванок и украинок, которые приехали в Грецию по вызову, на сезонную работу в ночные клубы. Формально они числились подавальщицами, официантками или работниками балета. На самом деле они оказывали интимные услуги, делясь заработком с греческими сутенерами. Но говорить о том, что там существует порномафия, занимающаяся секс-услугами, было неправильно. Да, существует группа людей, которые делают бизнес на проституции, но назвать это мафией — слишком громко, и это не соответствовало действительности.

Скоро мы стали снимать девчонок из Молдавии и Украины. Но привозить их к себе на виллу мы пока еще не решались — соблюдали меры конспирации. Поэтому мы снимали номер в гостинице на ночь — а таких маленьких гостиниц в предместьях Афин было полно, и к тому же кончился сезон, наступала осень, — и, сняв номер на ночь за двадцать-тридцать долларов, мы охотно использовали его по полной программе.

Помимо сеансов «сексуальной терапии» мы получали и часы общения с нашими соотечественниками. Теперь мы уже знали, каким способом они попадали в Грецию. Все происходило добровольно. Девушки знали, на что они идут. Что она могла заработать в небольших городах Украины или Молдавии, или даже в столицах, где очень высок уровень безработицы и оклады настолько низки, что жить очень трудно. А тут, хотя она получает только половину или даже треть заработанной суммы, все равно цифра получается довольно внушительная. Никакого рабства, о котором писали газеты, не существует. Нет, конечно, предприниматели, как мы поняли, отбирали у девушек документы, чтобы девушки их не «кинули», так как они уже вкладывают в них деньги — и стоимость билета, и подъемные, и аренда номера в гостинице, где они живут. Но это делалось только с целью сохранения своих денег.

Между тем у девушек существовали определенные проблемы. Дело в том, что греки давно распознали, что существует русская проституция, и всячески с этим боролись. С каждым годом проблема въезда в Грецию для женщин становилась все серьезней. Если женщина каким-то образом попадала на компьютер — все, дорога в Грецию была ей закрыта, ее даже из аэропорта не выпускали. Поэтому мы не раз, когда летали в Россию и в другие страны, видели, как проверяли русских женщин до тридцати лет в аэропортах, как проверяли наличие денег в их кошельках, что являлось очень унизительной процедурой.

Естественно, девушки интересовались и нами — откуда мы приехали, что мы тут делаем. На все вопросы мы отвечали уклончиво, соблюдая меры предосторожности. Но потом, когда прошел год, мы потеряли бдительность, и иногда я стал говорить, кто я такой; что я тот самый Солоник, который сбежал из тюрьмы. Кто-то слышал про меня, некоторые делали вид, что знают, а на самом деле и понятия ни о чем не имели.

И один раз я поплатился за это, и нам пришлось срочно покинуть виллу, так как на следующий день меня вызывали в полицию. Правда, это было связано с паспортной проблемой, как я узнал позднее. Но на всякий случай мы переехали на другую виллу.

Прошло время, и пребывание в теплой гостеприимной Греции мне уже порядком надоело. Меня ничего не волновало, тянуло в Россию. К тому же такая возможность представилась, и я наконец уговорил тех людей, которые отвечали за мою безопасность, что я приеду нелегально в Россию. И это случилось в декабре 1996 года.

В Москву меня тянуло не только потому, что я соскучился по столице и хотел встретиться там со своими друзьями и знакомыми, но прежде всего — увидеть свою любимую женщину — Алену (имя изменено), с которой я жил около трех лет до ареста и побега из «Матросской тишины». Однако получилось так, что после побега наша жизнь не сложилась. Не знаю, кто виноват в том. Вероятно, от пережитого напряжения, от этой сумасшедшей жизни с резкими поворотами Алена просто не выдержала, и у нее произошел нервный срыв. Мы потом с ней много разговаривали, и Алена сказала, что она больше так жить не может, не имея права ни на что — ни на семью, ни на ребенка, ни даже на фамилию, так как я — человек вне закона, я должен постоянно прятаться, изменять свою внешность. А она этого не хочет, она хочет стабильной жизни и нормальной семьи. Но я прекрасно понимал, что этого никогда ей дать не смогу.

Все мои доводы, а также крупная сумма денег, которую я предлагал ей, — ничего не подействовало. Таким образом, мы с Аленой расстались... Я отпустил ее. Отпустил и — продолжал любить. А на прощание сказал, что если она надумает ко мне вернуться, то я всегда буду ждать ее.

Время от времени мы с Аленой перезванивались. Я узнал, что она собирается выходить замуж. Поэтому я и ехал в Москву — еще раз увидеть ее, еще раз поговорить с ней и разобраться в наших отношениях.

К нелегальному приезду в Москву я готовился очень серьезно. Во-первых, через своих людей я уже узнал, что ажиотаж вокруг моего побега в значительной степени спал. *Кроме этого, я сумел получить удостоверение работника одной из районных прокуратур, с моей фотографией и печатью. Самое интересное, что удостоверение было подлинным. По этому поводу я даже сшил себе прокурорский мундир. Вот с такими документами — по одним я греческий подданный, Владимир Кесов, по другим — помощник прокурора (фамилия не указывается в интересах следствия), — я и приехал в Москву.*

Не знаю, как это получилось, но уже на второй день пребывания в Москве я встретился с Аленой. Наша встреча произошла в одном из ресторанов. Алена увидела меня в прокурорском мундире и улыбнулась:

— Саша, ты неисправим!

— А что, мне идет мундир? — серьезно спросил я.

— Конечно, идет.

Говорили мы с ней около двух часов. Я вновь пытался убедить ее быть со мной. Но она только качала головой и говорила, что слишком поздно, что все мосты сожжены, она вышла замуж и любит другого человека. К тому же она ждет от него ребенка. Я посмотрел внимательнее и увидел, что Алена на самом деле немного пополнела.

Это была наша последняя встреча. Я это отчетливо понимал. Единственное, на что я мог претендовать, это на короткие телефонные звонки. Да и когда они будут — тоже неизвестно...

Так закончился мой самый головокружительный и единственный настоящий роман с женщиной, которую я любил и продолжал любить, несмотря ни на что.

Состояние одиночества, неустроенности — нет ничего хуже для любого человека, будь то мужчина или женщина. Поэтому, естественно, я начал думать, что мне нужна замена. Нет, все эти кратковременные встречи, минуты блаженства могли доставлять радость только на короткое время. А человеку необходимо постоянное чувство влюбленности. И я начал искать в Москве свою будущую избранницу.

Надо сказать, что к тому времени я встречался с узким кругом представителей московской братвы, кото-

рые знали меня и уважали, и я доверял им. Такие встречи мы проводили в ночных клубах или ресторанах. Я обратил внимание, что у многих московских авторитетов появились подруги, так называемые фотомодели. Это была новая для меня категория женщин, таинственная и неизведанная. Знакомство с одной такой фотомоделью произошло у меня в ближайшее время.

Дело в том, что я встретил своего старого приятеля, Геру Строгинского. С ним была его подруга. Звали ее Ира, фотомодель, высокая такая, симпатичная. Решили мы пойти в ресторан. Сели, разговариваем. Я им про Грецию рассказываю, Гера — про свою московскую жизнь. Ира молчит, слушает. Только смотрю — все мужики, что в зале сидят, на Иру взгляды бросают. Эффектная женщина! С Герой они жили в гражданском браке. Тогда я и спросил ее:

— Слушай, Ира, а у тебя подруги случайно не найдется?

— Случайно найдется. И даже не одна. Какая тебе нужна — для души, для тела, для развлечений или просто по жизни?

— А что, большой выбор?

— Конечно, — сказала Ира, хитро улыбаясь. — Сорок человек. Выбирай любую!

— Прямо уж и сорок! — не поверил я.

— Сорок — это всего в нашем агентстве работает. А так, самые близкие отношения у меня с двумя. Одну Света зовут, другую — Маша. Кстати, — обратилась она к Гере, — у нас в квартире есть журналы, «Космополитен», где все наше агентство сфотографировано. Хочешь — поехали с нами, кофе попьем, поговорим, заодно я тебе своих подруг покажу.

— А что, — посмотрел я на Геру, — это идея! Как ты?

— Я что? Я запросто! — сказал Гера.

Сели мы в машину и поехали в Строгино, к Гере. Он жил в трехкомнатной квартире — снимал ее. По условиям его работы, ему нельзя было иметь постоянное жилье, поэтому время от времени он менял квартиры, но из Строгино не уезжал. Красивое место, Москва-река, при-

рода, экологически чистый район. Квартира у них была отделана в стиле модерн.

— Это все Ира сделала, много бабок потратила, — сказал мне Гера, когда я вошел в квартиру.

Ира сразу подошла к журнальному столику и взяла с него «Космополитен» — толстый журнал.

— Вот, — она пролистала несколько страниц и раскрыла цветную вкладку, — видишь?

Действительно, там были изображены несколько десятков девушек, все одетые в одинаковые белые майки с номерами. Только все они, естественно, по-разному выглядели.

— А что это? — спросил я.

— Это мы перед конкурсом, постановочная съемка. Садись, Саша, — сказала Ира, — я покажу тебе моих подруг. Вот это Маша, а это Света.

Я вгляделся. Действительно, и Маша, и Света были очень симпатичными.

— Нравятся? — спросила Ира.

— Да, нравятся.

— А какая больше?

— Знаешь, по фотографии как-то трудно определить... А ты кого мне порекомендуешь?

— Если тебе с точки зрения развлечения, то лучше Маша. Она веселая, общительная. А Света — больше для жизни.

— Это как?

— Она серьезная девушка, неизбалованная, из строгой семьи, — сказала Ира. — Ну что, будешь с ними знакомиться?

— Да, конечно, буду!

— А с кем?

— Давай со Светой...

Целый вечер мы разрабатывали план моего знакомства и ничего лучше не придумали, чем Ира пригласит ее завтра в ночной клуб, где неожиданно появлюсь я. Конечно, ясно, что любой догадается, что эта встреча не случайна. Надо было как-то обыграть это.

Но мне этот план понравился. Только одна неувязка — я подошел к Гере, дождавшись, пока Ира выйдет на кухню за очередной порцией кофе, и прошептал ему:

— Братан, а она про меня, — я кивнул в сторону кухни, — ничего такого не знает?

— Да ты чего, Санек? За кого ты меня держишь? Конечно, нет! Могила, брат!

— А что ты про меня сказал?

— Сказал, что бизнесмен греческий... Точнее, бывший русский, уехал в Грецию и крутишь там бизнес. А что, надо было что-то другое сказать?

— Нет, все тип-топ, — кивнул я. — Все хорошо. Главное, что ты ничего ни про тюрягу, ни про наши дела не говорил.

— Да ты что, Санек! В натуре, все правильно!

Я похлопал его по плечу.

— Я тебя прошу, ничего и не говори. Все же, как знать, как дальше жизнь сложится...

— Конечно, Санек! Вопросов нет! — сказал Гера.

На следующий день я был в ночном клубе. Встретиться договорились около одиннадцати часов. Я надел самый дорогой костюм, который купил накануне в магазине «Стокманн». Для солидности надел даже очки в золотой оправе с обычными стеклами. Вид у меня был очень солидный — настоящий бизнесмен! И так пошел на встречу.

Я подошел к их столику. Там уже сидели Гера, Ира и девушка. Высокая, с темными волосами, падающими на плечи, худощавая. Я наклонился и сказал:

— Здравствуй, Гера!

— О, Санек, привет! — Гера встал и пожал мне руку.

— Добрый день, девушки, — обратился я к обеим.

Тут Ира показала на меня рукой и представила подруге:

— Света, хочу тебя познакомить, — она сделала паузу.

— Владимир, — сказал я быстро. — Владимир Кесов, бизнесмен.

— *Владимир у нас теперь грек,* — *улыбаясь, сказала Ира.*

— *Да я греком стал недавно,* — *произнес я,* — *до этого жил в России. Вот образовались у меня греческие корни, переехал в Грецию...*

— *А чем вы занимаетесь, Владимир?* — *кокетливо спросила Ира. Я почувствовал подвох. Неужели Гера все рассказал ей про меня? Да нет, такого быть не может!*

— *Я занимаюсь шоу-бизнесом,* — *соврал я.*

— *Вот видишь, Света, человек занимается шоу-бизнесом, можно сказать, наш коллега!* — *продолжала Ира.*

Но Света молчала. Она сидела, смущенно опустив глаза.

Потом мы сидели, разговаривали на отвлеченные темы. Я рассказывал им про Грецию, потом стал показывать фотографии своей виллы, а сам бросал взгляды на Свету. Она стала проявлять интерес.

— *Там, должно быть, тепло?* — *спросила она.*

— *Да, тепло так, что даже в феврале двадцать градусов тепла.*

— *А летом какая же температура?* — *поинтересовалась Света.*

— *Ой, летом невыносимая жара! Тридцать пять — сорок бывает. Летом там очень тяжело. И к тому же Афины — город перенаселенный, большое количество машин, воздух очень сильно загазован. Греки даже знаете что придумали? Что определенные номера ездят по четным дням, а остальные — по нечетным.*

— *Слушай, а что же делать, если надо куда-то ехать?* — *спросил Гера.* — *Вот приспичило тебе ехать по работе, а сегодня не твой день? Как быть? А тачка у входа стоит...*

— *Очень просто: бери такси и езжай на нем.*

— *Значит, что получается: день я буду на тачке своей ездить, а другой — на такси?*

— *А что делать?* — *улыбнулся я.* — *Греки борются за экологию.*

— *И как, успешно?* — *спросила Света.*

— Конечно, нет, — махнул я рукой. — Все равно город остается загазованным.

Потом я перевел разговор на их работу. Я узнал, что они работают в престижном агентстве, знаменитом на всю Москву. Но в их работе есть проблемы. Суть работы заключалась в том, чтобы как можно выгоднее себя продать, заключить контракт либо с рекламным агентством, либо с фирмой, которая в дальнейшем будет с их помощью рекламировать свою продукцию. Наибольшим успехом является выезд за границу, особенно в европейские страны, для рекламной деятельности. Тогда все контракты заключаются непосредственно через фотоагентство, и девочки получают хорошие проценты.

— И какой же процент? — поинтересовался я.

Они назвали сумму.

— Ничего себе денежки! — засмеялся я. — Так, копейки для нас!

— Так это для вас, — сказала Ирина, — а для нас это хорошие деньги.

Мы сидели еще долго. Потом я поехал провожать Свету. Она жила на окраине Москвы. У входа нас ждал «триста двадцатый» «Мерседес» — черная большая машина, полностью автоматизированная. Взял я ее у одного дружка на время, покататься, пока нахожусь в Москве. Света села в машину, и я сразу почувствовал, что ей все там очень понравилось.

На следующий день мы с ней пошли в другой ночной клуб. Я сделал вывод, что, несмотря на то, что Света работает фотомоделью, она не так уж часто ходит по ресторанам и ночным клубам — старается больше сидеть дома, читает, иногда ходит в гости к знакомым родителей. И вроде парня постоянного у нее не было.

Мне в Свете нравилось все. Она была скромная, спокойная, какая-то искренняя. Единственный недостаток — она была выше меня, причем намного. Но что делать — она же фотомодель. Зато мне очень импонировало, что, когда мы появлялись в каком-либо заведении, все бросали восхищенные взгляды на Свету, а потом перево-

дили глаза на меня, думая: что же это за человек, если с ним такая красавица идет? Наверное, какой-то очень богатый человек... Мне это очень нравилось.

Со Светой мы встречались каждый день. Но никакого намека на близкие отношения я не делал, ухаживал галантно, изображая из себя настоящего джентльмена — без какой-либо наглости.

Вероятно, Свете это очень нравилось, и она постепенно стала более открытой. Но приближалось время моего отлета в Грецию. До отъезда оставалось всего несколько дней. И тут мне в голову пришла неожиданная мысль.

— А знаете, Света, что, если мы сделаем так: я вернусь в Грецию и постараюсь заключить для вас серьезный контракт с греческими фирмами — я же их неплохо знаю? — соврал я.

Она посмотрела на меня вопросительно и ничего не сказала.

— Тогда вы сможете приехать и заключить с ними договоры напрямую. Как вы на это смотрите?

— Я даже не знаю... — медленно сказала Света. — А вам это не трудно будет сделать? Вы ведь, наверное, там очень заняты?

— Нет, для меня это никакой трудности не представляет. Только вот что, — добавил я, — мне очень трудно будет вас ловить, я ведь не знаю, где вы бываете — на работе ли, дома, — я хочу подарить вам мобильный телефон. — И я вытащил из кармана свой мобильный телефон. — Вот его номер. Единственное — его надо заряжать. У меня в машине зарядное устройство лежит. Вы его заряжаете, и мы будем с вами разговаривать. Хорошо?

— Ой, зачем вы это? Не надо! — замахала руками Света. — У нас мало кто из девчонок имеет мобильные телефоны.

— А теперь вы тоже будете иметь такой телефон.

Потом я сделал Свете еще несколько подарков. Она их приняла. Ей это очень нравилось. Мы с ней договорились, что, как только я приеду в Афины, я тут же позвоню ей, поскольку у меня был другой мобильный телефон.

Через несколько дней я улетел в Афины. Света пришла меня провожать. Я был от этого на седьмом небе.

Как только я прилетел в Афины, я первым делом отправил ребят на родину, чтобы больше мне не мешали. Звонил я Свете каждый день. Наконец, я договорился с ней, что прилечу в начале января в Москву и заберу ее в Афины. И она дала на это согласие...

Я прослушивал аудиокассеты с воспоминаниями Солоника о его женщинах и не знал, что мне, как адвокату, придется вести свое собственное расследование по факту гибели Солоника и исчезновения фотомодели Светланы. Тогда, весной, спустя некоторое время после этого происшествия, ко мне обратился известный журналист, Олег Вакуловский, и предложил вместе с ним участвовать в создании документального фильма под названием «Красавица и чудовище», посвященного Солонику и Светлане.

Для того чтобы создать такой фильм, необходимо было собрать первоначальный материал. К тому времени основной трудностью было то, что о Солонике писали очень много. Почти каждый журналист пытался найти что-то свое. Поступала очень противоречивая информация. Необходимо было все проверять и уточнять. Вот тогда Олег и предложил мне встретиться с сотрудником РУОПа, который выезжал на место гибели Солоника в начале февраля.

Олег быстро договорился о встрече. Она должна была произойти недалеко от штаб-квартиры РУОПа на Шаболовке.

Мы подъехали в назначенное время. Я остался сидеть в машине. Олег вышел, и я увидел, как навстречу ему идет среднего роста мужчина плотного телосложения, в костюме. Они поздоровались и стали о чем-то говорить. Оставаться в машине я больше не мог. Как же так? Они говорят на тему, которая мне очень интересна! Надо обязательно послушать, что они обсуждают!

Я вышел из машины и направился в сторону говорящих. Как только я подошел, я сразу заметил, что руоповец замолчал. Олег тоже почувствовал напряжение и сразу же представил меня. Но тот как бы отмахнулся и сказал:

— Мы-то вас знаем...

Опять эта фраза! Опять запахло враждебным отношением. Нет, я понимаю, что мы стоим по разные стороны баррикады. Они — сыщики, у них одна задача, у нас же, адвокатов, — совсем другая, противоположная. Но нельзя же так строить отношения, что теперь мы должны быть постоянными врагами!

В конце концов я сказал, что цель моей поездки — провести расследование по факту гибели Солоника и собрать информацию о Свстлане. Руоповец тут же поинтересовался с профессиональным любопытством:

— А вы ее когда-нибудь раньше видели?

Я понимал, почему задан этот вопрос. Если я скажу, что я видел Светлану (хотя сразу скажу, что я никогда ее не видел), тут же станет ясно, что я встречался с Солоником.

— Нет, — сказал я, отрицательно покачав головой, — я никогда ее раньше не видел.

— Ну что я могу сказать... — произнес руоповец. — Мы обнаружили на вилле остатки чемодана, из которого торчали кости. Потом, как нам стало известно, греческая полиция и родственники проводили опознание останков тела, и вроде бы это тело Светланы.

Потом Олег получил еще кое-какую информацию, и вскоре мы с ним отправились в Грецию.

В Грецию мы попали в августе 1997 года. Нужно сказать, во время моей первой поездки, когда я встретился с колоссальными трудностями со стороны греческих официальных органов — достаточно мне было только назвать фамилию Солоника, как тут же — с кем бы я ни разговаривал, с соседями, частными лицами, работниками полиции, — тут же в глазах появлялся какой-то страх.

Конечно, их можно было понять. Греция — законопослушная страна, там нет организованной преступности, и все, что произошло с Солоником, это, наверное, супержуткая история! Но его фамилия действовала на всех как заклинание: люди моментально замыкались, и никакой информации мы не получали.

Поэтому нам, чтобы не повторить подобной ошибки, необходимо было заручиться поддержкой человека, который был вхож во многие греческие официальные инстанции. И вскоре мы нашли такого человека. Им оказался представитель греческого телевидения в Москве, греческий журналист Афанасий.

Надо сказать, что с помощью Афанасия мы раскрыли очень много такого, к чему бы самим нам и близко не подступиться. Афанасий был не столько талантливым журналистом, сколько умел открывать дверцы человеческих душ.

Но все, что мы узнали, еще больше заводило нас в тупик. Создавалась картина, что Солоник в самом деле жив и Света жива тоже.

По версии правоохранительных органов, получалось, что Свету убили прямо на вилле, чтобы скрыть истинных убийц Солоника, так как она их видела и была с ними знакома. Но тогда получалось противоречие.

По показаниям хозяйки соседней виллы, получалось, что она видела, как приезжала красивая девушка из России и жила около двух недель на вилле Владимира Кесова. А потом она видела, как она спокойно уехала, собрав свои чемоданы.

Получается, если Светлана на самом деле уехала, то ее убили где-то вдали от виллы, а потом специально привезли расчлененный труп в чемодане обратно? Не проще ли было оставить тело там, где ее убили?

Это первое. Затем начинаются странности с гибелью самого Солоника. Дело в том, что мать Александра, по заданию которой я ездил в Грецию в феврале, поехала опознавать своего сына чуть позже, в марте. И тут, как рассказывали очевидцы, она, увидев его тело в морге, ничего не сказала, тут же села на самолет и улетела обратно, и самое главное — она отсутствовала на похоронах Солоника, которые состоялись позже.

Перед нами стояла задача найти кладбище, где был захоронен Солоник, и постараться разыскать очевидцев, которые участвовали в его захоронении. И вновь колоссальную помощь в этом нам оказал Афанасий. Он с помощью своих коллег, греческих журналистов, узнал название кладбища.

Кстати, оно оказалось простым, на нем хоронили многих, кто умирал в тюрьмах и не являлся таким уж богатым, как писали в прессе.

Мы приехали на кладбище, стали искать могилу Солоника. Сделать это оказалось достаточно трудно. Тогда мы обратились к служителям кладбища. Афанасий быстро нашел с ними общий язык. Вскоре нам показали двоих землекопов, которые участвовали в захоронении. Мы тут же поговорили с ними.

Мы выяснили, что в тот день, когда хоронили Солоника, при этом присутствовала только одна женщина, лицо которой было закрыто плотной темной вуалью, одета она была в черное платье. Кроме нее, никого не было. По фигуре, по манере держаться землекопы определили, что эта женщина была достаточно молодой.

Значит, возникло предположение — либо это была Светлана, либо первая любовь Солоника — Алена. Но то, что Алена в Грецию не летала, я уже знал. Оставалась одна версия — на кладбище была Светлана. Но тогда возникает следующий вопрос: если допустить, что Солоник жив — а в пользу этой версии говорят некоторые факты, такие, как отсутствие матери на похоронах, таинственное исчезновение из уголовного дела его отпечатков пальцев, и главное — его предусмотрительность, о которой я очень хорошо знал по частому общению с ним, а также всевозможные легенды и характерный почерк его стрельбы, на что стали указывать сами сыщики после нескольких убийств, которые произошли в Москве за последнее время, после смерти Соломника, — то какова же роль этой женщины, присутствовавшей на похоронах?

Мы терялись в догадках. Я понимал, что может случиться так, что окончательная развязка этой запутанной истории ждет нас в Москве.

Когда мы вернулись из Греции; в наших руках был достаточно объемный, но противоречивый материал. Я снова вспомнил про аудиокассеты, которые наговорил Солоник. Он упоминал имена Геры Строгинского и его подруги Иры. У меня оставался единственный путь узнать что-то — через Иру, подругу Светы...

Но напрямую выходить на Иру, не зная даже ее фамилии, было нереально. Поэтому мне сначала нужно было отыскать Геру Строгинского. Не буду раскрывать свои секреты, как я его отыскал, но сделал это я достаточно быстро.

Гера, узнав меня, охотно согласился встретиться со мной. Мы договорились встретиться в баре одной из московских гостиниц. После недолгого разговора Гера согласился помочь мне.

— В принципе, — сказал он, — я ничего особенного не знаю, но как-то Ира обмолвилась насчет того, что Светлана действительно жива...

— А ты не можешь организовать мне встречу с твоей Ирой? — тут же спросил я.

— Нет ничего проще! — сказал Гера. — Прямо сейчас и встретимся! — Он достал из кармана мобильный телефон и быстро набрал Ирин номер. Вскоре мы договорились о встрече.

Сев в машину, мы поехали в сторону фотоагентства, где работала Ира. Она появилась через десять минут. Гера представил меня ей и сказал:

— Ты говори ему все, что считаешь нужным. Он свой человек!

«Ничего себе! — подумал я. — Это что, я бандит, что ли? Нет, наверное, он имеет в виду, что мне можно доверять». Все же адвокат — человек, который соблюдает интересы своих клиентов.

После недолгого разговора с Ирой я понял, что по ее трактовке получается, будто Светлана жива. И основным аргументом является то, что ее пару раз видели в Москве те же самые девушки из агентства.

— А вы сами видели ее? — допытывался я.

— Нет, — отрицательно покачала головой Ира. — Не видела.

Но мне казалось, что она обманывает меня. Хотя, с другой стороны, Гера сказал, чтобы Ира говорила мне всю правду... Но кто знает, будет ли выполнять женщина указания своего возлюбленного? А может, она уже встречалась со Светой? А может быть, еще не время говорить вслух о том, что Светлана жива?

Прошло немного времени. Как-то случайно, на задержании одного из клиентов, я неожиданно встретил того самого руоповца, с которым мы говорили незадолго до нашей поездки в Грецию. Он посмотрел на меня и взглядом показал, чтобы я отошел с ним в сторону.

— Ну как вы съездили? — спросил он.

— Ничего, — сказал я. — Вы видели фильм, который вышел?

— Да, видел, уже два раза его показывали. Мы его даже обсуждали, — сказал руоповец. — А что в отношении Светланы?

Я рассказал ему всю противоречивую картину. Руоповец посмотрел на меня внимательно и сказал:

— Знаете что? Вот что я вам скажу... Она жива.

— Как жива? — не поверил я.

— Так. Скоро она появится. Просто не время ей сейчас появляться, я так думаю...

— Так вы думаете или точно знаете? — переспросил я.

Но руоповец больше ничего не сказал.

Однако, несмотря на то что тема вроде бы была исчерпана и все, что можно было написать о Солонике и его последнем увлечении, было написано, все же стали появляться новые и новые публикации на эту тему. Вскоре появилась книга Алексея Тарабрина «Женщина и преступность». Автор отвел Солонику и Светлане целую главу.

Каково же было мое удивление, когда я обнаружил, что там автор практически в открытую заявлял, что Светлана жива.

А в дальнейшем московский журналист, шеф-редактор отдела расследований «Московского комсомольца» Олег Фочкин в газете от 10 января 1999 года заявил, что у него была встреча с человеком, который близко знал Солоника, и этот человек утверждает, что знает, где в настоящее время находится Солоник вместе со Светланой, то есть что они живы. Все это делает еще более таинственным факт гибели известного киллера и последней его пассии...

ПИРАМИДА СМЕРТИ

Дело 1999 года

17 августа 1998 года — черная дата для многих слоев нашего общества. В этот день как карточный домик рухнула пирамида ГКО, еще в недалеком прошлом разработанной государством системы, построенной на выпуске государственных краткосрочных облигаций. Впервые ГКО начали работать с 1993 года и просуществовали более пяти лет.

17 августа курс рубля упал в три раза. Многие фирмы просто разорились. Исчез так называемый средний класс. Потерпели крах крупнейшие банки, которые строили свою политику на играх с ГКО. Вместе с ними потеряли свои деньги и крупные финансовые инвесторы, которые вкладывали их в ГКО.

Среди них были и преступные сообщества, которые вложили в облигации свои общаковские деньги и также их потеряли.

Всякая история имеет начало. Эта история началась с обычного телефонного звонка, который раздался осенним вечером в моей квартире. Звонили издалека. Сняв трубку, я услышал голос своего коллеги, адвоката, с которым мы вместе работали в юридической консультации.

— Привет, — сказал он, — как дела?

— Ничего, нормально. А у тебя? Где ты сейчас?

— Я в Испании, отдыхаю.

— Как отдых?

— Все прекрасно. Отдыхать — не работать. Единственное — очень жарко, больше тридцати градусов.

— Ясно. Что-то нужно сделать для тебя? — поинтересовался я, поняв, что не зря он звонит мне из Испании.

— Здесь такое дело... Есть человек, очень солидный и интересный. У него возникли проблемы.

— В чем суть? — спросил я. — Он арестован?

— Да нет, пока еще не арестован.

— Что, предлагают взять адвоката еще до ареста?

— Да нет, может быть, ты и не пригодишься. Но все равно, работа, которую ты сделаешь, в любом случае будет оплачена, причем по высокой ставке, — добавил мой коллега. — Это люди не бедные. Сам он в прошлом банкир, правда, сейчас постоянно живет за границей. И тут проблемы возникли...

— Понимаю. Что-то, связанное с хищением или с мошенничеством? — пытался угадать я.

— Почти правильно. Но помимо этих проблем у него есть проблемы и с его «крышей», так что будь осторожен, если это дело интересно тебе.

— Ладно, давай возьму, — сказал я.

— Отлично! Тут рядом со мной жена его находится, ее зовут Татьяна, я передаю ей трубку. Ты обо всем с ней договорись.

Да, дело действительно необычное. Человек не арестован, находится на свободе, а уже сейчас ему требуется адвокат. Обычно все у нас в стране происходит наоборот — все живут по старой русской пословице: пока гром не грянет, мужик не перекрестится, то есть пока человека не арестуют, никто адвоката заранее не приглашает.

Конечно, есть исключения. Сейчас многие предприниматели, банкиры и уголовные авторитеты имеют своих штатных адвокатов, с которыми встречаются практически ежедневно, когда возникает та или иная опасная ситуация. Для этой категории людей такая необходимость становится все более очевидной. Адвокаты часто подстраховывают их, сидят у телефона как на круглосуточном дежурстве.

Те, кто нас приглашает, отчстливо понимают, что жизнь полна сюрпризов и неожиданностей. Сегодня ты можешь находиться в фаворе, быть очень богатым, а завтра — разоренным или обвиняемым в каком-либо преступлении. Поэтому и необходима такая подстраховка с адвокатской поддержкой.

Через минуту я услышал приятный женский голос.

— Алло, меня зовут Татьяна, — сказала женщина. — Вам будет удобно, если я прилечу через два-три дня? Тут нужно еще кое-какие дела доделать... Я вам тогда позвоню на мобильный телефон. Хорошо?

— Хорошо, договорились, — ответил я. — Как мы встретимся?

— Обо всем договоримся, когда я буду в Москве, — сказала Татьяна.

Ровно через три дня Татьяна позвонила мне. Мы договорились встретиться с ней в центре, напротив Госдумы, в одном из баров, примыкающих к гостинице «Москва». Когда я попросил ее описать себя, чтобы я мог ее узнать, она неожиданно перебила:

— Давайте лучше я вас буду искать.

— Хорошо, тогда я опишу себя, хотя это очень трудно сделать...

— Ничего, я вас узнаю.

Через некоторое время я уже сидел в условленном месте, ожидая Татьяну. Было около полудня. Народу в баре немного, поэтому вычислить Татьяну было несложно — женщин в баре почти не было, за исключением двух молодых девушек, сидевших за столиком, пивших кофе и увлеченно о чем-то разговаривающих.

Вскоре в бар вошла молодая женщина лет двадцати восьми, невысокого роста, с темными длинными волосами. Несмотря на то что было прохладно, она была без головного убора, в норковой шубе, достаточно симпатичная. Она подошла к столику, назвала меня по имени-отчеству. Я спросил ее в свою очередь:

— А вы — Татьяна?

— Да, — кивнула она головой.

Татьяна стала снимать с себя шубу. Я, выполняя роль кавалера, взял шубу и повесил ее на стоящую рядом вешалку.

— Что будем пить? — сказал я.

— В Москве очень холодно. Хорошо бы кофе...

— Каппучино, эспрессо? — спросил я.

— Давайте каппучино.

Мы заказали кофе.

— Прежде всего хочу, чтоб вы выслушали меня, — начала Татьяна, — потому что не знаю, что мне делать. Я знаю, о чем просить вас, что вы могли бы сделать, но хотелось бы, чтобы вы были в курсе всей нашей истории.

— Может быть, не надо подробностей? Может, лучше сразу о деле?

— Нет, нет, для меня это очень важно. Я хочу, чтобы вы знали, что мы не преступники.

— А с чего вы взяли, что я так думаю?

— Ваш коллега говорил, что вы имеете дело с наиболее отпетыми элементами... Уголовниками.

— Начнем с того, — сказал я, — что все они для меня подозреваемые, а еще лучше, как мы их называем, — клиенты. А преступниками их называет только суд, извините за банальность. Так что вы для меня не преступники.

— Нет, я не хочу, чтобы вы плохо думали о нас. Понимаете, мы люди из другого мира, мы не имеем к ним никакого отношения! Вернее, — Татьяна помолчала, — вернее, конечно, имели, но... Давайте лучше все с начала. У вас есть немного времени?

— Время есть.

Мне стало не по себе от сознания того, что сейчас Татьяна выложит какую-нибудь длинную историю — родились, женились и так далее... Но, как ни странно, Татьяна начала свой рассказ достаточно интересно, не упуская ни одной важной для дела детали.

— Мы познакомились с Антоном десять лет назад.

Антон — это и есть мой муж, у которого возникли проблемы. Тогда мы учились в финансовом институте. Антон был на факультете международных экономических отношений, там учились ребята, а я училась на другом факультете.

Познакомились, полюбили друг друга и поженились. Через два года закончили институт. Антон получил распределение в престижный банк, я, как его супруга, также пошла в этот банк, вернее, вскоре меня туда устроил Антон. Мы начали работать. Антон очень способный, и начальство это сразу оценило. Его стали постепенно выдвигать на руководящие должности. К тому же Антон очень легко сходился с людьми и располагал их к себе.

Антон проработал года два или три, я уж не помню, в этом банке и на одном из совещаний неожиданно встретил своего сокурсника, Семена Шебунина. Семен к тому времени был заместителем председателя одного из средних банков. Они оба очень обрадовались встрече. Потом Семен приезжал к нам в гости. Вскоре он предложил Антону перейти работать к нему в банк и сразу назначил его своим помощником, заместителем. Поскольку оплата была значительно выше, то Антон и я решили принять это предложение.

Банк находился в центре Москвы, недалеко от Арбата. Семен сдержал свое слово, и Антона сразу же посадили на работу с крупнейшими частными вкладчиками этого банка. В его обязанности входило отслеживать их кредитную историю, принимать у них платежи и осуществлять в соответствии с этим банковские приказы.

Антон был очень доволен работой у Семена.

Через некоторое время Семен пошел на повышение — его сделали председателем правления банка. И тогда Антон впервые встретился с Игорем Казаковым. Это был крупнейший клиент банка, осуществлявший там свои финансовые операции. Еженедельно он привозил крупные суммы денег, буквально мешки, и сдавал их в банк. Но, несмотря на то что такие поступления были еженедельными, Игорь брал у банка кредиты и всегда своевременно возвращал их.

Поэтому он был привилегированным клиентом.

Семен решил познакомить Игоря с Антоном и сделать так, чтобы Антон лично курировал его банковские дела. Надо сказать, что Игорь, хотя и бандит, — уточнила Татьяна, — в прошлом комсомольский работник. Он, как вы можете себе представить, внешне ничем не отличался от других. Они даже чем-то были похожи с Антоном. Мы тогда еще не знали, чем занимается Игорь.

Единственное, он говорил, что в прошлом был комсомольским работником, а сейчас — преуспевающий бизнесмен.

В общем, стали они работать напрямую. А однажды Игорь пригласил нас с Антоном в ресторан. Он выбрал самый дорогой и заказал изысканный ужин. Игорь был с девушкой, очень симпатичной, одетой очень дорого. Почти весь вечер она молчала. Игорь относился к ней как-то снисходительно, что ли... Тогда я почувствовала, что что-то в их отношениях не то. Тем не менее вечер проходил неплохо. Мужчины немного выпили, и Игорь предложил Антону быть по совместительству его финансовым консультантом.

Антон очень удивился: «Какой же я консультант, если вы мешками деньги возите в банк? Вы же умеете зарабатывать! В чем же мне вас консультировать? Как деньги правильно складывать?» — «Нет, — улыбнулся Игорь, — мне от вас нужны консультации по тем или иным финансовым проектам, участвовать в которых мне предлагают и в которые я могу вложить свои деньги. Я не разбираюсь в тонкостях финансовых дел. Поэтому мне и нужны ваши консультации.

Пробить что-то — это уже не ваши проблемы, это мы сами сделаем, а финансовые схемы — это для нас очень важно».

Тогда Антон и заметил, что Игорь употребляет слова «для нас», а не «для меня». Конечно, можно было представить, что человек, имеющий такие огромные деньги, работает не на себя, а еще на кого-то.

Тогда мы согласились. А в качестве поощрения Игорь сказал, что будет приплачивать Антону достаточно солидную сумму. Для нас это было очень кстати, так как мы собирались покупать квартиру. Машина к тому времени у нас была.

Все и началось с этого ужина... Время от времени Игорь привозил такие же мешки, а иногда вечерами они встречались с Антоном, и Игорь вычерчивал ему различные схемы, а мой супруг говорил: это не пройдет, это невозможно, тут будут сложности, а тут — большие проблемы с налогами... В общем, Антон консультировал Игоря.

А потом... Потом и началось самое страшное.

— Страшное? В чем?

— В том, что убили Семена.

— Что, ваш муж подозревается в этом? — сразу спросил я.

— Нет, нет, все по-другому... Вы знаете, за что убивают банкиров?

— Примерно догадываюсь. В основном за невозврат кредитов.

— Да, но бывает совсем наоборот. История была такая. Как-то Игорь приехал в банк без мешков и сказал, что ему нужен срочный кредит и он хочет поговорить с Семеном. Они вдвоем закрылись в кабинете и о чем-то долго говорили.

Семен, как потом выяснилось, дал Игорю кредиты, не оформив никаких документов. В принципе, его тоже можно было понять — ведь у Игоря лежали немалые суммы в этом банке, и он не мог просто так скрыться. И суммы на его счету превосходили сумму кредита, хотя и кредит был не маленьким — несколько миллионов долларов. Но то, что он не оформил документы, вероятно, и стало его смертным приговором.

После того как Игорь получил разрешение и деньги были выданы ему, произошло несчастье. Семена убили в подъезде собственного дома. Причем Семен, как и мы, недавно купил квартиру на Ломоносовском проспекте, трехкомнатную, оборудовал видеокамерами, всевозможными кодовыми замками, поставил две железные двери. Кроме того, он все время ездил на своем «шестисотом» «Мерседесе» с охраной.

— А как его убили? — поинтересовался я.

— Об этом писали и показывали по телевизору. Он выходил из подъезда, там недалеко стоял парень с цветами, будто ждал кого-то. Семен не обратил на него никакого внимания, закрыл дверь лифта, и вдруг парень отбросил цветы и выстрелил в него. А внизу его ждал еще один, для подстраховки. Они пять или шесть пуль влепили в Семена и исчезли...

По горячим следам их, естественно, не нашли. Как ни странно, после этого убийства Игорь больше в банке не появлялся. Потом приехала следственная группа из прокуратуры, проверки начались. Все это тянулось около двух месяцев. Моего мужа вызвали на допрос в районную прокуратуру по факту этого убийства. И там они встретились с Игорем. Игорь также шел как один из подозреваемых.

Вот тут, — Татьяна помолчала, — произошла кульминационная встреча. Следователь спрашивает Антона напрямую: «А как вы считаете, кому в последнее время ваш шеф, Антон Шебунин, мог дать кредиты?» И называет несколько фамилий, среди которых была и фамилия Игоря. Мой муж сказал: «Я при этом не присутствовал и не могу знать, кому он что выдал». Конечно, мы догадывались, что кредит получил именно Игорь, но Игорь сказал, что никакого кредита не получал, что у него есть возможность получать кредит в другом месте.

К тому же у него есть большие вклады в нашем же банке, и ему кредиты не нужны. Антон подтвердил тогда, что так оно и есть. Видимо, следователя это вполне устроило. Так все и закончилось.

Через некоторое время Игорь появился в банке. Он был очень доволен и пригласил Антона со мной в ресторан. Я не помню, о чем он говорил, но мне было очень неприятно — я чувствовала, что вина за убийство Семена лежит на Игоре.

Я всю ночь говорила об этом со своим мужем. Но Антон убеждал меня: «Мы ведь тоже не все знаем... Ведь может быть совпадение! Может, он действительно не брал кредиты! А если и взял, то, может, и не он заказал убийство... Я не очень верю в это. В конце концов, Игорь в прошлом — комсомольский работник, не мог он пойти на убийство!»

Дела в банке пошли плохо. Игорь стал постепенно сворачивать свои капиталы и переводить их в другой банк. А затем он вдруг исчез, предварительно сняв все деньги со счета. Банк постепенно стал затухать, резко сократились доходы, премии. Мой муж понял, что оставаться в этом банке не имеет смысла. Но найти работу без рекомендации было очень сложно.

Тогда он предпринял попытку найти Игоря и обратиться к нему с просьбой помочь с поисками работы. Не помню, каким образом он отыскал Игоря, но они договорились о встрече. Антон подробно рассказывал мне о ней. Встретились они в одном из ресторанов. Игорь очень обрадовался. Они долго разговаривали с Антоном, и когда Антон сказал, что собирается уходить из банка, и изложил ему свою просьбу помочь с устройством его на работу, Игорь внимательно посмотрел на него. «Есть возможность устроиться на работу, — сказал он. — Тем более я тебе обязан, в какой-то мере...» — «Ты обязан мне?» — удивленно переспросил Антон. «Да, помнишь, ты же не сдал меня следаку, не сказал, что я брал кредиты? Значит, тебе можно верить. Знаешь, что я хочу тебе сказать? Мы создаем свой банк. Вернее, не создаем, а вливаем свои капиталы в один из банков, но будем являться его учредителями, и нам нужен свой смотрящий». — «Смотрящий?» — переспросил Антон. «Ну, не смотрящий, а наблюдатель, наш человек. Как ты посмотришь на такое предложение, если мы направим тебя в этот банк наблюдателем в ранге заместителя председателя правления, и ты будешь фактически заниматься контролем и проворачиванием наших финансовых дел?»

Потом они еще несколько раз встречались, вычерчивали различные схемы возможной работы, сотрудничества и так далее. Антону все это очень понравилось, и вскоре он уволился с прежней работы и перешел в новый банк.

Это был банк среднего класса, но он входил, по-моему, в тридцатку лучших. Находился он в центре, имел достаточно солидные апартаменты. Все там было с евроремонтом, отделано мрамором, стояла дорогая импортная мебель. Моему супругу полагалась служебная машина и охрана.

И оклад был солидный. Кроме оклада, была хорошая премия и процент от сделок. Вскоре мы купили себе новую квартиру, сделали хороший ремонт, приобрели новые машины. Антон купил себе джип, мне легковую иномарку. Мы стали часто ездить за границу. Вот тут я хотела бы уточнить. У них были с Игорем очень специфические отношения...

— В чем это выражалось?

— В основном их финансовые отношения складывались следующим образом. У Игоря постоянно были наличные деньги, и он мог позвонить Антону и сказать: сегодня приедет человек, заберет пятьсот тысяч или миллион долларов налом, приготовь сумму. Приезжал человек, обычно с типичной бандитской внешностью...

— И из этого вы сделали вывод, что Игорь бандит?

— Нет, это выяснилось позже. В конце концов, мы понимали, что для таких дел могли быть наняты специальные люди.

Это не показатель. В общем, в течение недели Игорь то привозил пятьсот тысяч, то забирал миллион или два миллиона... Постоянно ездили курьеры, привозили и увозили мешки с налом. А Антон выдавал из резерва. А потом, в конце недели, в пятницу или в субботу, они обязательно встречались и полдня сидели за расчетами, проверяя все, сравнивая со своими бумагами. В последнее время Игорь стал приезжать со своим бухгалтером, который, видимо, вел всю эту переписку.

— Почему? Он что, не доверял Антону?

— Нет. Как раз наоборот, он ему доверял. Просто, вероятно, такие перемещения были не только через банк Антона, но и через какие-то другие структуры. Вот для того, чтобы как-то отслеживать свою кредитную историю в течение недели, Игорь и брал бухгалтера, который фиксировал все в бухгалтерских документах.

— Я не пойму, с чего вы решили, что Игорь — бандит? Пока я никаких признаков не вижу.

— Это все не сразу обнаружилось... Первое прозрение наступило на дне рождения Игоря. Он пригласил нас. Антон уже работал в его банке. День рождения отмечался на очень престижном судне, которое постоянно пришвартовано недалеко от пятизвездочной гостиницы на Москве-реке. Там было человек двести или триста, очень много. Все они приехали на шикарных машинах. Сначала мы думали, что это «крыша» Игоря... Все настолько переплелось, что и бизнес, и «крыша» все время рядом. А потом смотрим — Игорь всем указания дает, они их выполняют, причем выполняют так, что сразу ясно, что дисциплина соблюдается очень строго. Потом видим — стали появляться бизнесмены, которых мы посчитали его партнерами.

Оказывается — нет, это были подшефные бизнесмены, те, кому Игорь делает «крышу». Иными словами, потом Антон стал говорить с Игорем, и тот признался ему, что начинал с откровенного рэкета, чисто бандитских наездов, а потом, когда скопил большие деньги, стал пускать их в оборот.

Но поскольку у него была своя собственная группировка, она эти деньги и охраняла. Охраняла и никому не доверяла. Конечно, он не вел активную преступную деятельность, как многие другие беспредельщики, но деньги добывал тоже преступным путем.

Затем наступил 1995 год. Уже два года действовала

система ГКО. Вначале Антон не относился к этому серьезно, но затем через своих коллег стал узнавать, что это достаточно выгодное дело: помещаешь на какое-то время свои деньги, а потом получаешь их с большими процентами. И многие стали заниматься этими ГКО. Антон прекрасно понимал, что это обыкновенная пирамида, что рано или поздно она рухнет.

Но соблазн заработать большие деньги был все же очень велик. Примерно около года Антон колебался. Надо сказать, что я в эти дела не вмешивалась. Антон сам начинал по вечерам разговор на эту тему: «Как ты считаешь, стоит ли мне убедить их заняться ГКО?» И сам начинал рассуждать, но в конце концов приходил к выводу, что все же не стоит.

Но потом что-то произошло с ним, я даже не могу объяснить, отчего и он вдруг решился. И самое интересное, что это началось именно в 1998 году, за полгода до этих печальных событий.

Тогда он и пошел к Игорю на разговор. А разговор у них был серьезный. Игорь сначала — ни в какую: не верю я государству, в азартные игры с ним не играю. Но Антон убеждал его: «Посмотри, сколько примеров, сколько известных банков, например, банки из первой пятерки, у них и свои люди в государстве есть, чиновники информируют их обо всех событиях. Я сейчас завязал хорошие отношения с владельцем одного из таких банков. Он всегда меня предупредит».

Тогда Игорь сказал: «Антон, а ты понимаешь, что может случиться, если мы проиграем?» Антон помолчал. Игорь продолжал: «Это не мои деньги, а общаковские». Тогда мы точно поняли, с кем имеем дело. «Поэтому мы не должны проиграть! Но если ты считаешь, что это нужно и в самом деле безопасно, я переговорю с ребятами. Если они одобрят, мы так и сделаем».

Теперь уж Антон был сам не рад своей идее. Однако через два дня Игорь привез ему положительный ответ. Вскоре все деньги, находившиеся в резерве, были вложены в ГКО. Антон сам долго занимался этим через свои источники. Потом был первый платеж. Он был очень удачным и принес большую прибыль.

Потом снова была закупка, а потом... Потом наступило 17 августа. Я этот день буду помнить всю жизнь! — Татьяна сделала паузу, а через минуту продолжила: — Тогда я была на даче, Антон позвонил мне на мобильный около половины первого дня и сказал, чтобы я никуда не выходила из дома и ждала его приезда. Я была очень удивлена: «Что случилось?» — «Расскажу при встрече», — сказал он и неожиданно спросил: «А документы у тебя с собой?» — «Да нет, все в Москве осталось», — ответила я. Вскоре Антон приехал. Он был какой-то взъерошенный. «Что случилось?» — спросила я. «Все, конец! — сказал он. — Нам надо срочно уезжать из страны!»

Тогда я и узнала о крахе ГКО.

«Меня уже ищут. Я уехал, а мне звонили, что меня разыскивают в банке... Где твой паспорт?» — «Он в квартире». — «Черт возьми! — махнул раздраженно рукой Антон. — Наверняка они знают наш адрес. Как же быть? Как же твои документы забрать?» Он даже закричал на меня: «Сколько раз я тебе говорил, что у меня такая профессия, нужно постоянно иметь с собой документы!»

— И вот что я придумала. Была у меня хорошая подруга, она жила недалеко. Я позвонила ей и договорилась встретиться. Мы подъехали, я передала ей ключи и все объяснила, где что лежит, попросила принести документы. А сама сижу и жду. Подруга пошла. Ее долго не было, наверное, часа два.

Наконец она возвратилась. Надо сказать, что я ее заранее проинструктировала. И оказалась права. Ее задержали в подъезде незнакомые ребята, стали спрашивать, куда она идет, не знает ли, где Антон, где я, почему мы прячемся. На пейджер Антона постоянно шли сообщения: «Антон, срочно перезвони Игорю!», потом — Роману, потом — Вадиму... Антон не выдержал — нервы были на пределе — и выбросил пейджер.

Вскоре мои документы были у меня в руках. Теперь

нужно было срочно уезжать из страны. Я спрашиваю у Антона: «Разве то, что мы где-нибудь спрячемся, что-то даст? Они ведь все равно нас найдут!» — «Не найдут, — сказал Антон, — а если и найдут, то не сразу. Ничего, мы все успеем сделать».

Потом мы стали думать, как выбираться из Москвы. В Шереметьево ехать было бесполезно — наверняка нас там уже ждали. Я снова обратилась к Антону: «Давай поговорим нормально, спокойно. В конце концов, объясни им, что ты ни в чем не виноват, что само государство создало эти ГКО, само же их и угробило. Ты-то здесь при чем?» — «Неужели ты не понимаешь, — раздраженно ответил мне Антон, — ведь это я им посоветовал, я втянул их в эту игру! В любом случае с ними разговор очень короткий. Может быть, не больше одной минуты... Что им моя жизнь? Да ничего!» Я ему верила полностью. Не буду утомлять вас рассказом о том, как мы покидали Россию, скажу одно — выехали мы на Кипр через Ленинград. До Ленинграда доехали на машине.

— А почему на Кипр? — спросил я.

— Кипр — это первая страна, которая пришла на ум. Во-первых, безвизовый въезд, во-вторых, надо было побыстрее спрятаться.

Потом уже мы оказались в Испании. Стали жить там, прожили три месяца. А потом я узнала самое главное — что Антона начали искать, причем искать стали правоохранительные органы. Его стали обвинять в том, что он похитил из банка крупную сумму денег, чуть ли не тридцать миллионов долларов. Это совершенно невозможно! Он даже доступа к деньгам не имел! В общем, я хотела бы просить вас, не могли бы вы узнать, существует ли уголовное дело по факту хищения этой суммы денег.

— Но как я могу это сделать? — спросил ее я. — Я что, приду, скажу — я адвокат такого-то, скажите, мой клиент вас интересует или нет? Вы собираетесь разыскивать его, обвиняете в чем-либо? Мне никогда не дадут такой информации! Это бесполезно.

— Но ведь существуют какие-то приемы... У вас же есть знакомые!

— А у вас есть знакомые в банке, которые могли бы дать информацию об этом?

— Есть.

— Может, попробуем действовать через них?

— Но я не хотела бы прибегать к их услугам, потому что я допускаю, что может произойти утечка информации и Игорь со своими сообщниками могут узнать, что я приехала. А так пока, кроме вас, никто не знает, что я в Москве.

— Да, конечно, в этом есть резон, — кивнул я, соглашаясь. — Но даже если я приеду в банк, даже если смогу через своих знакомых найти человека, который сможет мне что-нибудь сообщить, то где гарантия, что он, во-первых, в самом деле будет знать и сообщит мне именно то, что является достоверным?

— Хорошо, а если действовать через правоохранительные органы?

— Через какие?

— Ну те, которые могут вести эти дела.

— А вы знаете, кто из органов может вести такие дела? — задал я встречный вопрос. — Предположим, я прихожу в следственный отдел района, где находится ваш банк. Они говорят, положим, честно — мы не в курсе. А это дело может вести городское Управление по экономическим преступлениям, или, например, скажем, какая-то иная спецслужба, или органы прокуратуры. Это вычислить практически невозможно. И самое главное — следователи могут об этом не знать. Это дело может находиться на стадии оперативной разработки.

— А что это такое? — спросила Татьяна.

— Это когда действуют только сыщики, оперативники. Они собирают первоначальный материал, а уже потом, на основании этого материала, делаются выводы — возбуждать дело или не возбуждать.

— Ну что же, получается, что я зря приехала? — спросила Татьяна. — Только для того, чтобы рассказать вам эту историю? И выслушать от вас слова сочувствия, получить совет, что надо себя беречь и поскорее уезжать обратно?

— Нет, — я покачал головой, — конечно, так думать не стоит. Погодите, есть у меня человек, который сможет вам помочь. Тем более по долгу службы.

Татьяна удивленно посмотрела на меня.

— А он надежный?

— Да, это его работа, — повторил я.

— А что это за человек?

— Это бывший оперативный работник. Когда-то он работал в одной из правоохранительных организаций Москвы. Сейчас, выйдя в отставку, занимается частной охранной деятельностью, точнее, работает в фирме по предоставлению охранных услуг. Вот он, насколько мне известно, — а встречался я с ним не так давно, — как раз работает как частный детектив, занимаясь сбором информации. Вот если вам договориться с ним, то есть официально заключить соглашение через охранную фирму, то это вполне возможно.

— Понимаете, — сказала Татьяна, — я бы не хотела светиться на фирме. Лучше всего — поговорить с ним лично.

— Но он же не частное лицо, — уточнил я. — И поэтому все отношения с вами он должен поддерживать только на основании официального договора. Впрочем, будет резонно, если я сам с ним договорюсь, как это лучше сделать и оформить.

Так мы и решили.

На следующий день я стал искать телефон Николая Осипова. Он в прошлом был оперативником одного из подразделений ГУВД, работающих по линии раскрытия экономических преступлений. С Николаем мне довелось сталкиваться два раза по уголовным делам.

Надо сказать, что эти встречи тогда были не из приятных. Подразделение, где работал Николай, очень рьяно бралось за выполнение любого задания. Его сотрудники практически в каждом подозреваемом видели преступника. Поэтому их первоначальное отношение к моему клиенту было враждебным.

Они «копали» все подряд под него, причем безо всякой халтуры, досконально, въедливо собирали материал, подчас никакого отношения к делу не имеющий. Откуда-то они доставали подробности его личной жизни, которые люди тщательно скрывали.

Потом, когда вступали в борьбу мы, их оппоненты, и оказывали им всяческое сопротивление, отстаивая честь и интересы своих клиентов, начиналось настоящее сражение. Конечно, в переносном смысле. Есть такие люди, которые на самом деле преданы своей профессии и любят ее, переживают за нее.

Поэтому, конечно, они стараются поддерживать честь мундира до конца. Вот и на наши выпады они старались отвечать наступлением. Так и происходили эти схватки.

Но потом произошло неожиданное — начальника Николая сняли с работы. Какие-то интриги возникли где-то «наверху».

И новый начальник, как ни странно, приказал немного изменить тактику, в том числе и по ведению нашего дела. А связано это было с одним фигурантом — уж больно крупная государственная структура была завязана, и лица, работающие в ней, в свое время обвинялись в крупном хищении.

Тогда многие сотрудники ушли в знак протеста против несправедливых действий начальника. Тогда нам удалось выиграть дела. А Николай с коллегами вынуждены были уйти в отставку.

А через некоторое время мы с ним случайно встретились. По-моему, это было на каком-то совещании. Встречи адвоката с бывшим оперативником могут проходить по-разному.

Чаще всего коллеги Николая делают вид, что никогда тебя не видели, или, в лучшем случае, холодно здорованы, не больше. Но тут произошло обратное. Николай первым узнал меня, подошел, протянул руку и стал расспрашивать, как у меня дела.

Я не ожидал такого поворота. Ведь еще недавно мы были противниками, еще недавно мы желали друг другу «хорошего» завершения дела. А тут неожиданный переход. Не знаю, может быть, люди чувствуют, что кончились профессиональные проблемы, остаются только человеческие отношения.

Мы с ним разговорились. Вскоре я узнал, что Николай работает в частном охранном агентстве, руководителем которого является его бывший начальник. И он сразу сказал мне:

— Мы знаем ваши методы работы. Возьмите мою визитную карточку, может быть, мы вам пригодимся, так как нам приходится заниматься самыми разнообразными формами работы.

Мне всегда импонировало, когда адвокаты, особенно в американских фильмах, работают с частными детективами. Столько вопросов снимается для адвоката!

Но у нас пока такие явления очень редки, так как адвокат не участвует в сборе собственных доказательств, а может только заниматься их оценкой, да и то на стадии судебного заседания. Это, на мой взгляд, является ущемлением адвокатской стороны на следствии.

Но, к сожалению, я не нашел его визитной карточки, хотя почти весь вечер просматривал свои записные книжки. Мне было очень обидно, тем более что поздно вечером позвонила Татьяна и спросила, нашел ли я телефон.

— Не волнуйтесь, Татьяна, — ответил я, — я обязательно его найду!

Мне ничего не оставалось делать, как узнавать фамилии руководителей всех охранных фирм Москвы. Вскоре я нашел нужную фирму, набрал номер телефона и попросил пригласить Николая Осипова.

— А кто его спрашивает? — поинтересовался мой собеседник.

«Сыщики всегда сыщики, никогда не меняются», — подумал я.

— Клиент его спрашивает, — ответил я.

— А клиент фамилию имеет?

— Имеет, но назвать ее вам не может.

— Понял вас.

— Так вы позовете Николая или нет?

— А его сейчас нет.

— Тогда пусть он мне сам перезвонит. Запишите номер.

Я продиктовал номер своего телефона.

— Так какая же фамилия? — снова спросил мой собеседник.

— Я лучше имя и отчество скажу.

— Хорошо.

Минут через тридцать раздался телефонный звонок, и мужской голос назвал меня по имени-отчеству.

— Да, слушаю вас, — ответил я, уже забыв, что мне должен позвонить Николай.

— Вы просили меня позвонить вам.

— Я просил? А кто вы?

— А вы кто?

Тут я наконец сообразил, кто звонит.

— Николай, это вы?

Тут и он узнал меня, назвав по фамилии.

— Что случилось?

— Мне нужно с вами встретиться. Есть работа.

— Интересная? — спросил Николай.

— Да. Только такой нюанс — мой доверитель, с кем я имею дело, она не хотела бы светиться в вашей конторе. Дело очень деликатное. В то же время я знаю...

— Никаких проблем, — перебил Николай. — Сделаем вот как. Давайте встретимся в кафе. Я поговорю с ней. Бланки договора возьму с собой. А печать, если ей надо...

— Нет, ей печать не нужна, ей нужен только результат.

— Прекрасно! Когда мы встречаемся?

— Давайте прямо сегодня, если вы можете...

— Да, могу.

Мы договорились встретиться в одном из небольших кафе в центре Москвы. Я позвонил Татьяне и сказал ей о встрече. Она очень обрадовалась.

— Как вы думаете, он нам поможет? — спросила она.

— Я думаю, что помочь он может и постарается это сделать.

Через некоторое время мы сидели в кафе. Я познакомил Николая с Татьяной. Она снова стала излагать суть своего дела. Николай внимательно слушал, время от времени делая пометки в небольшом блокноте. Затем стал уточнять детали.

— Во-первых, скажите мне отчество Игоря Казакова.

— Я его отчества не знаю.

— А где живет, тоже не знаете?

— Постойте, кажется, я знаю, что часто он приезжал оттуда-то...

— Хорошо, это мы сами узнаем, — сказал Николай. — А фотографии его у вас нет?

— Есть. Я специально привезла, на всякий случай. Они с мужем фотографировались.

— Покажите мне.

Татьяна протянула ему фото.

— Теперь скажите мне, где живете вы.

— А зачем вам это?

— Знать, где вас искать, узнать, ждут ли вас проблемы по тому адресу. Давайте адрес!

Татьяна продиктовала адрес. Затем Николай задал еще несколько вопросов — о банке, о правлении, когда все это происходило, и другие.

— Что я вам скажу... Примерно это будет стоить... — И он назвал сумму.

Татьяна кивнула головой.

— Но я не знаю, какой будет объем внутренней работы, — добавил Николай. — Минимальный срок исполнения — неделя.

— Так долго? — удивилась Татьяна.

— А вы хотите, чтобы я узнал все за один день? Это нереально.

— И что дальше? — спросила Татьяна.

— В течение недели, в зависимости от объема работы, я скажу окончательную цену услуг. Устроит вас такое решение?

— Конечно, если будет результат.

— А какой должен быть результат?

— Знать, возбуждено против моего мужа уголовное дело или нет.

— А почему вы так интересуетесь этим вопросом? — спросил Николай. — Не проще ли затеряться за границей, если вы все равно там сейчас живете?

— Дело в том, что если возбуждено дело — вы, как сыщик, должны это знать, — то моего мужа могут через Интерпол достаточно быстро найти в любой стране. А если дела нет, тогда у нас есть шанс спрятаться от бандитов.

— Да, вы правы, это так. А как мне с вами связываться?

— Запишите мой мобильный телефон, — сказала Татьяна. Они обменялись номерами мобильников. На этом встреча закончилась.

Прошла неделя, потом еще два дня. Но никаких звонков от Николая не было. Наконец я сам позвонил Татьяне.

— Как дела?

— Все прояснилось, — ответила она.

— Давайте встретимся, — предложил я.

Через час мы уже сидели в баре. Татьяна сияла.

— Все благополучно, никакого дела нет. Николай все проверил! — сказала она и протянула мне заклеенный конверт.

— Погодите, какая может быть благодарность? Я ничего не сделал. Я только выслушал вас и свел с нужным человеком!

— Нет, от вас очень многое зависело. Без вас я никогда бы не довела все до конца!

— Расскажите мне все подробно, — попросил я ее. — Что он сделал? Как ему удалось выяснить, что никакого дела нет?

— Он задействовал свои связи, потом побывал в банке... Он много узнал. И самое главное — что именно Игорь Казаков, по кличке Казак, ищет меня и моего мужа. Ищут они нас за границей, но ожидают и нашего приезда в Москву. Почему — непонятно. Может быть, наши звонки, когда мы звонили в банк знакомым, навели его на мысль, что мы вскоре можем появиться в Москве.

— Таня, вам нужно быть очень осторожной! — предупредил я. — Они могут вас найти!

— Я знаю. И через пару дней уезжаю, — сказала она. — Так что думаю, что мы сумеем справиться с ними. Главное, чтобы государство нас не искало. Ведь на самом деле мы ничего ему не сделали.

— Это ясно, — сказал я.

Вскоре мы простились с ней.

Прошло несколько дней. Неожиданно на мой телефон раздался звонок. Я услышал в трубке незнакомый мужской голос.

— Это Антон, — сказал мужчина.

— Какой Антон? — спросил я.

— Антон, муж Татьяны.

— Добрый день. Вы в курсе, что у вас все нормально?

— Что же тут нормального? — почти закричал в трубку Антон. — У меня жена пропала!

— Как пропала?

— Очень просто. Она не вернулась. Когда вы с ней виделись последний раз?

— Пару дней назад.

— Я звоню ей по мобильному, телефон не отвечает. На квартире, где она жила, ведь она сняла квартиру специально, чтобы не светиться в гостинице, и там телефон не отвечает. Я прошу вас, запишите адрес квартиры, пожалуйста, съездите, узнайте, что там и как!

— Давайте, — согласился я, быстро записав адрес в блокнот.

— Вечером позвоните мне.

— Я поеду прямо сейчас, и часа через три уже буду иметь какие-то сведения, — сказал ему я.

Что же случилось с Татьяной? Почему она пропала? Вдруг с ней что-то произошло? Или ей плохо, может, она в квартире? Одному мне ехать не хотелось. Тогда я позвонил Николаю.

— Николай, вы в курсе, что пропала Татьяна? — спросил я.

— Как пропала? — сказал Николай. — Откуда вы знаете?

— Только что мне звонил ее муж, Антон, и сказал об этом. Она не вернулась в страну. А должна была прилететь еще вчера.

— И что вы думаете?

— Николай, у вас время есть?

— Да, есть.

— У меня есть адрес квартиры, которую она снимала. Давайте съездим туда.

Через некоторое время мы встретились с ним. Вместе подъехали к нужному дому. Он находился в центре, недалеко от Зубовской площади. Дом был постройки сталинских времен.

Мы осторожно поднялись на этаж и подошли к двери квартиры, где должна была проживать Татьяна. Николай поднес палец к губам, показав, чтобы я молчал, а сам осторожно подошел к двери и прислонил к ней ухо.

Некоторое время он вслушивался, затем, отойдя немного, достал из-за пазухи небольшой приборчик, нечто среднее между слуховым аппаратом врача и каким-то техническим прибором. Он надел специальные наушники и поднес прибор к двери, прикрепил его к замку и стал слушать.

Он слушал минуты две или три. Наконец положил

прибор в карман и показал рукой, что нужно спуститься вниз.

Мы спустились на несколько этажей.

— Ну что, как там? — спросил я.

— В квартире кто-то есть, — сказал он.

— Откуда вы знаете?

— Дыхание улавливается. Давайте определим, куда окна выходят, в какую сторону.

Мы вышли во двор. Николай посмотрел вверх и показал мне рукой:

— Вот нужные окна.

Потом мы вернулись к машине. Николай достал из багажника чемоданчик. Там находился другой прибор, напоминающий пистолет с массивным наконечником.

Видимо, это был какой-то радиоперехватчик. Он направил этот прибор в сторону окна, снова вставил в уши наушники и опять несколько минут слушал.

— Ну что, все ясно, — сказал он. — Около окна находится какая-то женщина, которая время от времени всхлипывает. Судя по всему, она привязана или пристегнута наручниками к батарее. Больше в квартире никого нет.

— А как вы это определили? — поинтересовался я.

— Это не я, это техника определяет, — улыбнулся Николай. — Но и техника может ошибаться. Что будем делать?

— Может быть, лучше вызвать милицию или РУОП? — предложил я.

Николай пожал плечами.

— А вдруг это не то? А вдруг она решила просто отдохнуть от мужа? Откуда мы знаем?

— Так что мы будем делать?

— Попробуем позвонить.

Мы поднялись к двери. Николай встал к двери и стал звонить. Я остался немного ниже, подстраховывая его. На звонки никто не отвечал. Затем Николай стал говорить:

— Татьяна, это Николай. О вас беспокоится ваш

супруг, Антон. Если вы в квартире, подайте мне знак! — И тут же снова приставил к двери свой прибор. Потом сложил пальцы вместе, показав мне, что все в порядке, знак получен. И спустился ко мне.

— Что будем делать? — спросил я.

— Она точно там привязана, — ответил Николай. — Постучала каким-то предметом по батарее.

— Будем вызывать милицию?

— Нет, не имеет смысла, — проговорил Николай. — Думаю, мы сами сможем попасть в квартиру.

Он снова спустился к машине и достал спортивную сумку. Мы стали подниматься пешком наверх.

— Почему не на лифте?

— Так надо, — ответил Николай, по пути перебирая какие-то металлические пластинки, лежащие в сумке.

— Что это? — поинтересовался я.

— А еще адвокат! — усмехнулся Николай. — Обыкновенные отмычки. Профессиональные отмычки. Контора ими пользуется. И мы иногда тоже, — добавил он.

— А откуда у вас столько оборудования?

— На все это есть разрешение. Мы же охранная фирма.

Мы быстро открыли замок. Осторожно вошли в квартиру. Квартира, которую снимала Татьяна, была однокомнатной. Коридор вел в комнату. Мебели было немного. Под окном стояла батарея, и там сидела Татьяна, пристегнутая наручниками.

Около нее стояла миска с водой и какая-то кастрюля, напоминающая горшок. Рот Татьяны был заклеен широким пластырем. Глаза ее были полны слез.

Мы быстро подошли к ней. Николай достал набор своих отмычек и почти моментально расстегнул наручники. Затем снял пластырь со рта Татьяны. Она бросилась обнимать нас.

— Боже мой, вы мне жизнь спасли! — приговаривала она, плача.

— Так, что теперь делать будем? Может, органы вызовем? — спросил Николай.

— Нет, никаких органов не надо! Этот мерзавец отнял у меня все документы! Все взял! Как я теперь уеду? — стала метаться по комнате Татьяна.

— А когда он должен вернуться?

— А кто его знает... Каждый раз по-разному. Приезжает на полчаса, на час, не больше. Привезет немного еды...

— Рассказывайте по порядку, как все случилось, — сказал я.

— Погодите, — сказала Татьяна. — Нам нужно срочно уехать отсюда. Но сначала я должна попытаться найти свои документы.

Она стала заглядывать в ящики, шарить по книжным полкам, просматривать все места, где могли быть спрятаны ее документы. Наконец она закричала:

— Есть! Нашла! — И вытащила из-под стола свои паспорта и билет. — Слава Богу, теперь скорее уходим отсюда!

— Может быть, еще что-то возьмете?

Мы вышли из квартиры.

— А теперь надо быстро делать ноги. — Николай взглянул на часы.

— Пусть думает, что я сбежала и уехала! — сказала Татьяна.

Мы сели в машину. Когда мы тронулись с места, я вновь спросил:

— Ну, теперь, может, расскажете, как все случилось?

— Я не знаю. То ли утечка информации, когда вы проверять стали, но каким-то образом они заподозрили, что я нахожусь в Москве, и стали следить за мной. Я никакой слежки не замечала.

Но однажды я подъехала к нашей квартире, хотела было подняться, забрать кое-что, но, так и не решившись это сделать, поехала обратно, сюда. Когда уже подъезжала, ничего подозрительного не заметила. А вечером, часов в восемь, неожиданно дверь открывается и входит Игорь, а с ним еще два парня. Они тут же пристегнули меня наручником к батарее. Игорь ругался, угрожал, сказал, чтоб я немедленно сообщила, где находится Антон. Они накидывали мне на голову полиэтиленовый пакет, душили удавкой, но я ничего не сказала. После этого они дали мне сутки на раздумье.

Татьяна закурила и продолжила:

— То есть сегодня вечером срок заканчивается. Игорь сказал, что, если ему не удастся достать моего мужа, он убьет меня. И добавил, что такое они не прощают. Как вы понимаете, я была в жутком состоянии. Не столько испугалась за себя, сколько за Антона.

— Но вы же были в таком состоянии...

— Вначале было страшно. Они меня не били. А то, что они могли меня убить... Но я же ничего не могла изменить. И кричать не могла — они заклеили мне рот. К тому же никто бы не обратил внимания на какие-то звуки из квартиры... И пристегнули они меня хитро — так, чтобы я не могла выглянуть в окно. А снять наручник сама я не смогла. Я все перепробовала, но... Слава Богу, вы появились... А как вы узнали, что я там? — спохватилась Татьяна.

— Мне позвонил Антон, — ответил я.

— Антон? Как он?

— Очень волнуется.

— Дайте мне ваш телефон! — попросила Татьяна. — Я позвоню ему.

Через две минуты она уже разговаривала с Антоном, пытаясь рассказать ему о своих приключениях. Я слышал, как Антон кричал в трубку:

— Немедленно возвращайся!

— Погоди, мне нужно кое-что решить. Я практически все довела до конца. Все расскажу при встрече.

Затем, положив трубку, Татьяна обратилась к нам.

— У меня есть еще просьба к вам. Но есть одна особенность — мне нужно поговорить с каждым из вас отдельно.

Мы с Николаем удивленно переглянулись: мы её спасли, какие тут секреты друг от друга!

— Сначала с вами, — обратилась она ко мне, — а потом с Николаем. Так нужно, вы потом все поймете!

— Хорошо, — сказал Николай, — мы не возражаем.

Я вышел из машины, Татьяна за мной.

— Вы знаете, Николай сделал очень много. Я узнала, что никакого розыска по линии государства нет, что нас ищут бандиты. Да и то они толком не знают, где находится Антон и какой он из себя. Его знает только один Игорь. Понимаете, к чему я клоню?

— Нет, не понимаю.

— Вы же вели много заказных убийств, вы же знаете киллеров...

— И что?

— Как мне найти киллера? Помогите мне!

— Да вы что! За кого вы меня принимаете? Вы что, считаете, что у меня есть банк данных на киллеров? — возмутился я.

— У меня нет другого выхода, — сказала Татьяна. — Если этого не сделаю я, он сам убьет нас. Он не оставит в покое. Вы не знаете этого человека!

— А не проще ли обратиться в правоохранительные органы, чтобы они взяли его за то же похищение?

— Какое похищение? Я сняла эту квартиру. Он что, меня в собственной квартире похитил? Так разве бывает?

Я задумался. Действительно, картина складывалась довольно странная.

— Но он же лишил вас свободы! Пристегнул наручником к батарее!

— Надо еще доказать, что это сделал именно он, да и был ли он там вообще... — сказала Татьяна. — От силы хулиганство. Я не верю, что его посадят.

— Хорошо. А если вам вернуться, пристегнуться наручниками, а мы вызовем РУОП? Его примут...

— А тут я могу быть убитой, — сказала Татьяна.

— Пожалуй, вы правы... Но я на самом деле не могу вам ничем помочь.

— Ладно, придется отказаться от этой мысли, —

сказала Татьяна. — Я еще поговорю о технических вопросах с Николаем. Вы не возражаете?

Теперь я остался на месте, а Татьяна пошла к машине. Разговаривали они с Николаем минут десять. Наконец она вышла и сказала:

— Я должна проститься с вами и поблагодарить вас за все, что вы для меня сделали. В ближайшее время мы постараемся прислать вам из-за границы деньги. Николай довезет меня до нужного места. А вскоре я покину Россию. Забудьте о нашем разговоре.

— А я уже забыл, — улыбнулся я. — Успехов вам! Может, помощь нужна?

— Нет, нет, Николай все сделает. Мы с ним договорились.

Она пожала мне руку. Из машины вышел Николай и обратился ко мне на «ты»:

— Ну что, старик, давай прощаться. Все будет нормально. Я обеспечу ей полную безопасность, не волнуйся.

— Послушай, Николай, может быть, все же стоит в органы заявить?

— Да нет, это бесполезно!

— Так что же вы будете делать? — Вопрос мой был предназначен Татьяне.

— Спокойно покинем пределы России, и все. Я ее подстрахую. — За нее ответил Николай.

«Неужели они договорились о киллере? — мелькнуло у меня в голове. — А может, она вообще с ним об этом не говорила и он не в курсе?»

Прошло несколько дней. Я думал, что Татьяна покинула Россию, представлял себе, как Игорь со своими «коллегами» врывается в квартиру, а там никого нет.

На четвертый день в отделе происшествий «Коммерсанта» читаю: в результате бандитской разборки у подъезда собственного дома убит криминальный авторитет Игорь Казаков, по кличке Казак, бывший комсомольский работник, лидер одной из преступных группировок Москвы, подозреваемый в организации ряда заказных убийств банкиров, а также в хищениях в особо крупных размерах.

Мне стало не по себе. Выходит, Татьяна все же сдержала свое слово? А почему она? Может, это кто-то другой? А может, другая Татьяна или другой Антон, который также был мертвой петлей связан с Игорем? Или же просто конкуренты? Не исключено, что с ним расправились его сообщники. Кто знает, будет ли вообще раскрыто убийство этого уголовного авторитета или нет?

Время покажет, думал я...

Дело о соучастии в убийстве, 1999 год

Настя Машкова сидела у следователя уже более получаса. Кабинет следователя прокуратуры представлял собой небольшое помещение, метров шестнадцать-восемнадцать, с белыми стенами, белыми жалюзи на окнах. Широкий подоконник был завален бумагами. В комнате стоял единственный стол и кресло. На столе — большой компьютер. Рядом — принтер, еще какой-то прибор, также относящийся к компьютеру. С правой стороны — стопа всевозможных бланков.

Следователь — молодой парень, лет двадцати пяти — двадцати семи, что-то быстро писал на листе бумаги.

Тридцать минут Настя сидела в кабинете, и за это время следователь не задал ей ни единого вопроса. Ей было не по себе. Она впервые попала в прокуратуру на допрос, да еще по такому страшному делу...

Наконец следователь закончил писать, отложил ручку и, взглянув на нее, сказал:

— Ну что, Машкова, надумала?

Настя пожала плечами.

— А что нужно было думать? — спросила она.

— Как? Будешь говорить? Будешь давать правдивые показания или нет? — ухмыльнулся следователь.

— У вас теперь есть на меня время?

— Да, теперь мы займемся тобой вплотную, — и следователь посмотрел на часы. Он молча подвинул клавиатуру компьютера ближе к себе и продолжил: — Сейчас я буду задавать тебе вопросы, а ты отвечай коротко и по делу. Затем будешь допрошена по существу дела.

— По какому существу дела?

— Тебе ли не знать, Машкова, по какому делу? По поводу убийства.

— Убийства? Кого? — переспросила Настя.

— Да что ты из себя дурочку строишь? — взорвался следователь. — Ты проходишь по делу в качестве свидетеля по убийству Алексея Семенова. Знаешь такого? Уголовный авторитет Семен.

— А кто же его убил? — с иронией спросила Настя.

— Твой супруг, Дмитрий Киселев, он же Кисель, он же Димон. Ладно, давай не будем бежать впереди паровоза, — проговорил следователь. — Отвечай на вопросы. Итак, начинаем. Фамилия, имя, отчество?

— Анастасия Михайловна Машкова.

— Год и место рождения?

— 23 года, город Тверь.

— Я сказал — год рождения, а не сколько тебе лет! — раздраженно произнес следователь.

Настя назвала год рождения.

— Род занятий?

— Работаю танцовщицей в ночном клубе «Огни Арбата».

Следователь переспросил:

— Кем, кем работаешь?

— Танцовщицей.

— Стриптизершей ты работаешь!

— У нас нет такой должности, — сказала Настя. — У нас все называются танцовщицами.

— Ладно, с тобой все ясно! Итак, рассказывай по порядку. Каким образом ты оказалась в Москве? Почему уехала из Твери? Как он раньше-то назывался? Калинин?

Настя кивнула головой.

— А вы все записывать будете?

— Нет, сначала я буду слушать. А затем — что сочту

нужным, то и запишу. Потом я ознакомлю тебя с твоими показаниями. Советую говорить правду, так как сейчас ты дашь подписку об ответственности за дачу ложных показаний. — И следователь придвинул Насте листок бумаги с текстом.

В конце Настя прочла: «Предупрежден об ответственности за дачу ложных показаний».

— Распишись, — сказал ей следователь.

Настя бегло просмотрела документ и расписалась.

— Теперь ты понимаешь, что если будешь говорить неправду, а мы тебя в этом уличим, то срок тебе обеспечен. Мало того, что ты проходишь пока как свидетель, я хочу тебе, Машкова, сказать, что ты практически соучастник этого убийства Семена, так что все будет зависеть только от тебя. Вернее, от твоих чистосердечных показаний. Давай, начинай!

Настя хотела уже начать рассказ, как неожиданно зазвонил телефон, стоящий на столе у следователя. Тот поднял трубку.

— Слушаю, — сказал он. — Так, понимаю... Доставили? Очень хорошо. А что теперь делать с ней? — Следователь посмотрел на Настю. — Понял, понял. Хорошо. А почему вы считаете, что сначала нужно допросить Киселева, а не Машкову?

На другом конце провода ему стали что-то объяснять. Следователь внимательно слушал.

— Понял, — наконец сказал он. — Хорошо, так и сделаем.

Он положил трубку. Настя посмотрела на него. Неужели Дмитрия арестовали? А может, это просто блеф? Дмитрий предупреждал ее, что менты могут и «понты кидать» — брать на пушку, обманывать. Сердце часто забилось...

— Ну что, Машкова, твоего супруга арестовали, — довольно сообщил следователь. — Только что, в Шереметьево-2. Он пытался покинуть пределы родины. Так что у нас сейчас произошли небольшие изменения. Мы сначала его допросим, а затем допросим тебя. А потом проведем очную ставку между вами, если, конечно, в этом будет необходимость. А может, ты и так всю правду скажешь. Так что мы теперь не зависим от твоих показаний, его песенка спета. У нас на него столько эпизодов, столько крови, что теперь... — Следователь махнул рукой. — Иди пока, отдыхай в коридоре! А сама в это время подумай о том, как правдиво и подробно рассказать все, что связано с твоими последними годами жизни в Москве.

Настя вышла в коридор и села на стул, стоящий рядом с кабинетом следователя. Мысли путались в голове. Неужели действительно Димку арестовали? А вдруг они обманывают и его не арестовали, а пытаются как-то расколоть ее? Тогда зачем они отложили допрос? Да, как все быстро закончилось...

Еще три года назад все было хорошо. Точнее, три года назад, подумала Настя, я еще жила в Твери.

Она стала вспоминать последние годы своей жизни...

Родилась она в Твери, в обычной семье. Отец был инженером на комбинате. Мать работала в депо. У Насти была младшая сестра Люба. Все было нормально. Настя училась в школе.

Там за ней ухаживал парень, Женя Смагин. Он был очень красивый — высокий, черноволосый, но очень наглый — местный хулиган. Еще в детстве он получил кличку Удав — за широкий рот и цепкие руки, которыми постоянно хватал всех за горло. Женька приставал все время к Насте, но она отвергала его.

Потом, когда они подросли и обоим исполнилось по четырнадцать лет, многие девчонки уже стали жить половой жизнью со своими сверстниками, Женька стал добиваться ее внаглую. Несколько раз пытался изнасиловать ее, но все не получалось.

Однажды он заманил ее в подвал и буквально навалился на нее. Она умудрилась вырваться и ударила его. Но Женька сказал:

— Все равно ты будешь моей, рано или поздно. А если не будешь — убью.

Настя боялась его. Но потом произошло страшное. Женьку арестовали за убийство какого-то мужика. Вместе с ребятами он шел по улице, все они были пьяными. Навстречу шел пьянчужка. Неизвестно, с чего все началось, но потом на суде выяснилось, что Женька ударил этого мужчину ножом шестнадцать раз.

Убийство было квалифицировано как особо жестокое. Но, учитывая, что Женьке было всего четырнадцать лет, суд приговорил его к девяти годам лишения свободы с отбыванием в колонии усиленного режима.

Тогда, после суда, он крикнул ей:

— Настя, жди меня! Я вернусь, и мы с тобой поженимся!

Потом приходили письма от него, но она на них не отвечала.

Прошло девять лет. Насте исполнилось двадцать три года. Неожиданно вернулся Женька. Но у нее он появился не сразу. Сначала прошел слух, что он вернулся из колонии. Но Настя его не видела. Спустя два месяца она увидела, как рядом остановилась иномарка, на переднем сиденье которой сидел Женька. Настя почувствовала на себе его холодный жесткий взгляд.

— Ну что, Машкова, — обратился он к ней. — Что не радуешься своему будущему мужу?

Он вышел из машины. Женька был такого же роста, как и раньше, коротко стриженный, почти под ноль. На лице — шрам, на руках наколки, на одной из которых она прочла «Удав».

— Ну что, когда свадьба-то? Я все узнал. Ты меня ждала. И правильно сделала! — Он схватил ее за плечи и притянул к себе. — Поехали с нами! Сейчас мы с тобой поженихаемся! — И он начал затаскивать ее в машину.

— Пусти, пусти, немедленно оставь меня! — закричала она.

— Ты что? — удивился Женька. — Ты кого из себя строишь? Недотрогу? — И он грязно выругался.

Но тут он обратил внимание, что прохожие начали останавливаться и наблюдать за этой сценой. Вероятно, Женька понял, что привлекать внимание прохожих не стоит. Он отпустил Настю.

— Ладно, гуляй пока! Через пару дней все равно со мной ляжешь! — сказал он.

Настя вернулась домой. Она плакала и никак не могла успокоиться. Она не хотела быть с Женькой — он был ей неприятен, какой-то потный, со скользкими ладонями...

В тот же вечер Настя встретилась со своей подругой Ольгой, с которой вместе учились в школе. Они зашли в маленькое кафе.

— Ты представляешь, Оля, Женька Смагин вернулся!

— Я уже слышала, — сказала Оля, — и даже больше знаю, чем ты.

— Что ты знаешь? Он пристает ко мне! Я не могу так! Ты же видела его на суде! Ты видела, какой он жестокий! Мне кажется, что из колонии он пришел еще хуже!

Оля кивнула головой.

— Да, он теперь бандит. Он пришел из колонии и организовал свою бригаду. Говорят, занимается грабежами, кражами, кого-то рэкетирует. В общем, он сейчас в авторитете у местной шпаны.

— Как ты думаешь, он оставит меня в покое?

— Ни за что, — сказала Ольга. — Для него это дело принципа. Он всю жизнь тебя добивался, а ты его отвергала. Все равно он тебя добьется. Смотри реально на все, что происходит вокруг!

Настя и сама прекрасно понимала, что Женька не оставит ее в покое.

— Он как-то напился и пригрозил, что сначала сам тебя «вскроет», а после по кругу пустит, — добавила Оля.

— Как ты думаешь, что мне делать?

— Уезжай отсюда. В Москву. Там можно как-то устроиться.

— У меня никого там нет, — посетовала Настя.

— Там много наших девчонок осело.

— И чем они занимаются?

— Кто чем. Кто в ночных клубах работает, кто на улицах стоит...

— На улицах стоит? — переспросила Настя непонимающе.

— Да, телом торгуют.

— И как?

— Живут — не жалуются. Тут одна недавно приезжала, может, помнишь ее — Анфиса, на два класса старше нас, — вся в импорте, на иномарке. Живет с какимто бандитом. Расписывала красивую жизнь. Может, и тебе в Москву податься?

Настя молчала, раздумывая. Ольга продолжала:

— Хотя бы на время. А Женьку тут или подставят, или посадят. Он опять начал шагать широко, ни с кем не считается.

Они просидели в кафе еще около часа.

В этот же вечер Удав подъехал на двух машинах к дому, где жила Настя, около одиннадцати часов вечера и начал кричать. Потом он поднялся на третий этаж, стал барабанить в дверь ее квартиры, требуя, чтобы она открыла. Отец Насти пошел успокаивать его, но вскоре вернулся с большим синяком под глазом. Он был разъярен. Он стал метаться по комнате, искать двустволку, которая была у него, и кричать:

— Я убью этого подонка!

Мать повисла на нем.

— Не надо, успокойся, Мишенька! Не надо с ним связываться! Он же за убийство сидел! Ему человека убить ничего не стоит! Тем более пьяный ведь! И с дружками приехал! Ты нас сиротами оставишь!

Мать вызвала милицию. Наряд приехал минут через десять. Настя видела в окно, как к подъезду подъехал «газик», как из двух иномарок вышли ребята, плечистые, коротко подстриженные. С ними был и Удав. Они о чем-то разговаривали с милиционерами.

Потом она хорошо увидела, как Женька похлопал сержанта по плечу и что-то опустил ему в карман. Тот повернулся, сел в «газик» и уехал.

— Вот тебе и помощь от милиции! — сказала мать. — Что делать будем, доченька?

Тут же они услышали звон разбитого стекла. Камень лежал на кухонном столе. Напоследок Удав со своей командой выбили стекло и уехали — по-мальчишески отомстили за то, что вызвали милицию...

— Нет, дочка, они тебя в покое не оставят! — сказала мать. — И нам не простят.

— Что же мне делать? — спросила Настя. — Ольга говорит, что нужно в Москву уезжать...

— А может, тебе действительно уехать на какое-то время? — сказала мать и обратилась к отцу: — Миша, давай-ка все деньги, что у нас есть!

Они одолжили еще денег у соседей. Рано утром Настя зашла к Ольге, предложила ей ехать вместе с ней в Москву. Та сразу же согласилась.

Денег, что дали родители, хватило на первое время. Они сняли комнату на двоих у одинокой старушки в районе Медведкова. Надо было устраиваться на работу. Но так как не было прописки, все их хождения заканчивались ничем. Везде девушки получали отказ. А на одной фирме, куда они пришли по объявлению, генеральный директор сразу оглядел Настю очень внимательно, словно раздевая ее. Стало ясно, что он положил на нее глаз.

Потом он стал говорить о каких-то внеслужебных отношениях, что его секретарша, в качестве которой он берет ее на работу, должна проводить с ним много времени, и так далее. Ясно было, что он хотел большего, чем просто работа. Насте стало противно.

Директор был лысым, с брюшком, очень неприятного вида, лет пятидесяти.

Вышли они из офиса расстроенные.

— Что будем делать, подруга? — обратилась Ольга к Насте.

Решили разыскать Анфису, ту, что приезжала на иномарке.

Найти Анфису оказалось очень трудно. По всем телефонам, которые были у Ольги, отвечали, что Анфиса давно переехала на другую квартиру.

— Может, в ночные клубы ходить будем? — предложила Ольга. — Там скорее ее найдем? Она же часто там тусуется...

— Какие еще клубы? У нас с тобой денег нет, — остановила ее Настя.

— Знаешь, что, — сказала Ольга, — в конце концов, давай пойдем с тобой девочками по вызову... Получают они хорошо, я узнавала.

От неожиданности Настя потеряла дар речи.

— Ты что, с ума сошла?!

— А что еще остается делать? Все равно другого варианта нет. А так — хоть деньги заработаем.

Настя думала два дня. Наконец сдалась. Выхода не было. Решили попробовать. Они набрали первый же телефон, который нашли в одной из газет: досуг, сауна, массаж. На самом деле, это были агентства по оказанию интимных услуг, проще говоря, — места, где тусовались проститутки.

Ответил приятный женский голос.

— Мы по поводу работы, — сказала Ольга.

— А сколько вам лет? — поинтересовались на другом конце провода.

— Двадцать два — двадцать три, — ответили они.

— Вас двое? А внешне вы как?

— Ничего, симпатичные...

— Приезжайте по такому-то адресу, — назвала адрес женщина.

Вскоре девушки были на месте. Квартира по оказанию интимных услуг находилась в районе метро «Коньково», в обычном двенадцатиэтажном доме. Поднявшись на шестой этаж, они нажали на кнопку звонка.

Дверь открыл парень, здоровый, ростом около двух метров. Настя с Ольгой назвали себя.

— Мы по объявлению, — сказали они.

— Проходите, — парень кивнул головой.

Это была обычная трехкомнатная квартира. Двери в комнаты были закрыты, кроме одной. Там стояла кровать, стены были увешаны плакатами с изображениями полуобнаженных девушек. Они прошли по коридору и оказались на кухне. Там сидела женщина лет сорока и четыре девчонки, от двадцати до двадцати двух лет.

— Вы по объявлению? — спросила женщина, оглядывая Настю и Ольгу. — Условия работы знаете?

Девушки помотали головой.

— Условия такие. Вас вызывает клиент. Час стоит сто долларов. Из них сорок ваши, шестьдесят — наши: водитель, охрана, реклама, объявления, «крыша». Если понравитесь — могут быть и премиальные. Из премиальных половина ваша. Клиентов хватает. Место у нас раскрученное. Ну как? — женщина внимательно посмотрела на Ольгу и Настю.

— А у вас проблем не бывает? — спросила Настя.

— Ты что имеешь в виду?

— Ну, группового изнасилования, например...

— «Субботники», что ли? — спросила одна из девчонок. — Случается. Всякая работа бывает. Но это жизнь... Меня три раза по кругу пускали, и, как видишь, жива-здорова... — Она достала сигарету и закурила.

Настя с Ольгой переглянулись. Но другого выхода не было.

— Потом, у нас охранник хороший, Олежек.

Олег кивнул головой, стоя в дверях и слушая их разговор.

— Ну что, подруги, начинаем работать?

— А когда можно?

— Да с сегодняшнего дня! У нас работа сдельная. Клиент платит деньги — ты получаешь бабки, не платит — сидишь в простое. Впрочем, вы девчонки видные, я думаю, на вас спрос будет.

— А когда обычно спрос бывает?

— Обычно — с восьми вечера до двух ночи. Потом — мертвое время. И цены, кстати, падают. Ну что, работаете? — еще раз спросила женщина, судя по всему, сутенерша.

— Да, работаем, — сказала Настя.

— Тогда давайте ваши паспорта, — сказала женщина.

— А это зачем? — удивилась Ольга.

— Подъемные получите. Я вам сейчас сотню баксов дам, пойдете купите бельишко — трусики, комбинашки, чтобы прилично выглядеть перед клиентом. А в качестве залога вы оставите свои паспорта.

Настя и Ольга молча протянули женщине паспорта. Она достала из бумажника стодолларовую бумажку и протянула их девушкам.

— Вот деньги, идите. А к восьми часам я вас жду. А теперь, может, шампунчика за знакомство? — Она достала с полки бутылку шампанского.

— Нет, сейчас как-то не хочется, — ответила Настя.

— Тогда мы сами, за вас, отметим ваш первый рабочий день! — сказала сутенерша, подмигнув остальным девчонкам, сидевшим в кухне.

Через несколько минут Настя и Ольга уже были на улице. Они пошли в сторону ярмарки «Коньково» купить себе белье. Обменяв сто долларов на рубли, они долго ходили по рядам, прицениваясь к тому или иному предмету женского белья. Наконец они купили белья на шестьдесят долларов. Оставалось еще сорок долларов рублями.

Девчонки решили пообедать. Зашли в небольшое кафе, заказали горячий обед. Девушки были очень голодны — они не ели два дня: деньги давно кончились.

— Может, возьмем чего-нибудь выпить? — предложила Ольга.

— Нет, не до этого сейчас, — отказалась Настя.

— Ладно. А я себе возьму, — и Ольга заказала коктейль.

Немного отпив, она обратилась к Насте:

— Ты, подруга, не робей. В конце концов, эта работа у нас временная. Ты что, думаешь, всю жизнь будешь проституткой, до гробовой доски? Может, парня хорошего встретишь. Только одни бандюки и подонки нас вызывают? Очень много, говорят, приличных людей. Не у каждого семейная жизнь с женами складывается хорошо, вот они и отрываются на стороне. Может, кому и приглянешься. Ты девчонка очень симпатичная. Или, может, к своему Удаву вернуться хочешь? Чтобы он тебя пьяный изнасиловал в извращенном виде? А потом дружкам передал?

— Нет, — Настя замотала головой. — Но все равно мне это противно!

— А ты не думай! Не ты первая, не ты последняя. Нет у нас другого пути на сегодня...

Время пролетело быстро. К восьми часам они вернулись в квартиру. К тому времени там уже появились новые девчонки, человек шесть. Настя внимательно осмотрела квартиру.

В каждой комнате стояла только деревянная кровать, стены были украшены плакатами. Рядом — тумбочка и ширма. Все было оборудовано под рабочие места. Вероятно, некоторые клиенты приезжали сюда, получая массаж и прочие интимные услуги.

Но, в основном, агентство специализировалось на выезде к заказчику.

К этому времени телефон уже звонил. В основном звонки пока были пустые. Люди лишь интересовались, что сколько стоит, какой ассортимент предлагается и так далее. Хозяйка борделя отвечала заискивающим тоном:

— У нас широкий профиль. Девочки самые лучшие,

выполняют все, что вы хотите, вплоть до самых экзотических желаний!

Когда ее просили разъяснить, что это означает, хозяйка отвечала заученным текстом:

— Это не телефонный разговор, это видеть надо.

Тем самым она делала своего рода рекламу — завлекала клиентов. Но пока еще никто серьезного заказа не делал.

Наконец около половины девятого вечера раздался звонок. Звонили из какой-то сауны. Заказ был принят тут же.

— Сколько вам девочек? Трое? А вас сколько? — поинтересовалась сутенерша. — Шесть человек? Но вы люди приличные? Ну хорошо, они выезжают. Давайте адрес. Как гостиница называется? — Она записала адрес. — Через двадцать минут девочки будут у вас.

Она вызвала водителя Диму. Он сидел внизу в машине. Сутенерша протянула ему листок и сказала:

— Возьмешь четырех девочек. Заказ на троих. — И обратилась к девушкам: — Ну что, девчонки, пускай новенькие поедут? Как вы?

Все пожали плечами.

— А что там?

— Да какая-то команда подвыпившая... В сауне сидят, пиво пьют.

Девчонки махнули рукой:

— Там толку никакого не будет. Пускай новенькие поедут. Пусть зарабатывают.

— Значит, так, — обратилась сутенерша к водителю. — Возьмешь вот этих четверых, — она показала пальцем на Настю, Ольгу и еще на двоих, — пусть троих выбирают. Заказали на час. Но, может, окажется и полтора. Давай аккуратно.

Все сели в машину.

— А куда ехать? — спросила Настя.

— Да тут недалеко гостиница, братва отдыхает. Но вы не волнуйтесь, все будет нормально. Они к нам уже обращались, клиенты проверенные, — сказал Дима. —

К тому же они здорово пива приняли, от них толку никакого не будет, — он подмигнул девчонкам.

— Ой, я прошлый раз была, — начала рассказывать Ленка. — Ничего не мог! Только все время — хочу, хочу, а ничего не может! Я и так, и сяк старалась...

— И что? — спросила Ольга.

— Да ничего. Бабки отстегнул, я ушла. Я свою работу выполнила. А это уже от него зависит. Технические причины, — захихикала она.

Вскоре машина подъехала к небольшой гостинице. В холле их встретил высокий блондин. Он поздоровался с Димой за руку и спросил:

— Сколько вас?

— Привез четверых, заказывали троих.

— Давай четверых и возьмем, — парень быстро отсчитал четыреста баксов и протянул Диме. — Да, на тебе еще четыреста, на два часа их берем. Ты в машине будешь ждать?

— Да, — кивнул Дима.

— А хочешь, с нами поднимайся.

— Нет, мне по контракту не положено.

— Ну, ладно. Пошли, девчонки! — обратился парень к девушкам.

Они молча вошли в холл. Прошли коридором к лифту. Парень, которого звали Константином, вызвал лифт. Они поднялись на пятый, последний этаж гостиницы. Там и находилась сауна.

Константин нажал на кнопку у двери. Дверь открыл парень, закутанный в простыню, темноволосый.

— О, Костя с рыбоньками пришел! — еле выговорил парень. Видно было, что он в дым пьяный.

В большой комнате, напоминавшей комнату отдыха, стоял большой стол, уставленный тарелками с закусками и салатами. Кроме того, было множество бутылок пива «Хайнекен» и финская водка в хрустальных бутылках.

Ребята сидели, обернутые в простыни. Их было шесть человек. Они приветливо встретили вошедших.

— Проходите, девчонки, раздевайтесь!

Через несколько минут девчонки пошли в соседнюю комнату, разделись там и, закутавшись в простыни, вышли к ребятам.

— Ну что, мы пока ужин закажем? — предложили ребята.

— Это можно, — согласились Люба и Лена.

— Что будете — мясо, рыбу? — спросил Костя.

Девчонки сделали заказ.

— И салат, и обязательно кофе, — добавили они.

Костя подошел к стойке, взял телефонную трубку и повторил весь заказ.

— Ну что, теперь в парную?

Все вместе вошли в парную. Она была небольшая. Ребята сбросили простыни, то же самое сделали и девчонки.

Парни расположились на лавочках и стали травить анекдоты, делая вид, что никто ни на кого не обращает внимания.

Вначале Настя стеснялась своего вида, но потом освоилась.

Первыми удалились Ленка с крепким парнем. Когда остальные вышли из парной и бросились в бассейн, они увидели, что на топчане, стоявшем между парной и бассейном, лежал парень, сверху сидела Ленка и делала ему минет.

Ребята оказались из охранной фирмы. Они отмечали день рождения своего приятеля.

Затем, немного поплавав в бассейне, они вернулись в комнату отдыха, где на столе уже стояли блюда с заказанной едой. Немного перекусив, один из парней подошел к Насте, взял ее за руку и сказал:

— Пойдем, поближе познакомимся!

Настя пошла за ним. Парень подошел к топчану, молча лег и рукой пригласил Настю заняться с ним сексом. Она медленно начала целовать ему сначала грудь, потом стала опускаться все ниже, до его известного места. Видно, парень выпил много пива, поэтому никакой реакции не было. Он пытался что-то сделать, но ничего не получалось.

Однако Настя видела, как работала Ленка. Ей надо было имитировать экстаз — стонать, кричать, показывать, что она получает огромное удовольствие от происходящего. Настя попыталась это сделать. Но ни крики, ни стоны на парня не действовали. Он сам даже расстроился. После этого он поцеловал Настю и сказал:

— Ничего страшного. Зря я сегодня столько пил. Но кто знал, что мы вас вызовем... В принципе, мы хотели сегодня мальчишник устроить — посидеть, отдохнуть. Это Костя всех завел! А сам, мерзавец, ничего не пил!

— А почему же он ничего не пил? — спросила Настя.

— Так он же за рулем у нас.

Они снова вернулись в зал.

Вторым парнем, который взял Настю, был Костя. Он оказался искусным любовником, и Настя получила колоссальное удовольствие от секса с ним.

Каждая из девчонок выходила по два раза с ребятами. Таким образом, каждая выполнила полную норму. Так прошло два часа. Поднялся Дима и сказал, что время закончилось.

Девчонки быстро оделись. Потом каждый из ребят дополнительно дал каждой девчонке по двадцать долларов — так сказать, премиальные. Они предложили встретиться через неделю, тоже в сауне, предварительно созвонившись с диспетчером.

Так закончился первый рабочий день Насти в агентстве по оказанию интимных услуг.

Они вернулись около полуночи.

— Ну как, девчонки? — спросила бригадирша.

— Ничего, нормально, — ответила Ольга.

— Выпьем шампанского? — спросила бригадирша, доставая очередную, уже третью бутылку. Видно, она уже здорово выпила к этому времени. На кухне никого не было.

— А где остальные? — поинтересовалась Ленка.

— Всех разобрали. Ну что, кто работать остается? Двоих можно оставить, остальных отпустить.

Ольга сказала:

— Пожалуй, мы пойдем.

— Ну что же, не смею задерживать.

— Но нам бы хотелось получить свою долю...

— Так я же вам выплатила сто баксов! — удивленно посмотрела на нее бригадирша. — Вот, возьмите свои паспорта, теперь они уже не нужны. В следующий раз получите наликом свою долю. Придете завтра?

— Да, придем, — сказала Ольга.

Они вышли на улицу.

— И что мы заработали? — сказала Настя, когда они вернулись в квартиру. — Ничего! Купили себе дурацкое белье, пообедали в кафе — и весь наш заработок? Я больше этим заниматься не буду.

— Тебе решать, подруга, — пожала плечами Ольга.

Однако позже Ольга вновь предприняла попытку уговорить Настю.

— Ну что, от тебя убудет, в конце концов? Мы же договаривались, что не всю жизнь будем этим заниматься! Скопим денег, бросим это!

— Ладно, — махнула рукой Настя, — я согласна. До первого серьезного случая.

— Да никаких случаев не будет! Все будет хорошо! — убеждала ее Ольга.

Однако долго ждать не пришлось — на следующий день такой случай наступил.

В половине десятого поступил звонок, и опять экипаж был сформирован почти тот же. Помимо Ольги и Насти поехали Ленка и еще одна девушка, имени которой Настя не знала. Они подъехали в район «Кропоткинской». Там, в одном из сталинских домов, находилась шестикомнатная квартира. В ней был сделан евроремонт, стояла дорогая мебель. В квартире уже находилось несколько ребят. У них тоже было что-то вроде мальчишника, они гуляли уже давно.

Вскоре ребята предложили девчонкам выпить. На

столах стояли виски, коньяки, мартини и другие напитки. Ребята наливали всем. Наконец один из них взял за руку Ольгу и пригласил ее в соседнюю комнату. Они вышли. Настя ждала своей очереди. Однако на нее ребята никакого внимания не обращали. Они сидели и о чем-то оживленно разговаривали. Из их слов Настя поняла, что это были банковские работники — менеджеры какого-то крупного банка. Они отмечали крупную сделку.

Вдруг она услышала истошные крики Ольги из соседней комнаты.

— Помогите! На помощь! — кричала она.

Настя быстро побежала на крик. Открыв дверь, она с ужасом увидела, как Ольга лежала на диване, а на ней восседали двое обнаженных парней и пытались одновременно совершать с ней половой акт. Настя не знала, откуда у нее силы взялись.

Она бросилась на них, сильно толкнула одного, потом другого. Парни полетели на пол. Один из них начал ругаться:

— Ты что делаешь, сука? Это же ваша работа! Чего ты хочешь?

Но Ольга была в шоке. Она вскочила и начала бить кулаками одного из парней, вероятно, того, который ее обидел.

— Поехали отсюда, подруга! — закричала Ольга.

Они быстро оделись и выскочили на улицу. Водитель, который ждал их внизу, спросил удивленно:

— Что случилось?

— Да там педерасты оказались! — кричала Ольга. — Они меня... Это же запрещено, насколько мне известно!

— Да, это только с вашего согласия, — сказал Дима. Он вышел из машины и быстро поднялся в квартиру. Через десять минут он вернулся. Отсчитав деньги, он протянул часть девчонкам.

— Это вам, так сказать, за моральный ущерб. — Он отдал Ольге и Насте по пятьдесят долларов. — Субчики какие! Ничего, девчонки, всякое в жизни бывает. — И обратился к Ольге: — Как ты?

— Да ничего. Только выпить очень хочется...

— Ладно, я вас домой отвезу.

Вскоре они были дома. Ольга подробно рассказала Насте, как все произошло, как ее пытались изнасиловать эти двое. Настя не спала всю ночь. Наутро она твердо сказала:

— Оля, я больше в эти игры не играю.

— Чем же ты будешь заниматься?

— Не знаю. Попробую устроиться в ночной клуб.

— Кем? — удивилась Ольга.

— Стриптизершей.

— А у тебя есть знакомства, рекомендации?

— Ничего у меня нет. Но раньше я занималась танцами и думаю, меня могут туда взять.

Следующие два дня Настя искала работу. Первым делом она решила пройтись по Новому Арбату. Там было множество ночных клубов. Судя по афишам, в каждом из них работало стрип-шоу. Но каждый раз, заходя в клуб и предлагая свои услуги, Настя слышала один и тот же вопрос — не танцевала ли она раньше в стриптизе, есть ли у нее рекомендации. Настя отрицательно качала головой. Ей тут же говорили, что в таком случае взять ее не могут.

Но в одном клубе ей повезло. Парень, отвечавший за концертную программу, вероятно, был ответственным за стриптиз. Он скорее напоминал программиста-компьютерщика, сидел за пультом, подбирал мелодии.

— Я насчет работы, — сказала Настя.

— А что вы умеете делать? — спросил парень, окинув ее взглядом.

— Я хотела бы танцевать...

— В стриптизе?

— Да.

— А вы раньше этим занимались?

— Да, занималась.

— Где выступали?

— Я занималась раньше танцами. Мне кажется, у меня должно хорошо получиться, — продолжала Настя.

— Дело в том, что Игоря сейчас нет, он у нас отвечает за балет и эстрадные номера. Я только за музыкальное оформление. Но если хотите — подождите, он через час должен приехать.

Настя почувствовала, что у нее появилась надежда.

— А у вас есть вакансии?

— Вакансий у нас нет, — сказал парень, — но в резерв Игорь может вас взять. Он любит тех, кто раньше занимался танцами.

Вскоре приехал Игорь, брюнет высокого роста, с голубыми глазами, очень красивый. Он сразу понравился Насте. Между ними как-то сразу возникли доверительные отношения. Настя начала рассказывать ему, как в детстве занималась в танцевальном кружке, как выступала на разных конкурсах, кое-что приврала... Игорь внимательно слушал. Наконец он сказал:

— Все это очень хорошо. Я уважаю школу детских танцев, потому что сам этим занимался. Но мне нужно знать, сможете ли вы танцевать в ночном клубе топлес?

— Что? — переспросила Настя.

— Топлес, — повторил Игорь.

— А что это такое?

— Это когда обнажена грудь, вы в узких трусиках танцуете вокруг шеста. Наверное, видели в фильмах? Вообще, вы сами бывали в ночных клубах?

— Нет, никогда...

— Хотя конечно... Откуда в вашем городе ночные клубы со стриптизом... Хорошо, вы можете сделать несколько танцевальных движений? — Игорь изобразил быстрое движение. — Повторить сможете?

Настя повторила.

— Отлично. У вас есть способности и главное — пластика, — сказал Игорь. — Ну что, можно попробовать взять вас в резерв.

— Что значит в резерв?

— Когда кто-то из стриптизерш заболеет или по

каким-то причинам не может выступать, вы ее подменяете.

— А много у вас стриптизерш?

— Шестнадцать человек.

— И что, каждый день все они выступают?

— У нас есть еще филиал, бывают еще выезды...

— Это как? В квартиру, что ли? — спросила Настя.

— Нет, имеется в виду какой-нибудь банкет в солидной организации — например, в финансовой компании. Тогда они могут пригласить ночное варьете к себе в ресторан. Такое бывает часто. Работы много. Но для того, чтобы серьезно работать, вам необходимо сначала побыть в резерве и потренироваться.

— Что это значит?

— У нас каждый день репетиции. Репетиции провожу я.

Вскоре Настя узнала, что в прошлом Игорь танцевал в одном из ансамблей при очень известном эстрадном певце. Но затем он организовал свое дело — фирму, где он одновременно и менеджер, и художественный руководитель.

На следующий день в три часа Настя пришла на репетицию. Игорь заставил ее проделывать различные танцевальные движения.

Кроме того, девушки, которые давно уже танцевали стриптиз, показали ей несколько вариантов танцев. В принципе, все движения были несложными. Необходимо было плавно двигаться по сцене, извиваться вокруг специальных шестов, которые были расположены на сцене, плавно раздеваться под музыку.

Сбросив с себя последнюю часть одежды, стриптизерша должна быстро исчезнуть. После работы каждую девушку водители отвозят домой. Таковы условия работы ночного клуба. Таким образом, пресекалась любая возможность контакта посетителей клуба с девушками.

Когда репетиция закончилась, Игорь обратился к Насте:

— Ну что, останешься сегодня в клубе? Посмотришь, как все происходит?

— Конечно! — сказала Настя. — С удовольствием!

Около одиннадцати ночи клуб стал постепенно заполняться. На сцену попеременно выходили девушки по трое и, расположившись возле шестов, начинали свои плавные танцы под музыку. Иногда танцы сопровождались лазерным светом, за который отвечал тот самый парень, с которым сначала разговаривала Настя.

Теперь все зависело от Игоря. Настя улучила момент, когда он остался один у стойки бара, подсела к нему и, заглянув в глаза, сказала:

— Игорь, я вам так благодарна за то, что вы взяли меня на работу!

— Пока я еще вас не взял, — ответил он, — вы пока в резерве.

— Вы знаете, я буду вам так благодарна, если вы поставите меня в номер! — сказала Настя, намекая на то, что она по-женски отблагодарит его.

Игорь внимательно взглянул на нее и, отвернувшись, сказал:

— Не стоит этого делать.

В этот же вечер она познакомилась с девушкой, которая танцевала в клубе уже полгода. Ее звали Неля. Она рассказала Насте, что Игорь — «голубой», что никакой благодарности от Насти ему не нужно.

На следующий день, когда Настя сидела в клубе, Игорь подошел к ней и сказал:

— Ну что, красавица, вот и настал твой день! Одна из стриптизерш заболела — женские дела. Сможешь выступить сегодня?

— Конечно! — обрадовалась Настя.

— Тогда переодевайся, готовься.

Через некоторое время Настя была уже на сцене. Трудно передать ощущения, которые она испытывала. С одной стороны, стыдно, потому что она была почти полностью обнажена, и на нее смотрели человек тридцать-сорок посетителей клуба, среди которых были и женщины. Но Настя старалась не смотреть на них и танцевала, полузакрыв глаза.

Номер закончился. Он длился не более трех-четырех минут. Настя накинула на себя прозрачную вуаль и быстро скрылась в комнате. Потом, когда она оделась и вышла в холл, ее встретил Игорь.

— Я провожу тебя до машины. Сейчас тебя отвезут домой.

— А может, мне остаться?

— Нет, у нас очень строгие правила. Все, кто выступит, тут же уезжают домой.

— Ну как я? — спросила Настя.

— Ничего, молодец! Из тебя выйдет толк! Приходи завтра, снова будешь на сцене.

Так прошло две недели. Все это время она продолжала жить в одной комнате с Ольгой. У той уже было два неприятных случая. Один раз ее очень сильно избили, в другой — все же изнасиловали групповым способом. Водитель не смог ее уберечь...

Настя поняла: ей повезло, что она не осталась в агентстве, а пошла работать в ночной клуб.

Однако поворот в ее судьбе произошел именно в тот день, когда она впервые увидела Дмитрия Киселева...

Ничего необычного в тот вечер не ожидалось. Как обычно, Настя приехала около двух часов ночи на свое выступление. Почти всегда она выступала с двух до половины третьего ночи. Расположившись в своей гримерной, она стала наносить на лицо косметику, смотря в зеркала с подсветкой. До ее номера оставалось минут пятнадцать, поэтому она уже переоделась в купальный костюм с блестками.

Неожиданно она услышала доносившиеся снизу шум и крики. Она подошла к окошку в стене и отдернула занавеску. Это окошко выходило на сцену. Оно было очень маленькое, но в него было хорошо видно и сцену, и зал. С ужасом она увидела, что по ночному клубу ходят люди в пятнистой форме.

Это были омоновцы, все в черных масках, с автоматами. Все находящиеся в клубе, включая официантов, барменов, работников охраны, были выстроены вдоль стены.

Омоновцы обыскивали всех подряд. Некоторые посетители уже лежали на полу. Это была облава ОМОНа.

Настя сказала Неле:

— Посмотри, что там творится!

Неля подошла к окну.

— Ой, ничего особенного! — махнула рукой она. — У нас такое бывает.

— А что это?

— Налет ОМОНа.

— А чего они хотят?

— Обычно они профилактику проводят — наркотики ищут. Это не ОМОН, а Управление по борьбе с наркотиками. Кстати, — Неля бросила взгляд на Настю, — у тебя ничего такого нет?

— Ты что! Я никогда и не пробовала ничего такого!

— Тогда тебе бояться нечего. Сиди спокойно. Скорее всего номера не будет. Сейчас кого-то увезут на проверку документов, и я думаю, что клуб скоро закроется.

Настя вернулась к своему столу, села и задумалась. Неожиданно она услышала торопливые шаги. Поднимались по деревянной лестнице, ведущей к гримерке. Через несколько мгновений кто-то стал рваться во все комнаты подряд.

Рядом с гримеркой находилась комната с музыкальной аппаратурой. Она была обычно закрыта.

Дверь распахнулась, и в гримерку вошел высокий парень в черном костюме, с красивым блестящим галстуком. Он был черноволосый, с голубыми глазами, чемто похожий на Игоря. Парень сразу поднес указательный палец к губам, приказывая молчать.

— Вы одни? — тихо спросил он.

Девчонки испуганно закивали головами — одни.

— Как вас зовут?

— Настя...

— Неля...

— Вот какое дело... Мне никак нельзя ментам попадаться, понимаете? — проговорил парень.

Они со страхом стали кивать головами, не произнося ни звука.

— Короче, я недавно крупно подрался, и они меня ищут. В общем, это... Спрячьте меня, если можете!

— Хорошо, хорошо! — быстро заговорила Настя. — Ложись на кушетку!

— Зачем ложиться-то? — не понял парень.

— Я скажу, что ты мой муж, что ты перепил.

— А что, хорошая идея! — обрадовался парень. — А есть у вас что выпить?

— Зачем тебе?

— Если шакалы придут, нужно же будет пьяного изобразить.

Неля достала из нижнего ящика бутылку какого-то алкогольного напитка. Парень быстро открыл бутылку и стал полоскать жидкостью рот, выплюнув все на пол. Потом он лег на кушетку.

Тут девчонки услышали тяжелые шаги. Это, конечно, шли омоновцы. Дверь распахнулась, и два человека в униформе и черных масках, с автоматами вошли в их комнату.

— Ну что, девчонки, — обратился к ним здоровенный омоновец, — как у вас тут дела?

— Все спокойно, гражданин начальник, — сказала Неля, — все тихо.

— Наркоты нет? — строго спросил второй.

— Нет, что вы! Какая наркота!

— А вы кто?

— Мы артистки балета.

— Стриптизерши, что ли? — спросил верзила, прохаживаясь по комнате и осматриваясь кругом. Наконец он обратил внимание на лежащего на кушетке парня.

— А это что за субчик? — Омоновец начал тормошить его.

Парень пробормотал еле слышно:

— В чем дело, начальник?

— Ты кто, парень? — спросил омоновец. — Документы есть? Быстро!

Тогда заговорила Настя.

— Да это мой муж, пьяный пришел, ждет окончания моего номера, и мы вместе поедем домой на машине.

— Как же ты его повезешь? Он же пьяный вдрезину!

— Да ничего, дело привычное!

— А документы у твоего супруга есть?

— Есть, такие же, как у меня, — Настя протянула ему свой паспорт.

— Нет, твой нам не нужен. Его паспорт покажи!

— У него такая же фамилия! — повторила Настя.

— Эй, ты, — омоновец начал трясти парня за плечо. — Фамилия твоя как?

— Какая фамилия? Чья фамилия? — еле шевелил губами парень.

— Фу, а несет-то от него как! — поморщился омоновец. — Пьянь! — И обратился к Насте: — Как же ты с ним живешь-то?

— Ладно, пошли дальше! — махнул рукой второй.

Они вышли и закрыли за собой дверь. Парень продолжал лежать на кушетке.

— Эй, товарищ! — потрясла его за плечо Настя. — Они ушли!

Парень приоткрыл глаза. Он улыбался.

— Можно я еще немного у вас побуду? — спросил он.

Минут через сорок обыск закончился. Неля оказалась права. Часть посетителей погрузили в машины и отвезли, вероятно, в ближайшее отделение милиции. На этом рабочий «день» девушек закончился.

Некоторые посетители остались сидеть за столиками, но на сцене уже никто не выступал, только играла тихая музыка.

Парень встал, огляделся и сказал:

— Ну что, все спокойно?

— Да, они уехали.

— Как тебя зовут? — обратился он к Насте.

— Настя.

— А фамилия как?

— Машкова.

— Ты что, родственница артиста Машкова?

— Да нет, просто однофамилица.

— А меня Дмитрий зовут. Ты меня спасла. Я хочу пригласить тебя в ресторан.

— А когда?

— Да прямо сейчас, — сказал Дмитрий. — Кстати, ты меня и подстрахуешь. Мало ли, эти злодеи на улице стоят, может, поджидают меня.

Настя пожала плечами.

— Пойдем, не бойся! — И Дмитрий уверенно взял ее за руку.

Через несколько минут они вышли на улицу. Дмитрий огляделся. Все было спокойно. Он достал из кармана брелок и нажал на кнопку. Настя услышала, как звякнула сигнализация в черном джипе, стоящем недалеко.

— Садись, Настенька, — сказал Дмитрий, усаживая ее на переднее сиденье. — Поехали в ресторан!

Они выехали с Нового Арбата и направились в сторону Большого Каменного моста. Там, недалеко от кинотеатра «Ударник», находился уютный итальянский ресторан.

После всего пережитого в Москве это был самый красивый, волшебный вечер для Насти. Она познакомилась с Дмитрием. Его фамилия была Киселев. Как он говорил, он занимался бизнесом, точнее, охранными услугами. Он был очень галантным.

Он ухаживал за ней — подарил шикарный букет цветов, который приобрел тут же, в ресторане, заказал дорогую еду. Он много говорил, рассказывал о своих поездках в Италию, в другие страны. Наконец предложил Насте поехать к нему на квартиру, продолжить вечер там.

Настя прекрасно понимала, чем это может закончиться. Но, с другой стороны, Дмитрий ей очень понравился. Помимо того, что очень красив, он был еще и очень вежлив и предупредителен. К тому же он совсем не пил. И еще отличался одним достоинством — он не был жадным, постоянно предлагал купить для нее какой-либо подарок.

Они снова сели в джип и поехали по ночной Москве, в Крылатское. У Дмитрия была хорошая трехкомнатная квартира. Войдя в квартиру, Настя увидела, что помимо того, что она хорошо обставлена, на стенах висят картины и фотографии в рамочках, где Дмитрий был изображен то с ребятами, то с серьезными мужчинами, то с женщиной.

— Кто это? — поинтересовалась Настя.

— Это моя супруга. Бывшая, — добавил Дмитрий. — Мы не живем вместе около двух лет. Так что я холостой.

Потом они сели и проговорили почти до утра. Дмитрий при этом совершенно не приставал к ней, а утром отвез ее домой.

Настя терялась в догадках. Как же так — он привез ее на квартиру и совершенно свободно мог овладеть ею, а у него и мысли такой не возникло!

Они стали встречаться. Настя как-то сразу поверила Дмитрию. Она рассказала ему свою историю — про Удава, как он приставал к ней в Твери, как угрожал, рассказала про фирму интимных услуг, где проработала два дня, про изнасилование Ольги и о других страшных эпизодах. Дмитрий внимательно слушал Настю, потом неожиданно сказал:

— Знаешь что? У меня такая профессия, что долго ухаживать нет возможности. Но ты мне очень нравишься. Мне кажется даже, что я полюбил тебя. К тому же ты спасла мне жизнь.

— В каком смысле? — улыбнулась Настя.

— Я же в розыске... Если бы меня взяли, сейчас сидел бы на нарах. А ты меня выручила!

— И что из этого следует?

— Давай жить вместе.

— Как вместе?

— Вот так, очень просто.

На следующий день они заехали на квартиру к Ольге, и Настя забрала свои вещи. Так начался их гражданский брак с Дмитрием Киселевым.

Начав супружескую жизнь, Настя сделала вывод, что она теперь счастлива. Дмитрий приходил домой практически каждый вечер, хотя иногда бывали случаи, когда его могли вызвать по делам, и он возвращался очень поздно. Он не пил, не курил. Выходные они старались проводить вместе. Обычно вставали они поздно, обедать ездили в ресторан.

Дмитрий возил Настю по многим дорогим магазинам, одевал ее в самую дорогую одежду. Кроме того, он ежемесячно выдавал ей на мелкие расходы три тысячи долларов.

Они часто выезжали отдыхать за границу. Практически каждый раз, когда они уезжали, их провожали коллеги Дмитрия — такие же модно одетые ребята, крепкие, все на иномарках.

Чем занимался Дмитрий? Он не любил говорить на эту тему.

Дмитрий настоял, чтобы Настя стала посещать спортивный клуб. Ей это очень нравилось. Она ходила в тренажерный зал и три раза в неделю посещала класс аэробики, плавала в бассейне. Иногда Настя встречалась с Ольгой. Та по-прежнему продолжала работать в фирме интимных услуг. За это время там сменилась руководительница. Бригадирша, которая принимала их на работу, каким-то загадочным образом исчезла.

Теперь фирмой заправляла другая женщина.

Дмитрий стал уговаривать Настю бросить профессию стриптизерши. Однако она отказывалась и говорила, что ей очень нравится выступать перед публикой. В конце концов, выступать в полуобнаженном виде — это не столь важно. Главное — ей хотелось, чтобы на нее смотрели.

В конце концов Дмитрий смирился с этим.

Приближался день рождения Настиного отца. Она решила поехать в родной город и взять с собой Дмитрия, показать его родственникам. Дмитрий согласился. Заехав в магазин, они купили дорогой подарок для отца. На джипе они домчались до Твери за полтора часа.

Дмитрий очень понравился Настиным родителям. Они сидели, о чем-то разговаривали, шутили. Вдруг под вечер неожиданно стал подавать сигналы тревоги джип, стоящий под окнами.

Дмитрий подошел к окну, выглянул и подозвал Настю. Она подошла к нему и увидела, как старенькая иномарка, прижавшись вплотную к джипу, буквально раскачивает его. Настя вгляделась внимательнее и с ужасом увидела, что рядом стоит Удав с двумя пацанами.

— Дима, не ходи, я тебя очень прошу! Это Женька Смагин, Удав, — я тебе про него рассказывала!

— Этот хмырь и есть Удав? — насмешливо спросил Дмитрий. — Он что, «синий»?

— В каком смысле?

— Ну, блатной, что ли?

— Он сидел за убийство девять лет.

— Сейчас я с ним разберусь, — сказал Дмитрий и, накинув на белоснежную рубашку темно-синий пиджак, стал спускаться вниз.

Отец хотел пойти с ним, но Дмитрий, обратившись к нему по имени-отчеству, сказал:

— Не надо, это наши дела. Я сумею с ними разобраться. В конце концов, я работаю в охранной фирме, и для меня такие субчики не страшны.

Все члены семьи прилипли к окну, наблюдая за происходящим внизу.

Дмитрий подошел к Удаву и стал о чем-то говорить. Затем Удав замахнулся кулаком на Дмитрия. Дмитрий перехватил руку Удава и быстрым движением оттолкнул его. Удав отлетел в сторону. Два пацана вытащили из карманов ножи и направились к Дмитрию.

И тут Настя увидела, как Дмитрий быстро достал из бокового кармана черный предмет. Это был пистолет. Он направил его на нападавших. Подручные Удава остановились в замешательстве. Затем Дмитрий что-то сказал им, помог Удаву подняться, посадил его в машину и, похлопав по плечу, что-то произнес, наклонившись к уху. Тот послушно кивнул и уехал.

Дмитрий поднялся в квартиру и сразу же пошел умываться.

— Ой, — забеспокоилась Настина мать, — мы так за вас волновались! Как же вы так, один на эту шпану пошли?

— Ничего, все в порядке, — сказал Дмитрий. Перехватив вопросительные взгляды, добавил: — Если вы думаете, что у меня нет разрешения на оружие, то вы неправы. Вот оно. — И он достал из кармана книжечку, на которой было написано: «Разрешение на ношение оружия».

Отец кивнул головой и предложил:

— Может, вам машину лучше на стоянку поставить?

— Нет, ничего страшного. Они больше не приедут.

— Что же ты им сказал? — спросила Настя.

— Я сказал им пару слов. Помнишь, как в «Крестном отце»? — улыбнулся Дмитрий.

На следующий день они благополучно вернулись в Москву.

Затем прошла еще неделя, и через неделю случилось ужасное. У Дмитрия убили начальника, вернее, начальника охранной фирмы, в которой он работал заместителем. Дмитрий пару дней занимался организацией похорон. Настя эти два дня практически не видела его.

Наконец на третий день он приехал домой. Переодеваясь, он сказал:

— Настя, собирайся. Надень вечернее платье. Мы идем в ресторан.

— В какой?

— На поминки.

Когда они приехали в ресторан, там уже было человек сто, примерно половина ребят, половина жен сослуживцев Дмитрия. Они сели почти в самом начале стола. Рядом с ними сидела женщина лет тридцати пяти, во всем черном, очень красивая.

— Это Майя, вдова погибшего, — представил ее Насте Дмитрий.

Рядом сидел парень.

— А это Алексей Семенов. Заместитель Геннадия Петровича.

В этот же вечер Настя узнала, что Геннадий Петрович был самым главным начальником, а заместителями его были Дмитрий и Алексей Семенов.

Поминки проходили достаточно скучно. Говори слова уважения, о высоком авторитете Геннадия Петровича, о его чутком отношении к людям и так далее. Улучив момент, когда Дмитрий с кем-то разговаривал, Настя наклонилась к своей соседке Ире, жене одного из коллег Дмитрия, и спросила:

— Ира, а кто был Геннадий Петрович?

— Геннадий Петрович? — удивленно посмотрела Ира на Настю. — А ты что, не знаешь, кто это был?

— Нет, — сказала Настя.

— Законник. Вор в законе.

— Как вор в законе?

— Очень просто. А что, тебе никто об этом не говорил?

— Нет.

— Надо же! — улыбнулась Ира. — А ты знаешь, что сейчас между ними происходит? На роль главного претендуют твой Димон и Семенов. Они сейчас собрание проводить будут и определяться, кто из них будет главным.

— Главным чего? — спросила Настя.

— Как чего? Фирмы, структуры. А ты что, не знаешь, чем они занимаются?

— Да нет же!

Отпив немного шампанского из фужера, Ира сказала:

— Они же бандиты.

— Как бандиты?

— Да, бандиты. А ты — жена бандита. Вернее, гражданская жена, — поправилась Ира.

— Почему гражданская?

— А мы все гражданские жены. Им по работе законных жен иметь нс полагается. Так что, если что случится, мы с тобой никаких прав ни на что не имеем, ни на какие бы то ни было доли от их общака, ни на имущество — ни на что.

Это было полной неожиданностью для Насти. Она могла предполагать, что Дмитрий занимается чем-то незаконным, но что они — бандиты...

В этот же вечер она затеяла серьезный разговор с Дмитрием.

— Это правда, что мне Ира сказала?

— А что она тебе сказала?

— Что вы бандиты.

— Мы не бандиты, — раздраженно ответил Дмитрий. — Мы — структура, закрытая корпорация, и соблюдаем свои интересы и интересы тех людей, которых охраняем.

После убийства Геннадия Петровича, вора в законе, Дмитрий резко изменился. Он стал нервным, иногда кричал на Настю, а однажды приехал домой с синяком под глазом, весь в крови.

— Что случилось? — испугалась Настя.

— Да так, пустяки, — отмахнулся он. — Ехал на машине, один подрезал меня, вот и помахались...

Но потом раздался телефонный звонок. Дмитрий долго с кем-то разговаривал, потом сказал Насте:

— Собирайся.

— А куда мы поедем?

— Поедем к тебе в ночной клуб.

— Зачем? Я же сегодня не выступаю.

— Поедем просто отдохнем.

Настя быстро переоделась. Они мигом домчали до Нового Арбата. В ночном клубе они сели за столик. Неожиданно Дмитрий сказал:

— Я выйду позвонить.

Через несколько минут он вернулся:

— Поехали.

— Теперь куда?

— Надо одного товарища в гости пригласить.

Они поехали в район Строгино. Минут через тридцать Дмитрий остановился у одного из подъездов. Затем, выйдя из машины, поднял голову и посмотрел на окна восьмого этажа. Окна были темными. Вероятно, хозяина квартиры дома не было.

— Придется подождать, — сказал он. — Пойдем, подождем у «ракушки», где он машину свою ставит.

Они отъехали от подъезда и стали у ряда гаражей, установленных посреди двора.

Уже было около часа ночи. Дмитрий погасил все огни в машине и включил тихую музыку. Они сидели молча. Настя пыталась спросить о чем-то, но Дмитрий остановил ее:

— Не мешай мне, я думаю.

Наконец она заметила, как Дмитрий оживился, когда недалеко от них остановился темный джип.

— Ну вот, подъехал! — сказал Дмитрий. — Сиди в машине и не высовывайся!

Человек поставил машину, закрыл «ракушку» и направился в сторону подъезда. Дмитрий неожиданно выскочил из машины и пошел к этому человеку. Настя слышала через открытое окно, как Дмитрий окликнул его:

— Семен, здорово!

— Димон, ты? — удивился тот.

— Да, я.

— Что тебе надо?

— Слышь, братан, — раздался голос Дмитрия, — я тут подумал, покумекал... Чего нам с тобой ссориться, чего братву делить? В общем, я решил, что уступаю. Ты будешь старшим. Давай обнимемся!

— Ты чего, Димон? С чего это ты так решил?

— Да так... По справедливости.

Они обнялись.

— Я очень рад, братан, что ты принял такое решение, — сказал Семен.

— Давай поедем сейчас с тобой в ночной клуб. Тут, в машине, моя жена сидит. Открывай свой джип, поехали на двух машинах!

— Конечно, — сказал Алексей Семенов — это был он — и направился в сторону «ракушки».

Дмитрий пошел за ним. Неожиданно Настя услышала глухой хлопок и увидела, как тень Семена поползла вниз по стенке «ракушки». Дмитрий торопливо подошел к джипу. Настя заметила, что на правой его руке надета черная перчатка. Он молча сел, завел машину. Настя спросила:

— А как же твой товарищ?

— Молчи, дура! — коротко сказал Дмитрий.

Они быстро доехали до мусорного контейнера. Дмитрий остановил машину и выбросил черную перчатку и какой-то темный предмет.

Потом они быстро поехали в сторону ночного клуба. Войдя туда, вновь сели за свой столик.

Почти все время Дмитрий сидел очень мрачный. Время от времени он поглядывал на часы, то и дело вынимал из кармана мобильный телефон, словно ожидая звонка. Но никто ему не звонил.

Когда вернулись домой, Настя не выдержала и заговорила первой:

— Послушай, Дмитрий, ты его убил?

Дмитрий пристально посмотрел на нее и неожиданно произнес:

— Да. Убил. У меня не было другого выхода. Если бы я не завалил его, то он убил бы меня.

— Почему ты так решил?

— Потому что идет борьба за власть, борьба за деньги, а в этой борьбе друзей не бывает. Есть только враги и конкуренты. А у нас с тобой алиби — мы весь вечер были в ночном клубе. И запомни — если кто будет спрашивать, мы с тобой были в ночном клубе. Поняла?

Настя кивнула. После этого разговора она долго не могла уснуть. Ей было не по себе.

Потом прошло два дня. Весть об убийстве Алексея

Семенова, конкурента Дмитрия, быстро разнеслась по Москве.

Несмотря на то что у них было железное алиби, часть бригады имела косяк на Дмитрия. И в один из дней Дмитрий сказал Насте, что они срочно переезжают на другую квартиру, меняют адрес.

Вскоре наступил еще один странный день. Неожиданно Дмитрий исчез и позвонил ей на мобильный, сказав, чтобы она уехала на несколько дней в Тверь, к своим родным.

— А почему я должна это делать? — спросила Настя.

— Тут кое-какие непонятки пошли. Братва предъяву готовит. Тебе лучше уехать. Я тоже схоронюсь в одном месте...

— Я никуда не поеду, — ответила Настя. — Останусь в Москве.

— Я очень тебя прошу, — начал уговаривать ее Дмитрий. Но Настя твердо стояла на своем.

В этот же вечер, когда она готовилась к выступлению в ночном клубе, дверь неожиданно открылась и в ее гримерную вошли четыре парня в костюмах и в черных рубашках, мрачного вида. Один из них, оглядев комнату, сказал коротко, обращаясь к девчонке, танцующей вместе с Настей:

— Слышь, выйди отсюда! Побазарить надо!

Девушка послушно вышла. Парень молча подошел к Насте, взял ее за руку и, бросив на нее холодный взгляд, стал говорить:

— А теперь скажи, подруга, как вы со своим хахалем Семена завалили?

Настю прошиб холодный пот. Она почувствовала, что спина покрылась мурашками, руки затряслись. Неужели они все знают? Они сейчас убьют ее!

— Я не понимаю, о чем вы! — еле выдавила она из себя.

— Не понимаешь? А врать-то нехорошо! Ты же еще такая молодая, красивая, — сказал парень.

Настя взглянула ему в лицо. Оно было очень неприятное, на щеке шрам.

— А вы кто?

— Я брат Семена, родной. Где твой супруг? — и добавил: — Не ври, за обман ответишь.

— Понятия не имею. Уехал куда-то.

— Ладно, мы из-под земли его достанем! — пригрозили парни и вышли.

Когда Настя вернулась домой, ее ждал еще один сюрприз. К ней неожиданно с обыском пришли оперативники и следователь прокуратуры. Они долго что-то искали, вытащили все фотографии Дмитрия, но в квартире ничего не обнаружили. Потом повезли ее на допрос в одну из прокуратур.

И теперь Настя сидела и ждала вызова к следователю.

— Машкова, иди сюда! — услышала она голос, донесшийся из кабинета следователя.

Настя встала, вошла в кабинет.

— Садись, Машкова, — сказал следователь. — Значит, так. Ситуация немножко изменилась. Дело в том, что при попытке задержания твоего супруга, то есть гражданского мужа, — он сделал паузу, — произошло несчастье. Он оказал сопротивление и был убит сотрудниками милиции. Я думаю, что прокуратура найдет правомерным применение сотрудником милиции оружия в отношении преступного элемента Дмитрия Киселева. Так что допрос у нас сегодня не состоится...

— А где он находится? Это точно, что это случилось? — спросила Настя.

— Все точно. Можешь поехать в морг, — и следователь написал на листке бумаги адрес морга, где находилось тело Дмитрия.

Через сорок минут Настя входила в морг. Санитар подвел ее к столу, приподнял белую клеенчатую простыню. Настя с ужасом увидела лицо Дмитрия. Оно было синее, холодное. Настя заплакала.

В этот же вечер она уехала в Тверь, к себе домой, и больше в Москву никогда не возвращалась...

Через несколько дней в Тверь вернулась и Ольга — не смогла больше работать в системе интимных услуг.

Через несколько дней при загадочных обстоятельствах был убит Удав. А вскоре Настя встретила нормального, хорошего парня и вышла за него замуж.

Иногда она вспоминала своего гражданского мужа, Димона Киселева, и то короткое время, когда была счастлива с ним. Только судьба бандитских жен столь же коротка, сколь и жизнь их мужей-бандитов.

Дело о нераскрытом убийстве, 1996 год

До переезда в столицу Аня жила в Архангельске, далеком северном городке. Два дня назад ей исполнилось двадцать лет. На день рождения собрались ее лучшие друзья и подруги.

Всем было очень весело. Ася, лучшая подруга Ани, пришла с двумя молодыми людьми. Аня заранее знала, кто эти люди, потому что Ася хотела познакомить их с Аней. Хотя ребята были земляками, оба они три года назад уехали в Москву и теперь, по их словам, работают там в какой-то охранной фирме. Одного из них звали Федором, другого Сергеем.

Федор был ростом сто семьдесят — сто семьдесят пять сантиметров, со спортивной фигурой, черноволосый, очень спокойный и вежливый. В отличие от своего друга, Сергей был более худощав и очень веселый и разговорчивый. Он говорил почти не закрывая рта. Вначале Ане понравился Сергей, поскольку был очень общительным, компанейским, сразу же располагавшим к себе. Но потом она почувствовала всей кожей пристальный взгляд Федора. Уже после того, как все гости встали из-за стола и пошли танцевать, Аня почти все оставшееся время была рядом с Федором.

На следующий день Федор пришел к ней в салон постричься. Аня уже год работала парикмахером в мужском зале. До этого она училась в обычной школе, затем несколько месяцев — на курсах парикмахеров. Работа парикмахера — работа с людьми. Постоянно приходят разные клиенты, практически со всеми Аня разговаривала. Конечно, люди были разные — одни приятные, другие — наоборот — неприятные, злые, так и норовили обидеть... Работа тяжелая — целый день на ногах. Они с подругой как-то подсчитали, сколько километров проходят за день, курсируя в течение рабочего дня по залу, переходя с одного места на другое. Выходило — неслабо!

Единственная отдушина для Ани — это выходные дни. В субботу и воскресенье парикмахерская, как правило, не работала, и Аня с подругами ходила на дискотеки. На одной из дискотек лучшая ее подруга Ася и познакомилась с Федором и Сергеем. Она решила пригласить их к Ане на день рождения.

Федор пришел где-то к середине дня. Аня сделала ему хорошую стрижку. После этого Федор осторожно спросил, не согласится ли она встретиться с ним сегодня, сходить в бар. Аня сразу же согласилась.

Почти целый вечер они просидели в баре. Федор был немногословен. Из его рассказа Аня узнала, что Федор работает в Москве, на крупной фирме, которая занимается охранными услугами, и практически целый день посвящает разъездам на так называемые «точки» — объекты, где находятся клиенты, которых они охраняют. Обычно разъездами он занимается вместе с Сергеем. Кроме того, Аня узнала, что Федор с Сергеем живут в двухкомнатной квартире, которую снимают в одном из районов Москвы.

Федор понравился Ане. Неожиданно он пригласил ее приехать к нему в гости в Москву. Аня согласилась. Но после отъезда Федора как-то забыла об этом приглашении, да и с самого начала не придавала ему большого значения. Она думала, что это обычное знакомство, без дальнейших перспектив. Однако спустя два месяца в ее квартире неожиданно раздался междугородний звонок. Звонил Федор. Он поинтересовался, как ее дела, какие у нее планы, и спросил, когда она собирается приехать в Москву.

К тому времени уже наступила зима, и в северном городе, находящемся у холодного моря, Аня чувствовала себя неуютно. Тем более что начались сильные морозы — термометры показывали сорок градусов ниже нуля. «А что, может, действительно рвануть в Москву?» — подумала Аня и согласилась.

Вскоре она купила билет на самолет и после трех часов полета оказалась в московском аэропорту Шереметьево, где ее встречали Федор и Сергей. Они были радостными, даже привезли цветы. В этот же вечер они поехали к ребятам на квартиру.

В Москве Аня была второй раз. Когда она училась еще в восьмом классе, их возили в Москву на экскурсию, во время школьных каникул. Но это было давно. А сейчас, спустя пять лет, Москва очень преобразилась, Аня даже не узнала ее.

Федор и Сергей по дороге подробно рассказывали Ане о различных достопримечательностях города, о клубах и ресторанах. Все говорило о том, что хотя ребята и приехали в Москву три года назад, но они уже считают себя москвичами и прекрасно знают, что где находится.

Квартира, которую снимали парни, находилась в молодежном районе Крылатское. Аня сразу отметила, что в Крылатском очень много молодежи. Создавалось впечатление, что Крылатское с его многочисленными новостройками — город молодых.

Ребята объяснили, что это один из самых престижных районов Москвы — чистый воздух, хорошая экология, крупнейшие магазины, химчистки, рестораны, клубы, сделанные по евростандарту, и многое другое — все говорило о том, что люди, живущие в Крылатском, имеют достаточно высокий достаток.

Ребята жили в семнадцатиэтажном доме, арендуя двухкомнатную квартиру на девятом этаже. Войдя в квартиру, Аня сразу поразилась тому, как ребята оборудовали квартиру. Однако вскоре узнала, что вовсе не ребята так переоборудовали квартиру, а просто знакомые коммерсанты, которые работают в одной строительно-ремонтной фирме, по сниженным ценам сделали все в квартире. А переоборудование заключалось в следующем — при входе кухня была объединена с громадным коридором. Таким образом, получилась студия. А две изолированные комнаты имели каждая отдельный вход. В холле стояли угловой диван, телевизор с огромным экраном, видео- и стереоустановка, и больше никакой мебели. Кухню ребята собрали итальянскую, на заказ, оборудовав самой современной техникой. Там стояла посудомоечная машина, микроволновая печь и другие агрегаты, пользоваться которыми ребята научили Аню сразу же.

В первый же вечер ребята отправились в ресторан, а затем повели Аню в ночной клуб. Ночной клуб, в котором Аня никогда раньше не бывала (если не брать в расчет те забегаловки, которые в ее родном городе совмещали дискотеку, клуб и Дом культуры), поразил Аню. Если в ночном клубе в Архангельске все танцы были под фонограмму модных ансамблей, которую крутил диск-жокей, то в московском клубе модные группы и певцы выступали «живьем». Правда, Аня сразу заметила, что многие пели под фонограмму, но тем не менее присутствие эстрадного исполнителя и возможность находиться близко к нему, рассмотреть его очень обрадовали и удивили Аню.

Вечер был замечательный. Когда они вернулись домой, было три часа ночи. Надо было ложиться спать. Аня прекрасно понимала, что скорее всего она ляжет с Федором — не зря же он пригласил ее в Москву... Однако Федор поступил совершенно неожиданно для Ани. Он постелил ей в своей комнате, а сам лег в холле, на угловом диване, ссылаясь на то, что Ане нужно хорошо отдохнуть после переезда.

Аня была поражена: почему же он с ней не лег? Может быть, он так ухаживает?

На следующий день Сергей поехал на работу, а Федор, оказывается, заранее отпросился у своего начальства и три дня посвятил Ане. Он показывал ей Москву, тем более что у него была своя машина, и Федор хорошо управлял ею.

Все три дня они ходили и ездили по разным местам — были в театрах, в музеях — по просьбе Ани. Обедали и ужинали в ресторанах. Иногда к ним присоединялся Сергей. У него было много работы в тот период, и он ссылался на то, что работает за двоих, прикрывая Федора, потому с ними был редко.

В последний перед ее отъездом день Сергей обещал приехать в ресторан, но не приехал — вероятно, что-то случилось на работе, и его руководители фирмы срочно вызвали на какую-то позднюю вечернюю встречу. Федор с Аней сидели за столиком в одном из ресторанов и ужинали.

Первой затянувшееся молчание нарушила Аня. Она сказала:

— Ну вот, Федя, завтра я уезжаю. Так не хочется, если бы ты знал!

Федор внимательно посмотрел на нее и неожиданно предложил:

— А ты оставайся! Давай будем жить вместе... — робко добавил он.

Аня посмотрела на него удивленно:

— Ты что, делаешь мне предложение?

Федор неопределенно улыбнулся и ответил:

— Ну, мне очень нравится быть с тобой... Я тебя люблю. Но, наверное, сейчас неподходящее время... К тому же мы не так хорошо знаем друг друга. Я просто хотел, чтобы ты жила со мной... Как ты на это смотришь?

Аня помолчала. Конечно, возвращаться в свой город и опять жить словно в холодильнике, при сорокаградусных морозах, Ане не очень хотелось. Она внимательно посмотрела на Федора. «Ну что ж — он внушает доверие. По-моему, он человек порядочный, не стал приставать, между нами так ничего до сих пор и не было... Все это говорит о том, что у Федора и в самом деле серьезные намерения. Но уж очень он робкий какой-то, нерешительный...» Но, с другой стороны, Аня решила: нужно попробовать. Вдруг получится, вдруг это и есть ее счастье? В конце концов, если что-то не так, всегда можно собрать вещи и уехать домой. Чем она рискует? Да ничем.

— Ты знаешь, — обратилась Аня к Федору, — ты мне тоже очень нравишься. Я готова здесь остаться. Но чем я буду заниматься? Ведь у меня нет московской прописки, и я не смогу устроиться на работу...

— Ничем ты заниматься не будешь. Будешь моей женой, а я буду полностью тебя обеспечивать. Зарабатываю я неплохо, так что все будет нормально.

Так они и решили. В первую же ночь, которую она провела вместе с Федором, Аня была счастлива как женщина. Федор оказался очень хорошим любовником. Вероятно, сильный и крепкий его организм, не отравленный никотином и алкоголем — а Федор не курил и не пил, — обладал сильным сексуальным потенциалом. Ане было с ним очень хорошо. К тому же он был очень ласков и заботлив.

В общем, все было хорошо. Единственное — Ане нужно было съездить в свой город и забрать кое-какие вещи. Но Федор сказал, что он не хочет расставаться с ней ни на один день, поэтому Аня просто позвонила своей подруге Асе и сказала, что она теперь будет жить в Москве. Та была очень удивлена.

— Слушай, а может, и меня как-нибудь там пристроишь? — стала просить она Аню.

— Хорошо, если найду для тебя жениха, — сказала Аня, — я обязательно тебя вызову.

Москву Аня освоила быстро. Через три недели она уже знала все крупные магазины и рынки, где можно было купить что-то хорошее. Целыми днями она закупала продукты. Ей нужно было кормить двоих мужиков. Она старалась каждый день готовить новые блюда.

Федор и Сергей, приезжающие с работы очень усталыми, всегда восхищались ее кулинарными творениями.

Федор часто приносил деньги. Как он говорил, это были премии за ту или иную работу. Ане это было странно — премии обычно бывают квартальные, месячные, а тут практически еженедельно! Но, с другой стороны, ей было очень приятно, что Федор практически все деньги тратил на нее. Она уже была полностью одета во все новое, из дорогих магазинов. Если раньше она одевалась на вещевом рынке, то через месяц — только в дорогих бутиках и в крупных фирменных магазинах.

Федор ее вполне устраивал. Единственное — он иногда мог очень поздно прийти. Но обычно он предупреждал, что задержится, звоня Ане по телефону. Иногда Федора вызывали поздним вечером. Он обычно уходил встревоженный, даже расстроенный. Появлялся либо поздно ночью, либо под утро, очень усталый, и сразу ложился спать.

Аня понимала, что это специфика его работы, поэтому никогда не приставала к нему с расспросами.

Однажды Федор сказал:

— У нас скоро будет день рождения нашего начальника, поэтому ты приготовься — съезди в магазин, купи себе дорогое платье. В ресторане соберется вся наша бригада.

— Какая бригада? — переспросила Аня.

— Я имею в виду охранную фирму, — поправился Федор, — просто я называю ее бригадой.

Аня поехала в магазин, купила себе платье за 700 долларов, за 200 долларов — новые туфли. Когда Федор увидел ее в этом наряде, он даже рот открыл.

— Надо же, какая ты красивая!

Вскоре они сели в машину и поехали в Центр, в один из ресторанов.

Там уже было много народу. Но фирма Федора собралась в отдельном банкетном зале. Было примерно человек пятьдесят, двадцать пять ребят и столько же девушек.

Аня несла букет цветов, Федор — коробку с подарком. К ним подошел парень лет тридцати пяти — тридцати семи, крепкого телосложения, с русыми волосами. Вероятно, это и был начальник Федора. Они поздоровались. Федор представил Аню своему начальнику.

— А это, Митяй, моя супруга, Аня, — сказал он.

Аня сказала:

— Очень приятно.

Митяй пристально посмотрел на нее и произнес:

— Ничего, красивая девчонка!

Аня протянула ему цветы:

— Поздравляю вас с днем рождения! — Но назвать его Митяем как-то не решилась, так как не понимала, почему у него такое странное имя.

Федор протянул коробку.

— А это что у тебя? — спросил Митяй.

— Вот, дарю тебе пистолеты.

Митяй с удивлением открыл коробку. В фирменной коробке лежали пистолеты, сделанные под старину, типа дуэльных, с деревянными резными ручками. Рядом с Митяем появился второй парень, похожий на него, такой же крепкий. Вероятно, это был его брат.

— Ну, Митяй, тебя прямо сразу в менты и примут с этой волыной! — сказал он. Эти слова вызвали дружный хохот окружающих.

Тем не менее Митяй был очень рад подарку. Он обнял Федора и сказал:

— Спасибо, Федя, братуха, за подарок! Очень хороший подарок!

Аня села за стол и, присматриваясь к гостям, неожиданно обнаружила, что практически многих из присутствующих она раньше видела в своем городе.

— Послушай, — обратилась она к Федору, — мне кажется, что я со многими знакома...

— Конечно, знакома, — улыбнулся Федор. — Почти все тут из нашего города. Кстати, братья Сажины — мой начальник и его брат — тоже из нашего города.

— Погоди, как ты сказал? Братья Сажины?

— Да, Егор и Митяй. Ты их знала?

— Нет, знать я их не знала, но слышала. Это же... Они же сидели в тюрьме! Один из них был в колонии, другой в тюрьме, — уточнила Аня. — Они же очень известные в нашем городе преступники.

— Да ладно тебе! — махнул рукой Федор. — Какие они преступники? Видишь — оба на свободе. Мало ли с кем по молодости не бывает! А сейчас они бизнесмены, занимаются охранной деятельностью. Я работаю у них и очень доволен.

День рождения праздновался на широкую ногу. Братья денег не пожалели. Мало того, что столы были «упакованы» дорогой изысканной пищей, они пригласили еще нескольких популярных артистов, которые на небольшой эстраде, находившейся в углу банкетного зала, исполнили несколько песен.

Все проходило чинно и достаточно спокойно. Весь вечер мужчины часто вставали и отходили разговаривать. Никто, как обратила внимание Аня, не пил и не курил.

Когда Федор в очередной раз поднялся и пошел поговорить с братьями вместе с Сергеем, то Аня познакомилась с соседкой, сидевшей справа от нее. Соседку звали Люсей. Она уже второй год жила в Москве, тоже приехала из их родного города. Они вспомнили о городе, потом стали говорить о мужьях. Люся поинтересовалась, не купил ли ей Федор машину.

— Нет, не купил.

— А ты вообще можешь водить машину? — спросила Люся.

— Нет, никогда не водила. У нас есть машина, но ею пользуется Федор.

— А почему бы тебе не пойти на курсы? — продолжала Люся. — Давай вместе пойдем учиться! Мне супруг подарил машину, но я пока водить не умею.

Аня задумалась. В этот же вечер, когда они с Федором вернулись домой, она стала говорить с ним и просить, чтобы он разрешил ей пойти на курсы вождения автомобиля. Федор разрешил ей учиться.

Вскоре Аня и Люся стали ходить на курсы.

Прошло еще три месяца. Аня уже заканчивала курсы, и ей необходима была практика. Федор в свободное время старался выезжать с Аней за город, давая ей возможность самой садиться за руль, и помогал исправлять ей ошибки, связанные с вождением. Сам Федор водил машину очень хорошо, поэтому когда Аня ездила с ним, внимательно смотрела, как выходит из той или иной ситуации Федор.

Однажды Анино вождение пригодилось Федору по работе. Случилось это все в один из дней, когда Сергей неожиданно уехал в командировку на неделю. Федор обратился к ней:

— Ты что сегодня делаешь?

— Да ничего особенного, — ответила Аня. — Продукты вот приготовила, тебя буду кормить...

— Давай мы с тобой поступим так. Мне нужная твоя помощь. С продуктами и с обедами можно подождать. В конце концов, поужинаем вечером в ресторане. А помощь мне твоя очень нужна.

— Интересно, какую помощь от меня ты собираешься получить?

— Ты можешь быть моим водителем?

— А зачем тебе водитель? — удивилась Аня.

— Просто ситуация такая сложилась — я должен подъехать на машине на фирмы, которые мы обслуживаем, и забрать у них деньги, а ты должна сидеть за рулем.

— Но почему ты не можешь сделать это один?

— Такой у нас порядок.

— Хорошо, я помогу тебе, — согласилась Аня.

Они сели в машину. За рулем был Федор. Но каждый раз, когда они подъезжали к зданию, где находилась фирма, которую обслуживал Федор, он останавливал машину, выходил, а за руль усаживалась Аня и подъезжала к зданию. Стекла в машине были тонированные, и с улицы не было видно, кто сидит за рулем. «Может быть, Федору для солидности нужно было подъезжать на машине с водителем? — думала Аня. — Или есть какие-то иные причины, о которых он не хочет мне говорить...»

Она обратила внимание, что, когда они подъехали к первой фирме, Федор попросил не выключать двигатель и быстро пошел ко входу. Он вернулся через пять минут, неся большой сверток. Сев в машину, он сказал:

— Трогай, Анюта!

Они отъехали несколько десятков метров. Федор заглянул в сверток. Аня тоже бросила косой взгляд. Там были пачки денег в банковских упаковках.

Затем они подъехали к следующей фирме. Тут Аня обратила внимание, что в этой фирме находились люди в черной униформе, с офицерскими ремнями и портупеями. Когда Федор вернулся через десять минут с таким же пакетом, она спросила:

— Послушай, Федя, а почему, если ты говоришь, что вы занимаетесь охранной деятельностью, здесь находятся люди в черной камуфляжной форме? Они ведь тоже охранники?

— Да, охранники, — кивнул головой Федор.

— А зачем же им ваша охрана нужна?

— Видишь ли, — сказал Федор, — дело в том, что мы решаем, так сказать, нестандартные ситуации. А они, — он указал на охранника в черной форме, — выполняют штатные обязанности по охране здания. Мы ездим на встречи, разбираемся с теми, кто не возвращает деньги или пытается обмануть наших коммерсантов. В общем, мы выполняем грязную, неблагодарную работу, связанную с риском для жизни.

— Но ведь этим занимаются бандиты! — удивленно сказала Аня.

Федор остановил машину.

— Давай не будем бросаться такими громкими словами — бандиты... Мы выполняем свою работу. За эту работу нам платят хорошие деньги. Мы сами ни на кого не нападаем, ни у кого ничего не отнимаем и не грабим, а только выполняем работу, связанную с контрактом, который мы подписываем.

Но Аня не унималась:

— Но вы же сами навязываете им свои услуги по так называемой охране!

Федор еще больше разозлился.

— Мы ничего никому не навязываем! У нас просто очень серьезный авторитет, и люди, коммерсанты, сами к нам приходят и просят, чтобы мы были их «крышей», потому что каждый выполняет свою работу. Они умеют зарабатывать деньги, а мы — хорошо их оберегать от врагов и конкурентов. И давай закончим разговор на этом, потому что я на работе.

К следующей фирме, к которой они подъехали, Федор пошел немного взвинченный. Вскоре он вернулся с очередным пакетом. Через несколько метров он попросил Аню остановить машину, соединил все пакеты вместе и положил в большую хозяйственную сумку, которая была у него в багажнике.

— Нам нужно съездить еще в одну фирму, — сказал Федор и стал показывать Ане дорогу.

Практически весь путь к последней фирме Аня молчала. Наконец машина остановилась. Федор вышел, вскоре вернулся с очередным пакетом, сел в машину и сказал:

— Все, мой рабочий день закончен. Поехали.

Аня не успокаивалась:

— И часто ты так собираешь деньги?

— Нет, — сказал Федор, — только по пятницам.

— А что же ты не кладешь содержимое этого пакета в сумку?

— А это наш пакет.

— Как наш? — удивилась Аня.

— Так, он принадлежит нам с тобой. Точнее, еще и Сережкина доля тут.

— То есть ты хочешь сказать, что ты охраняешь эту фирму вдвоем с Сережкой и имеешь с этого деньги?

— Я ничего не хочу тебе говорить, — ответил Федор.

Настроение было отвратительное. Почти весь вечер они не разговаривали. На следующий день вернулся Сергей и разрядил обстановку. Он приехал с большим успехом, как он объяснил. Он сделал очень важное и серьезное дело. Федор и он закрылись у Сергея в комнате и долго о чем-то говорили. Потом они вышли, и Сергей пригласил всех в ресторан, так как на следующий день ему причиталась очень крупная сумма денег. В этот же вечер Аня помирилась с Федором, вернее, помирил их Сергей. Он сказал:

— Аня, ну что тебе еще от жизни нужно? Мужик не пьет, не курит, деньги в дом несет. Мало ли кто чем занимается! Мы никого не убиваем, никого не грабим. У нас нормальная работа, благодаря которой мы сыты и одеты, как, впрочем, и ты...

Потом он продолжил:

— Ты просто насмотрелась фильмов и начиталась книжек про бандитов. Но я хочу тебе еще раз повторить — у нас сугубо добровольные деловые отношения между коммерсантами и нами.

— Ладно, — сказала Аня, — давайте действительно закончим эту тему.

Напряжение было снято. Сергей посмотрел на Аню с Федором:

— Вам надо бы развеяться, выехать куда-то. Федя, ты поговори со старшими, может быть, отпуск возьмешь на неделю, смотаешься с Аней куда-нибудь...

— Куда мы поедем? — ответил Федор. — У Ани даже загранпаспорта нет.

— Да паспорт сделать не проблема! — сказал Сергей. — У меня одна фирма туристическая есть, они за пять дней сделают.

На следующий день Аня пошла фотографироваться для загранпаспорта. Затем заполнила анкету и отдала ее Сергею. Через пять дней Сергей принес ей новенький заграничный паспорт. Теперь оставалось только выбрать место, куда лететь. Сергей и здесь помог. Оказывается, он договорился с туристической фирмой и взял билеты и путевки на далекие Филиппины.

— Да ты с ума сошел, Сергей! — сказала Аня. — Говорят, туда долго лететь надо!

— Да, больше десяти часов. Зато я вам такой остров подобрал!

Наконец Аня с Федором вылетели из Шереметьева. Провожал их Сергей. Летели они действительно очень долго, с пересадкой. Когда они прилетели в Манилу, они были настолько измотаны и усталые, что сразу отправились в гостиницу. По условиям контракта фирмы, они должны были остановиться в отеле под названием «Мандарин Ориентал», что означало «восточный господин». В отеле они пробыли один день. Уже на следующее утро им нужно было лететь на один из островов под названием Себо. Это был престижный курорт. Вообще на Филиппинах около семи тысяч островов.

Когда они прилетели на этот остров, то очень удивились. Остров был небольшой, но очень зеленый. По краям острова стояло несколько деревянных хижин, сплетенных из бамбука. Внутри хижины было достаточно удобно и комфортабельно. Аня узнала, что именно на таком острове и в такой же хижине жил известный французский художник Поль Гоген.

На острове были некоторые трудности. Дело в том, что воду там давали по расписанию, два часа ночью и два часа днем. Остальное время вода только в океане.

Аня была потрясена. Она впервые была за границей. Особенно потрясли ее филиппинцы. Они сами по себе люди добрые и беспечные. Услужливость у них в крови, как и доброжелательность, и деликатность. От них как бы исходят какие-то токи, и ты получаешь полное ощущение безопасности и спокойствия.

Но Ане не понравилась филиппинская кухня. Она острая и жирная, много оливкового масла, есть принято руками, прямо в залах стоят умывальники с мылом. Особенно потряс Аню местный напиток, который назывался манговый шейк. Манго на острове — культовый фрукт, самый благородный, благороднее, чем ананас, кокос и банан. Лучшие манго, как уверяли местные жители, растут именно на острове Себо.

Аня уже стала разбираться в тонкостях филиппинской кухни. Самая главная филиппинская рыба — лапулапу, рыба-гермафродит, священная рыба. Несмотря на это, едят ее здесь за милую душу, так как эта рыба очень вкусная. Также тут очень любят банагану — что-то типа лобстера, алиманго — крабы и, наконец, — сугпо, тигровые креветки.

Погода была великолепная, около тридцати градусов, море теплое. Оно напоминало Ане знаменитый рекламный клип шоколадных батончиков «Баунти» — голубое небо, темно-зеленое море, пальмы, мелкий песок. Пробыв в этом раю ровно неделю, они вернулись в свое время. Все неприятности, происходившие накануне отъезда, были забыты.

В Москве их встречал Сергей. Однако был он грустным и мрачным. Всю дорогу он молчал, только изредка спрашивал, как путешествие. Было ясно, что что-то случилось.

Когда они приехали, Федор спросил:

— Сергей, как дела?

— Да ничего, — ответил тот, — но есть кое-какие новости, не очень приятные для нас с тобой...

— Говори, что за новости?

— Да нет, попозже, после ужина, мы посидим с тобой и покумекаем...

Федор замолчал и больше его не расспрашивал.

Все поужинали, и Аня пошла отдыхать — сказывалась усталость после длительного перелета. Ребята же остались на кухне.

Около трех часов ночи Аня проснулась. Федора все еще не было. Неужели они до сих пор разговаривают? Она тихонько вышла в коридор и увидела, что ребята сидят на кухне. Они были мрачные, о чем-то тихо говорили. Аня подошла к двери.

— Что же вы не спите? — спросила она.

— Ты спи, успокойся, — ответил Федор.

— Что-то случилось?

— Да ничего, выпутаемся, — успокоил Федор. — Все будет нормально. Скоро я приду, иди ложись.

Аня пошла спать.

На следующий день все встали, как обычно, рано и стали собираться на работу. Аня продолжала лежать в кровати. Федор подошел к шкафу и стал доставать оттуда костюм. Надев пиджак, он быстро достал из другого костюма пачки денег. Аня увидела, что это были доллары. Федор положил их в левый карман. С другой стороны он достал сумку, открыл ее. Аня увидела, что оттуда он достает пистолет.

— Откуда это у тебя, Федя? Что это за оружие?

— Да это газовый, не волнуйся, — сказал Федор. Потом помолчал, снова подошел к шкафу и вытащил еще одну пачку долларов. — Знаешь что, Аня, — сказал он, — мне по работе необходимо несколько дней поездить с оружием, а оно у меня не зарегистрировано...

— Ты же сказал, что это газовый пистолет?

— Да, газовый, но дело в том, что и за перевозку газового оружия наступает уголовная ответственность. А без оружия я ехать не могу. Поэтому если, не дай Бог, что случится...

— А что может случиться? — насторожилась Аня.

— Например, менты заберут меня за незаконное ношение оружия. Вот, я оставляю тебе деньги, — он взял пачку долларов, отсчитал около трех тысяч и протянул Ане, — это деньги на адвоката. Найми мне хорошего адвоката, чтобы он меня вытащил. Ты знаешь, где брать адвокатов?

— Нет.

— В юридической консультации. Вот тут один адвокат есть, — Федор взял записную книжку и выписал оттуда телефон.

— Но откуда я узнаю, что тебя арестовали?

— Тебе сообщат обязательно, может, не сразу.

— Федор, мне так страшно! — сказала Аня. — Что у вас случилось, скажи мне!

— Это наше мужское дело, — сказал Федор, — мы сами разберемся.

Вскоре они вместе с Сергеем уехали на работу.

После отъезда Федора на работу Аня не находила себе места. Она не могла понять, что же случилось, почему Федор должен ездить теперь с пистолетом, и о чем они так долго говорили с Сергеем ночью на кухне. Неужели что-то произошло? Может быть, за ними начали охотиться? Нет, нужно постараться все узнать у Федора...

Федор приехал около восьми часов вечера. Настроение у него было нормальное.

— А где Сергей? — спросила Аня.

— Сергей в спортклубе задержался, — ответил Федор. — Он же в спортивный клуб ходит, качается, железки тягает.

— Будешь ужинать?

— Да, конечно.

Они сели за стол.

— Слушай, Федя, — сказала Аня, — я хотела спросить тебя... Ты можешь сказать, что у вас случилось?

— Нет, пока тебе ничего знать не нужно. Поверь, ничего страшного нет. Хотя, конечно, все это достаточно неприятно, неприятная вокруг нас сложилась ситуация...

— Федя, я тебя очень прошу, расскажи мне! Я же за тебя переживаю! После твоего отъезда на работу я места не находила!

— Нет, Анюта, не проси меня, я ничего не могу тебе сказать.

Они допоздна ждали Сергея, но тот так и не пришел. Федор начал волноваться. Он позвонил двоим ребятам, которые тренировались вместе с ним, но те сказали, что видели, как Сергей выходил из клуба и садился в машину. Но почему он не приехал домой?

— Что ты волнуешься? — теперь уже Аня стала успокаивать Федора. — В конце концов, дело молодое.

Мало ли куда Сергей поехал, может, к девчонке знакомой, может, в ночной клуб... Что он, обязательно домой должен ехать? Может, мы ему просто надоели?

— Может, и так, — согласился Федор и пошел спать.

Под утро раздался телефонный звонок. Звонил кто-то из друзей Федора. Федор кричал в трубку:

— Где? Как это случилось? Говори четко!

Чувствовалось, что Федор взволнован. Он бросил трубку и стал одеваться. Аня подбежала к нему:

— Федя, неужели ты и сейчас мне ничего не скажешь? Что случилось?

— Сергея убили.

— Как убили? Где? Когда?

— Понимаешь, в общем-то, его не убили, а ранили тяжело. Он находится в реанимации.

— Ты куда сейчас?

— К нему.

— Я с тобой поеду!

Федор хотел было оттолкнуть Аню от двери, но потом передумал.

— Ладно, поехали, только быстро собирайся.

Аня мигом оделась. Они сели в машину и направились в сторону больницы Склифосовского, что недалеко от Сухаревской площади.

По дороге Аня пыталась расспрашивать Федора, кто стрелял в Сергея, но тот ничего не говорил.

— Я сам толком ничего не понял, сейчас все узнаем, — отвечал он.

— Да нас же к нему не пропустят!

— Ничего, пропустят, договоримся! — сказал Федор уверенно.

Когда они подъехали к больнице, Аня заметила, что перед входом стояло несколько машин со знакомыми ребятами из фирмы Федора. Федор сказал:

— Ты посиди пока в машине, а я пойду узнаю.

Он подошел к ребятам, разговаривал с ними минут двадцать. Наконец вернулся.

— Бесполезно, никого не пускают, — сказал он. — Сергей в очень тяжелом состоянии.

— Так кто в него стрелял?

— Толком ничего не известно. Подъехал к заправке, — стал рассказывать Федор, — а когда заправился и стал выезжать, остановилась машина, и киллер стал стрелять в него из пистолета с глушителем. Пули задели голову...

— Но вы хоть догадываетесь, кто мог стрелять в него?

— Конечно, догадываемся. Но это известно еще не точно. Нам с тобой надо срочно сменить квартиру.

В этот же вечер они съехали в гостиничный номер, который снял Федор.

Через неделю он все же пробился к Сергею и узнал подробности случившегося покушения. А еще через неделю Аня сама попала к Сергею. Он лежал уже в одиночной палате, голова забинтована, над ним была установлена капельница. Он лежал грустный, одинокий. Кроме головы, была забинтована и рука, вероятно, тоже задело. Увидев Аню, Сергей слабо улыбнулся ей. Какие-то трубочки, присоединенные к нему, шли к капельнице.

Сергей еле мог говорить, поэтому он почти все время делал лишь знаки, пытался выдавливать из себя слова. Все это было очень удручающе. Потом, возвращаясь домой, Аня сказала:

— Послушай, Федор, это покушение явно связано с вашей работой. Может быть, тебе бросить это все? Давай уедем в свой город.

— А что я буду там делать? — спросил Федор. — И потом, просто так из этой компании я выйти не могу, понимаешь? Пойми, Аня, скоро будет развязка. Определенно будет серьезная разборка, и все станет ясно, кто есть кто.

Федор замолчал, о чем-то задумавшись. Непонятно было, кого он имел в виду...

Потом неожиданно он продолжил:

— Понимаешь, Аня, я думаю, что скорее всего это из-за денег.

— Из-за каких денег?

— Да из-за того пакета, помнишь, что я вытаскивал из фирмы и положил нам с тобой.

Аня вопросительно взглянула на Федора.

— Я ничего не понимаю, объясни толком!

— Дело в том, — стал объяснять Федор, — что по работе я собирал деньги, так сказать, в общак, короче, на фирму. А тут мы с Сергеем сделали «левак»...

— Что это значит?

— Ну, помимо того, что я собирал деньги, я еще ездил по разным фирмам и предлагал услуги на предмет «крыши». И мы сами должны были находить эти фирмы и предлагать свои услуги. Естественно, деньги шли в общак. Часть процентов имели мы. А мы с Сергеем, я даже не знаю, как это получилось... Одним словом, мы всю долю фирмы взяли себе, никого не поставив в известность. Тут, наверное, произошла утечка информации. Мне кажется, что скорее всего это месть...

— Что же теперь делать? — спросила Аня.

— Да ничего. Никто пока мне об этом не говорил, значит, ничего не доказано. Хотя, с другой стороны, если они точно узнают, то нам не жить...

От этих слов Ане стало нехорошо.

— Но может быть, можно как-то деньги вернуть?

— Кому? — улыбнулся Федор. — Ты думаешь, что нас простят? Никогда. Единственное — мне кажется, что они не узнали ничего об этой фирме...

— Тогда почему же стреляли в Сергея?

— Черт его знает... Может, он с кем-то поссорился. Он же такой вспыльчивый, ты ж знаешь...

— Да, это верно, — кивнула Аня головой.

После того, как Федор вновь уехал на работу, Аня сидела дома и смотрела телевизор, хотя совершенно не вникала в смысл происходящего на экране. Неожиданно зазвонил телефон. Она подошла, взяла трубку, но телефон молчал. Тут она увидела, что звонил мобильный телефон Федора, лежащий в одном из пиджаков, висевших в шкафу. Она подошла и взяла трубку.

— Алло!

Женский голос почти кричал:

— Федора мне!

— А его нет.

— А кто это? Аня, это ты?

— Да, я. А это кто?

— Я Люся. Помнишь меня? Мы на курсы вместе ходили.

— Конечно, помню. Как твои дела?

— Да плохи дела! Моего мужа убили!

— Как убили?!

— Вот я Федору и звоню! Где он?

— Да я не знаю, на работу уехал...

— Аня, понимаешь, кто-то их стал отстреливать! Уже четверых застрелили! Кто-то ведет охоту!

— Погоди, — перебила ее Аня. — Кто, на кого?

— Да на всех ребят, на всю бригаду! — почти кричала Люся. — Моего мужа убили, Сергея подстрелили, еще... — Она назвала имена ребят. — Что же это делается?! Как мне найти Федора?

— Я не знаю... погоди, у него ведь пейджер есть, — вспомнила Аня. — Записывай номер!

— Да я знаю номер, он не отвечает!

— Я к тебе сейчас приеду, — сказала Аня.

— Нет, не надо, я срочно уезжаю из города. Мужу уже ничем не поможешь.

— А куда ты едешь?

— В родной город. Тело его заберу и в гробу повезу, чтобы похоронить там...

После этого разговора Ане совсем стало не по себе.

Федор появился поздно, около полуночи. Он был грязный, брюки в потеках...

— Где ты был? — ужаснулась Аня.

— В лесу, — сказал Федор, проходя на кухню. — Сделай что-нибудь поесть горячего...

— Федя, знаешь, — бросилась к нему Аня, — тут Люся звонила, она такое сказала...

— Я в курсе, — спокойно ответил Федор. — Есть хочу — умираю!

Она накрыла на стол. Федор стал ужинать, потом подошел к холодильнику, сделал себе несколько бутербродов и стал есть.

— Давай чаю попьем, — сказал он.

Аня понимала, что сейчас Федора лучше ни о чем не расспрашивать. Наконец, когда он поел, то подошел к гостиничному окну и стал смотреть на ночную Москву. Аня подошла к нему и обняла его сзади за плечи.

— Федя, давай поговорим с тобой серьезно.

— О чем? — повернулся к ней Федор.

— Объясни мне, что случилось?

— Не женское это дело, — отрезал Федор.

— Но я ведь твоя жена, я твоя половина, я должна все знать! Мне это необходимо, хотя бы для того, чтоб быть спокойной. Ты мне скажи, ты же доверяешь мне?

Вероятно, последние слова подействовали на Федора.

— Да, конечно, доверяю, — сказал он. — Что тебе сказать... Плохи наши дела. Помнишь, когда мы с тобой вернулись с Филиппин, мы с Серегой сидели на кухне и долго говорили?

— Конечно.

— Вот тогда он и сказал мне, что у нас началось «сокращение штатов».

— Что это значит? Вас увольняют?

Федор усмехнулся:

— Почти увольняют. Только при этом еще и в землю кладут.

— Как это?

— Ты что, не понимаешь, что в бригаде началось сокращение штатов? Старший брат Сажин сейчас где-то за границей, в Испании, по-моему, отдыхает, а Митяй — ну, падла, я ему сделаю, — неожиданно выругался Федор, — короче, он пригласил киллера, точнее, «чистильщика»... Откуда-то с Украины выписал, спецназовца или десантника, то ли взрывника какого-то, черт его знает, кого, — узнать бы поточнее! — для того, чтобы ликвидировать всех ребят.

— А зачем это ему нужно?

— Они хотят окончательно сделать ноги за границу.

— Так и ехали бы! Вы-то тут при чем?

— Мы ведь слишком много знаем. Так сказать, носители опасной для них информации. Вот он и решил убрать почти всю бригаду, оставить только двоих-троих, не больше...

— Подожди, подожди, так вас же двадцать пять человек!

— Да, двадцать пять.

— И что же, он хотел всех убрать?

— Не хотел, а хочет. И убирает потихонечку.

— А кого же он хочет оставить?

— Не волнуйся, мы в этот список не попадаем. Это его близкое окружение. Так что видишь, я тебе честно говорю, и на меня будет охота.

— А откуда ты все узнал? — спросила Аня.

— Откуда я узнал? — переспросил Федор. — А мы сегодня водителя Митяя поймали с ребятами, в лес отвезли...

— И что?

— Так сказать, снимать информацию. Он нам все и выложил. Выходит, Сергей был тогда прав, когда говорил об этом, а я ему не поверил... Дурак! Мы недосчитались шестерых человек, и Серега в больнице лежит...

— А что же вы будете делать? Может быть, лучше уехать?

— Глупенькая! — усмехнулся Федор. — Ты думаешь, он в нашем городе нас не найдет?

— А вы хоть видели его?

— В том-то и дело, что никогда не видели, зато он нас всех знает.

— Погоди, а если тебе с Митяем переговорить?

— Да, с Митяем мне поговорить надо, только немного по-другому. Слушай, — неожиданно оживился Федор, — ты можешь помочь мне в одном деле?

— В каком?

— Я знаю, где одна любовница Митяя живет, квартиру ее. Я чувствую интуитивно, что он сегодня там. Давай, поехали вместе! Я с ним поговорю.

— О чем?

— Да хотя бы о том, чтобы меня в списке оставили четвертым. Все же я ему нужен. И потом, мы же с ним вместе с нуля начинали, — стал объяснять Федор. — Ну что, родная, ты со мной поедешь? Ты не трусишь?

— Нет, что ты, Федя, конечно, я поеду с тобой! — ответила Аня.

— Тогда давай собирайся. Только надень что-нибудь темное...

Аня быстро стала собираться — надела темный брючный костюм.

— Погоди, — неожиданно сказал Федор и протянул небольшую коробочку.

— Что это?

— Это рация. Работает следующим образом. — И он стал объяснять: — Вот эта кнопочка — прием, а эта — можно слушать, что тебе говорят. Вот смотри. — Он включил, и рация зашипела. — Я сейчас говорю, ты меня слышишь?

— Да, слышу, — сказала Аня. — А зачем мне это все нужно?

— Просто ты будешь сидеть в машине у подъезда дома, где живет любовница Митяя. Как только ты его увидишь, сразу дашь мне информацию. А дальше я приготовлюсь к разговору с ним...

— Хорошо, я помогу тебе во всем, что будет необходимо.

Они спустились вниз, сели в машину и поехали в сторону центра. Минут через тридцать подъехали к гостинице «Украина». Затем Федор въехал в арку какого-то двора и остановил машину.

— Вот тут, — сказал он, — стоянка. Скорее всего он будет ставить машину сюда.

— А какая у него машина? — поинтересовалась Аня.

— Он может приехать на джипе «Шевроле-Блейзер», знаешь, такая большая черная машина? Или на «Мерседесе» «триста двадцатом». Это такая здоровая, тоже черная, машина, солидная. Ты его в лицо помнишь?

— Да, конечно, очень хорошо.

— Так вот, как только он приедет, ты аккуратно пригнешься — самое главное, чтобы он тебя не увидел, — и нажмешь вот на эту кнопку и скажешь: он приехал. И еще скажешь, один он или нет. Например: он приехал один. А если не один, то сколько с ним людей будет, столько и скажешь, например: он с двумя. Больше ничего не говори. И жди меня. Рацию оставь включенной. Да, вот еще что, — добавил он, — если что-то случится...

— А что может случиться?

— Например, если меня заберут, тебя могут обнаружить, ты скажи, что подвозила какую-то женщину, опиши кого-нибудь, и заблудилась, и у тебя неожиданно заглохла машина.

— Так она же не заглохла... — непонимающе произнесла Аня.

— В тот момент заглохла, а сейчас сама собой починилась...

— Ой, Федя, мне что-то страшно стало! — сказала Аня дрожащим голосом.

— Ничего, не волнуйся. Я с ним серьезно поговорю. Все будет нормально. — Он полез в багажник и достал оттуда сумку. Аня увидела, как Федор вынул из сумки какой-то темный предмет, затем надел черные перчатки и натянул на голову рыжий парик.

— Ой, — засмеялась Аня, — ты такой смешной! Зачем он тебе?

— Ну мало ли... Чтобы сразу не узнал. Вдруг он меня

узнает и разговаривать не захочет? А в парике я на себя не похож...

— Ты похож на д'Артаньяна, — сказала Аня, смеясь.

— Ладно, смеяться будем потом, если все нормально закончится. Ты все поняла? Ну, я пошел. На всякий случай, я вон в том подъезде. И еще, — он наклонился к Ане, — запомни: если что-то случится, ты сразу уезжай и жди меня за аркой, и не больше тридцати минут.

— А потом что?

— А потом — домой.

— Я боюсь, Федя!

— Аня, ты же обещала помочь мне!

— Нет, нет, я тебе помогу, я все сделаю! Не волнуйся! — проговорила Аня.

Федор ушел. Тут же в голову Ане полезли мысли: интересно, что же за разговор будет? А вдруг Федор собирается его убить?! А может, наоборот — Митяй может убить Федора? Нет, этого не случится. Федор везучий, его никто не убьет!

Аня смотрела за стоянкой. Кто-то подъезжал, кто-то выезжал, но ни «Мерседеса», ни джипа, которые описал ей Федор, не было. Неожиданно около Ани остановилась машина. Она повернула голову и увидела милицейский «газик».

Уже стемнело. Из машины вышел милиционер с фонариком. Он направил фонарик на номера Аниной машины и подошел к Ане.

— Добрый вечер, уважаемая! — обратился сержант милиции к ней. — Что мы здесь делаем?

— Я подругу жду, — сказала Аня.

— А почему габариты выключены?

— А чтобы аккумулятор не сел, — пояснила Аня.

— А что за подруга?

— В этом доме живет.

— В четырнадцатом? — уточнил сержант.

— Я не знаю, какой у него номер. Знаю, где живет, и все. Сейчас она должна вернуться.

— Хорошо, — сказал сержант. — А машина чья?

— Моя.

— И документы есть?

— Конечно, есть, — и Аня протянула сержанту сумочку, хотя никакого документа у нее не было.

— Ладно, мы вам верим, гражданочка, — сказал сержант. — Будьте осторожны, вы стоите тут, мотор заглушили, габариты погасили, в вас же может кто-то въехать...

— Да нет, я смотрю внимательно!

— Ладно, успехов вам! — сказал сержант, сел в машину и уехал.

У Ани застучало сердце. Она не знала, сообщать Федору о милиции или нет. В конце концов решила, что не стоит. Зачем его отвлекать? Они же уехали, и все нормально...

Прошел еще час, но на стоянке все было по-прежнему. Вскоре зажглись фонари, и стоянка осветилась ярким светом.

Наконец Аня увидела, как черный «Мерседес» медленно въехал на площадку. Она видела, как открылась дверь и вышел... Но это был не Митяй, а какой-то парень, черноволосый, небольшого роста. Он сразу же пошел к багажнику, открыл его и достал оттуда несколько пакетов, наполненных какими-то предметами. Судя по всему, там были бутылки. Наконец из другой двери вылез плотный мужчина со светлыми волосами. Это был Митяй.

Аня заволновалась и подвинула к себе рацию. Но она решила выждать, так как ей было непонятно, кто же пойдет в сторону подъезда — Митяй один или вместе с черноволосым парнем?

Парень взял сумки, передал их Митяю, а сам снова вернулся к машине, включил двигатель и выехал со стоянки.

«Все ясно, значит, он идет один», — решила Аня. Она взяла рацию, нажала на кнопку и сказала:

— Он идет один. — Тут же она нажала на кнопку окончания связи.

Однако не успел Митяй сделать несколько шагов, как неожиданно зазвонил его мобильный телефон. Он остановился, поставил сумки на землю. Минут пять говорил по телефону. Наконец, окончив разговор, он положил трубку в карман и, снова взяв пакеты с бутылками, направился к подъезду. Тут навстречу ему вышел какой-то мужчина лет сорока-пятидесяти, в каком-то нелепом плаще и, как ни странно, — в белых кроссовках. Он подошел к Митяю, и они стали о чем-то говорить. Судя по всему, Митяй его знал. Мужчина что-то говорил и размахивал руками. Митяй достал из пакета две бутылки пива — Аня это очень четко видела — и протянул их мужчине. Тот обрадовался, похлопал Митяя по плечу и пошел в сторону. Митяй снова взял пакеты и направился к подъезду. Теперь уже Аня стала волноваться. Ее сердце настолько сильно билось, что ей казалось, что вот-вот оно выскочит из груди. Она уже представляла картину, как Федор разговаривает с Митяем, как они дерутся, как Митяй душит Федора...

Наконец она увидела, как хлопнула дверь подъезда и мужчина с рыжими волосами торопливо направился к машине. То был Федор. Не доходя несколько метров, Федор сквозь зубы выдавил:

— Заводи быстрее машину!

Аня быстро повернула ключ зажигания, машина тут же завелась. Федор прыгнул в машину.

— Поехали, поехали быстрее!

— Ну как дела, Федя?

— Все нормально.

Аня посмотрела на него. Она увидела, что на правой руке его была надета черная перчатка. Они выехали на улицу. Федор снял с себя парик, перчатку, сложил все в пакет, потом достал из-за пазухи черный пистолет с очень длинным стволом. Аня поняла, что это глушитель.

— Тормозни, — сказал Федор, когда они выехали на набережную. Он быстро вышел из машины, огляделся по сторонам и так же быстро швырнул сверток с пари-

ком, пистолетом и рацией в Москву-реку. Аня услышала только всплеск воды. Затем Федор сам сел за руль.
Аня заняла место пассажира. Машина быстро ррану-
лась вперед и полетела по Бережковской набережной в
сторону Лужников.

— Федя, как дела, как Митяй?

— Что как Митяй? Нет больше Митяя...

— Как нет? — не поняла Аня.

— Очень просто — был Митяй, и не стало его. И больше ни о чем меня не спрашивай!

— Хорошо, хорошо, как скажешь! — заволновалась
Аня.

Подъезжая к Лужниковскому мосту, Федор заметил, что на набережной отсутствует одна секция ограж-
дения. Он быстро сказал:

— О, нам удача! — Он остановил машину и сказал: —
Выходи!

Аня вышла.

— Ты ничего в машине не оставила? Ключи, документы?

— Нет, ничего.

Федор быстрым движением достал из бардачка от-
вертку и отвернул номера у машины.

— Так, теперь стой здесь и жди меня, — сказал он.

Аня стала ждать. Федор тем временем выехал на
встречную полосу, развернулся и направил машину в
сторону набережной. Теперь Аня отчетливо видела, что
машина несется прямо в проем, где отсутствует ограж-
дение. У Ани снова сильно забилось сердце: неужели он
прыгнет вместе с машиной? Но в последний момент
Федор выпрыгнул из машины и покатился по асфальту.
Машина же на полном ходу вылетела с набережной и
упала в воду. Видно было, как забурлила вода и машина
стала быстро уходить под воду.

— Ну вот, брюки порвал! — поднявшись, сказал
Федор. — И руки поцарапал... Ничего, главное — дело
большое сделали!

Он взял Аню под руку.

— Пойдем, пройдемся пешочком!

— Может быть, такси поймаем? — спросила Аня.

— Поймаем, но чуть позже...

Минут тридцать они шли пешком, пока наконец не дошли до Ленинских гор. Там Федор стал ловить такси. Вскоре они поймали машину и поехали в гостиницу.

Федор был настолько уставший, что сразу пошел спать. Аня же долго сидела в гостиничном номере и смотрела в окно. Мимо ее глаз вновь проходили все сцены и переживания последнего вечера — Митяй на остановке, телефонный звонок, мужчина, подошедший к нему, и, наконец, пустая машина, летящая в Москву-реку...

Ане было не по себе.

Утром Федор как ни в чем не бывало вышел из номера.

— Ты куда? — спросила его Аня.

— На работу, — спокойно ответил он.

Аня удивленно взглянула на него. Поняв нелепость своего ответа, Федор добавил, смущенно улыбнувшись:

— Понимаешь, по делам поеду. С ребятами надо переговорить, что и как, обстановку разведать. Да, — он подошел к Ане, — мы с тобой вчера целый вечер сидели в гостиничном номере, никуда не ездили. Никогда никому ничего не говори!

— А что с машиной, что говорить?

— А машину у нас угнали. Вчера угнали. А заявлять я не стал, потому что все равно не найдут. Не верю я милиции. Но ты не расстраивайся, скоро мы переедем на новую квартиру, купим новую машину, и тебе я куплю хорошую тачку, иномарку!

И с этими словами вышел из номера. Ближе к вечеру он вернулся, очень радостный, с газетой в руках.

— Вот, смотри! — И он протянул Ане газету. — Читай, что написали про Митяя!

Аня развернула газету, где крупно было написано: «Убийство крупного уголовного авторитета».

Дальше Аня прочла, что вчера в подъезде съемной

квартиры был убит крупный уголовный авторитет по кличке Митяй и Сажа. В недалеком прошлом Митяй был кандидатом в мастера спорта по самбо и, приехав из своего родного города в Москву, создал бригаду, которая занималась предоставлением «крыш» разным коммерческим структурам. Последнее время дела в бригаде шли плохо. Помимо того, что бригада Митяя враждовала с одной из московских группировок, как стало известно из источников правоохранительных органов, в бригаде начались межклановые разборки, поэтому по бригаде прокатилась волна убийств, унесшая жизни восьми боевиков. Убийство Митяя связано, по мнению все тех же правоохранительных органов, с внутриклановой разборкой. Между тем по способу выполненного убийства говорилось, что убийство выполнил профессионал, с уголовным прошлым. Об этом говорит тот факт, что на месте убийства киллер оставил пистолет, из которого он стрелял, с глушителем. Все это говорит о том, что киллер знает криминальные законы. Вероятно, за убийством Митяя потянется еще одна цепочка убийств, писали журналисты.

Аня отложила газету в сторону.

— Видишь, как про нашего Митяя написали! Жаль только, что не написали, что он — крыса! — сказал Федор.

— Что? — переспросила Аня.

— То, что деньги наши он захапал с брательником. Ну ничего, дай Бог, увидимся и с брательником!

— Федор, а тебе не кажется, что пора остановиться? — спросила Аня.

— Да все, мы остановились. Сегодня переезжаем в свою квартиру. Опасность миновала, мы живем нормальной жизнью!

Они собрали вещи и поехали в свою квартиру, где не были уже больше месяца.

Хотя квартира была не их, а арендованная, Аня все

равно привыкла к ней. Оставаться в гостиничном номере после убийства Митяя ей не хотелось. Все там напоминало ей о тяжелом ранении Сергея, об убийстве Митяя. Поэтому, переехав в квартиру, она сразу повеселела.

Прошло несколько дней. Как-то Федор сказал ей:

— Собери чего-нибудь поесть — сегодня ребята к нам придут.

— А сколько их?

— Человек четырнадцать. Так что сделай салатики, бутерброды... Разговор у нас будет серьезный.

К восьми часам вечера стали собираться ребята. Первыми приехали два незнакомых парня, спросив Федора почему-то по имени-отчеству — Федор Васильевич, они прошли в комнату, служившую гостиной, и стали ждать остальных. Потом приехал Федор с другими ребятами. Все были в хорошем настроении, шутили.

Сели, перекусили. Появилось несколько бутылок шампанского. Открыли, стали пить, поздравлять Федора с каким-то событием. Каждый старался чокнуться с ним.

Когда гости ушли и Аня осталась с Федором одна, первым делом она спросила:

— Федор, что случилось? Почему все поздравляют тебя?

Федор улыбнулся и сказал:

— Бригада избрала меня старшим.

— Погоди, как старшим? Вместо кого?

— Вместо Митяя. Теперь я руковожу всей бригадой, — сказал Федор. — А моим заместителем будет Серега, когда поправится.

Аня была ошарашена этой новостью.

— Да как же так? Зачем тебе это нужно? — удивилась она. — Неужели ты не понимаешь, что старший Сажин не простит тебе этого?

— Понимаю, — ответил Федор, — но другого выхода нет. Я не могу их бросить. Слишком долго мы были вместе и слишком серьезные передряги прошли. А потом, они мне доверяют. Я же не Митяй или не старший его брат. Я по справедливости, по братству. Вот смотри, — сказал он, — у нас все будет по справедливости — общак единый, все будут иметь поровну. Все, что было раньше, как эти крысы жили, мы повторять этого никогда не будем.

Аня смотрела на него с ужасом.

— Федя, опомнись! Зачем тебе это надо?

Но Федор твердил одно:

— Я их не брошу. Я с ними до конца. Не волнуйся, все будет нормально!

На следующий день они решили навестить Сергея. Он уже перешел в другую палату, ему стало гораздо легче. Он уже передвигался по корпусу, где лежал, правда, с палочкой. Увидев Федора, он обнял его, поцеловал. Сергей был уже в курсе, что убили Митяя, и скорее всего догадывался, что это дело рук Федора.

Федор после своего назначения стал держаться более солидно, сделался еще более немногословен. Он сказал:

— Ну вот, Серега, теперь дело за тобой. Поправляйся быстрее, будешь моей правой рукой.

— Конечно, Федя, — ответил Сергей, — я постараюсь, но это не от меня зависит...

— Ладно, — похлопал его по плечу Федор, — подожду тебя. Сколько надо, столько и подожду.

Аня стала уже успокаиваться. В конце концов, Федор осторожен, он не агрессивен, не будет лезть на рожон, конечно, пока его не обидят. Так думала Аня, пока они ехали домой. Федор уже ездил на «Мерседесе», который они реквизировали у братьев Сажиных. Братья многие машины пока не сумели перегнать за границу, поэтому Федор первым делом раздал ребятам машины из личного парка братьев.

Когда Аня хотела попросить иномарку, Федор сказал ей:

— Погоди, я тебе сам куплю, из своих денег, чтобы все по справедливости.

Они ехали молча. Подъезжая к дому, Федор произнес:

— Я так устал, такое напряжение... Давай с тобой опять съездим на Филиппины!

— Нет, давай куда-нибудь в другое место слетаем! — оживилась Аня. — Например, на Таити или куда-нибудь еще...

— А откуда ты про Таити знаешь? — улыбнулся Федор.

— Я в каталоге смотрела, когда мы летели обратно...

— Молодец, запомнила! Да, кстати, ты знаешь — мы с тобой последнюю ночь ночуем в этой квартире.

— В каком смысле?

— Нам надо квартиру менять. Завтра мы переезжаем в шикарную четырехкомнатную квартиру на Чистых прудах. Я уже снял ее. Так что сегодня ляжем пораньше, а завтра целый день будем вещи собирать.

Вскоре они подъехали к дому. Аня вышла и бросила прощальный взгляд на дом, на девятый этаж... Они вошли в подъезд, нажали на кнопку вызова лифта. Было уже около десяти часов вечера. Народу в подъезде никого не было.

Лифт пришел быстро. Федор вошел в лифт, Аня — за ним. Глаза слипались — очень устала.

— Устала? — ласково спросил Федор.

— Да, очень. Сейчас сразу приму душ и спать...

— Ну вот, а я хотел любовью заняться...

— Ну что ты, давай лучше завтра!

— Нужно хватать сегодня то, что можно, — сказал Федор, улыбаясь.

Наконец лифт остановился. Медленно открылись двери. Федор вышел, улыбаясь, и обернулся. Вдруг Аня увидела, как лицо Федора резко изменилось, и он быстрым движением стал заталкивать руками Аню обратно в лифт, показывая ей пальцем — езжай вниз. Аня ничего не понимала и смотрела на него испуганными глазами. Тут она заметила, как к виску Федора подплыла черная трубка. Раздался негромкий хлопок. Красное пятно появилось на том месте, где только что находилась черная трубка. Федор стал медленно оседать на пол лестничной площадки. Лицо его было испуганным.

Аня ничего не понимала. Двери лифта были открыты. И тут она увидела, как неожиданно в сторону лифта метнулась голова в черной лыжной вязаной шапочке. Только два отверстия для глаз были вырезаны, и в разрезах были видны холодные глаза с морщинами под ними. И тут она увидела, как черная трубка — глушитель пистолета — направилась в ее сторону...

Теперь Аня поняла, что Федора уже нет, что теперь настала ее очередь. Сейчас палец нажмет на курок, и она будет так же, как Федор, лежать мертвая на полу...

Какая-то влажная струя потекла по ее ногам. Но неожиданно этажом выше хлопнула дверь, раздались шаги. Кто-то вышел из квартиры. Послышались мужские голоса, двое разговаривали между собой.

Человек, который навел на нее пистолет, приподнял дуло кверху и, сунув пистолет в боковой карман, исчез. Двери лифта захлопнулись, и Аня оказалась между этажами в закрытом лифте.

Аня опустила глаза вниз. Струя мочи текла по ее туфлям... Теперь Аня не знала, что делать. Она стала кричать:

— Помогите! Убили! Убили человека!

Мужчины моментально подбежали к лифту. Они стали открывать двери. Из других квартир тоже выбежали люди. Наконец дверь лифта открылась. Аня вышла и увидела, как на полу лежит Федор. Из его головы струилась кровь.

Аня заплакала в голос и затряслась.

— Они его убили, они его убили! — безостановочно повторяла она.

Появились люди, их становилось все больше и больше, кто-то кричал, пытались оказывать помощь, другие кричали, чтобы не подходили, пока не приедет милиция. Вскоре появились и милиционеры. Они сразу приступили к своим обязанностям. Потом приехали врачи. Федору оказывать медицинскую помощь никто не торопился. Милиция стала измерять расстояние между трупом и брошенным пистолетом. Приехал кинолог с собакой. Аня все это видела как будто издали, ничего не слыша. Кто-то обращался к ней, о чем-то спрашивал, но она ничего не понимала. Наконец чьи-то руки обняли ее и отвели в собственную квартиру.

За столом сидел мужчина и что-то писал. Вероятно, он составлял протокол.

— Вы можете сейчас говорить? — спрашивал ее мужчина в штатском. — Вы можете говорить?

— Да, я могу говорить, — как будто сквозь сон произнесла Аня.

— Вы видели этого человека, который стрелял?

— Он был в маске...

— Какого он был роста? Опишите его телосложение.

— Худощавый, среднего роста, примерно метр семьдесят.

— А цвет волос?

— Он в шапочке был, в лыжной шапочке. По-моему, ему лет сорок пять...

— Откуда вы знаете? — продолжал спрашивать человек в штатском.

— Я посмотрела, у него глаза были грустные, и под глазами морщинки. Тело немолодое.

— А руки?

— Руки в перчатках. Больше ничего не было видно. А что мой муж? Как он?

— Он погиб, — коротко ответил мужчина.

В следующие два дня Аня ходила на допросы. Сначала на Петровку, к оперативникам, потом — в районную прокуратуру, которая вела дело по убийству ее мужа. Но всех в основном интересовали только контакты Федора, с кем он дружил, с кем воевал, кто из его близкого окружения мог подозреваться в этом убийстве. Что знала Аня? Да ничего. Она только видела взгляд, недобрый взгляд, без всякого сочувствия, этих людей с погонами...

А потом, когда закончили ее допрашивать на Петровке и она уже хотела выходить, она услышала, как один из вновь появившихся оперативников спросил, указывая на нее:

— Кто это?

И она услышала ответ:

— Да так, одна бандитская жена...

«Бандитская жена», — про себя повторила Аня. Действительно, бандитская жена — вот суть ее жизни. Не домохозяйка, не жена «нового русского», а так — бандитская жена...

Она знала, что на третий день должны состояться похороны. Она кремировала тело Федора и с небольшой металлической урной села на самолет и вернулась в свой родной город...

Через неделю из Москвы приехал Сергей. Он первым делом пришел к Ане домой. Он сильно похудел, изменился. Он ходил все еще с палочкой, немного хромал. Они сели в машину и поехали на могилу Федора. Там долго стояли молча. Сергей плакал. Потом он подошел к Ане и обнял ее, сказав:

— Аня, я давно хотел сказать тебе, но не решался... Федор — мой лучший друг...

— Я знаю, знаю, — сказала Аня.

— Нет, ты не знаешь. Ты не знаешь, что я очень тебя люблю и что я хотел быть с тобой, но так получилось...

Аня смотрела на него и ничего не понимала.

— Сережа, милый, как же так? Ведь Федор — твой лучший друг!

— Но ведь его больше нет, а ты есть. И я остался. И я хочу, чтобы ты была счастлива со мной...

Аня молчала. Она не знала, как ей быть. Оставаться одной? Нет, это невозможно. Невозможно проводить одной ночи, вечера, жить прошлым, воспоминаниями... Это было свыше ее сил.

Сергей смотрел на нее с большой надеждой.

Сейчас решалась ее судьба. Что, все по новой? Чем Сергей будет заниматься? Тем же самым, что и Федор? Поедет в Москву? И она опять будет бандитской женой?

Но надо было принимать решение...

Прошло полгода. Аня вышла замуж за Сергея. Они по-прежнему жили в Москве.

За это время произошло много изменений. За границей при невыясненных обстоятельствах был убит старший Сажин, Егор. Но главным событием было то, что сразу после возвращения Сергея и Ани в Москву их через неделю вызвали на допрос на Петровку. Каково же было удивление Ани, когда ей предъявили фотографию человека лет сорока пяти — пятидесяти, среднего роста, с седыми волосами.

— Кто это? — удивленно спросила Аня.

— Вы знаете этого человека? — поинтересовался тот самый оперативник, который допрашивал ее по факту убийства Федора.

— Нет, никогда не видела.

— Посмотрите внимательно на его глаза.

Она посмотрела...

— Но это же фотография. Мне трудно что-то сказать. Я никогда раньше его не видела. А кто это?

— Это «чистильщик», ликвидатор, который убил вашего супруга, — сказал оперативник.

— Вы его поймали? — спросила Аня.

— Мы его задержали. Мы устроили засаду.

— Где?

— Около вашего дома.

— У какого?

— Где вы с Сергеем сейчас живете.

— И что же?

— Мы задержали его. Но, к сожалению, произошла перестрелка, и он погиб... Так что, как видите, если бы не мы, пришлось бы вам, Аня, хоронить и второго мужа, — проговорил оперативник. — А может быть...

Аня поняла, на что он намекал.

— Но этого не случилось, — перебила она.

ЖЕНА ВОРА В ЗАКОНЕ

Особое место в криминальном мире по-прежнему занимает каста, или, как они сами любят называть себя, «масть» воров в законе. Еще в недалеком прошлом эта часть криминального общества жила по своим неписаным консервативным законам. Вору в законе запрещалось иметь личную собственность, семью, иные материальные блага. Он должен был жить только для криминального сообщества, братства, как они любят выражаться, их интересами, то есть той жизнью, которую он сам выбрал в свое время.

Но время шло. И одним из первых, кто в открытую заявил о несогласии с прежними традициями, понятиями и законами, был Виктор Никифоров, известный в криминальном мире под кличкой Калина. Он первым заявил: что я, дурак сидеть за чердак? Вероятно, слово «чердак» означало символ прошлого криминального мира, где проходили воровские тусовки или малины.

Сейчас, конечно, ситуация резко изменилась. Лица, относящиеся к ворам в законе, в основном живут по иным канонам, иным меркам. Прежде всего это выражается в том, что они стали бизнесменами. Теперь у них есть квартиры, коттеджи в ближнем Подмосковье, а также виллы за границей, парк «Мерседесов» и джипов. Многие из них имеют семьи. Единственная поправка: большинство их жен — гражданские.

За свою адвокатскую карьеру мне довелось работать с несколькими ворами в законе, точнее, защищать их интересы на следствии и в суде. Все они, конечно, разные личности. Но с их женами наиболее близко соприкоснуться довелось только в одном случае.

Вора в законе звали Георгий. Как-то подошел ко мне коллега-адвокат и предложил быть четвертым адвокатом у этого законника. Я еще удивился: почему четвертым, для усиления? Нет, ответил мой коллега. Дело в том, что наш подзащитный обвиняется в нарушении ряда серьезных статей Уголовного кодекса, среди которых — похищение человека, и вымогательство, и бандитизм, незаконное ношение оружия, сопротивление работникам милиции при задержании, еще несколько статей. Поэтому к суду необходимо распределить между адвокатами работу постатейно, иными словами, каждый защитник берет по две статьи и в судебном заседании работает только с ними.

Действительно, это было, на мой взгляд, разумное предложение — распределить обязанности по столь серьезным обвинениям. Ведь достаточно заглянуть в УК и увидеть, что максимальный срок наказания, который грозил обвиняемому, — от 15 до 20 лет. Естественно, человек, обеспокоенный своей судьбой, сделает все от него зависящее, чтобы получить хотя бы минимальный срок, а часть статей просто «отбить». Я знал, что существует, к сожалению, у правоохранительных органов определенная практика, когда на подозреваемого вешают как можно больше статей. Следователи объясняют это тем, что, мол, суд все равно статьи частично отведет, — лучше больше, чем меньше, говорят они, ссылаясь на то, что за больше их не ругают, а за меньше — могут быть определенные неприятности. Поэтому мы всегда, знакомясь с делами до суда и узнавая о большом числе преступлений, знали, что далеко не все статьи УК в итоге будут работать и будут отражены в приговоре суда. Большую часть из них адвокатам удавалось отмести, нейтрализовать.

Через пару дней мы с моим коллегой пошли в следственный изолятор знакомиться с законником. Вор в законе Георгий был уроженцем Грузии. Ему исполнилось тридцать два года. Был он высокого роста, с темными волосами, немного в рыжину, имел голубые глаза. Парень был достаточно крепкий, очень симпатичный. Георгий был одет в дорогой спортивный костюм и дорогие кроссовки. Все это говорило о том, что и в следственном изоляторе он принадлежал к элите криминального мира.

В первый день знакомства мы разговаривали на общие темы, ни о чем, начиная погодой и заканчивая тем, что творится в Москве. Потом Георгий попросил меня прийти на следующий день, но уже без моего коллеги, поговорить один на один для более близкого знакомства перед судом. В ближайшее время нам предстояло ознакомиться с обвинительным заключением по результатам следствия, так как оно должно было через несколько дней закончиться, и нам надо было избрать тактику защиты, согласовать с подзащитным позицию, которой следовало придерживаться в суде. Но поскольку мы, адвокаты, еще не распределили между собой, кто какие статьи берет, вероятно, Георгий хотел с каждым из нас поговорить и присмотреться к возможностям каждого, определив, какие статьи можно поручить каждому.

На следующий день я был в следственном изоляторе в назначенное время. Георгий приветливо поздоровался со мной, сел, и мы начали разговор. Практически сразу мы определились следующим образом. Каждый адвокат берет одну тяжелую статью и в качестве довеска одну менее сложную. Мне достались, по инициативе Георгия, обе не очень сложные статьи — о незаконном ношении оружия и о сопротивлении работникам милиции.

Мы стали разговаривать. Вскоре я выяснил, что жертвой Георгия был также уроженец Грузии, который занимал высокий пост в правительстве Гамсахурдия, затем, после трагических событий, перешел на высокие должности в коммерческих структурах. По словам Георгия, он обобрал практически половину Грузии, беря деньги, кредиты под различные коммерческие сделки, а потом просто-напросто «кидал» всех.

Забегая вперед, скажу, что потом через правоохранительные органы удалось выяснить, что на самом деле на потерпевшего «наезжало» несколько грузинских бригад во главе с другими ворами в законе, которых, в свою очередь, нанимали кредиторы, кому потерпевший был должен крупные суммы денег. Не знаю, что произошло, но когда Георгий со своими людьми «наехал» на потерпевшего, то ли тому все надоело, то ли он на московский РУОП имел какие-то виды, но маховик правосудия закрутился. Потерпевший тут же поехал в РУОП, написал соответствующее заявление, дал показания. В ближайшее время Георгий и его люди были арестованы и задержаны по суровым обвинениям Уголовного кодекса.

Таким образом, мне отводилась роль далеко не первой скрипки в будущем уголовном процессе, как я думал тогда. Однако последующие события стали складываться очень странным образом. Георгий просил меня чаще приходить к нему, практически через день. Для меня это было непонятно. Ведь я был далеко не ведущим адвокатом, и статьи, которыми я занимался, особой погоды ему не делали. И поэтому внимание, уделяемое мне Георгием, было для меня странным.

При встречах Георгий старался изучить меня, постоянно расспрашивал. Кроме того, он рассказывал мне о разных случаях из своей жизни и спрашивал мое мнение. Я понимал, что все это какая-то примерка, подготовка к непонятной пока для меня миссии.

Наконец, совершенно неожиданным был для меня его вопрос, каковы мои взаимоотношения с коллегами-адвокатами, которые участвуют в его деле. Я был ошарашен.

— В каком смысле? — переспросил я. — Нормальные отношения.

Тогда он сказал:

— А как с точки зрения нераспространения информации?

— Что ты имеешь в виду?

— С точки зрения того, не делитесь ли вы информацией со своими коллегами.

— В отношении дела я обязан делиться, — объяснил я. — А в отношении наших с тобой разговоров — я не вижу причин для того, чтобы пересказывать их кому-то, поскольку они не имеют никакого значения для будущего уголовного процесса.

Но Георгий не унимался. Он спросил, могу ли я выполнить одно поручение личного характера. Я пожал плечами:

— Смотря какое поручение. Если оно не очень опасное... — Конечно, я пошутил, но мне было немного странно, какое еще поручение может быть мне дано, и к чему такая длительная подготовка и проверка со стороны клиента.

Вероятно, Георгий тоже понял это, потому что сказал:

— Дело в том, что мне нужно передать записку одному человеку, вернее, одной женщине. Но сделать это так, чтобы никто из адвокатов, ваших коллег, не узнал об этом.

— В этом нет никакой проблемы, — сказал я. — Этим никто интересоваться не будет.

— Напрасно вы так думаете! — перебил меня Георгий.

— Хорошо, — кивнул я, — это можно сделать. Но как я найду эту женщину?

— Сейчас я все вам дам. — И Георгий тут же сел писать записку. Писал он ее минут сорок. Потом сделал то, что обычно делают в следственных изоляторах и тюрьмах: скатал записку в тоненькую трубочку, напоминающую сигарету, потом взял целлофановый пакетик, тщательно запечатал его с помощью зажигалки. Таким образом, получилось что-то вроде сигареты в футлярчике. В тюрьмах это называют «малявой». Сверху он написал телефон и имя. Я прочел — Майя. Телефон был где-то в Центре, в районе Арбата.

— Вот по этому телефону позвоните, — сказал Георгий, — скажите, что вы от меня, и она с вами встретится. Передайте ей, пожалуйста, записку. Но еще раз прошу, чтобы вы об этом никому не говорили.

— Конечно! — заверил я Георгия. — Не понимаю, кому до этого может быть дело!

Получив записку, я вышел из следственного изолятора. Мне было очень странно, почему Георгий передал эту записку через меня и почему потребовал, чтобы я скрывал от других это поручение.

В этот же вечер я набрал номер телефона Майи. На другом конце провода сняли трубку. Женский голос с явным грузинским акцентом ответил:

— Алло!

— Мне, пожалуйста, Майю, — попросил я.

— Я слушаю.

— Знаете, — сказал я, — это вас беспокоит... — И коротко сообщил, что я адвокат, звоню от Георгия.

Майя очень обрадовалась.

— Как мне с вами встретиться? — спросила она.

— Это проще простого, — ответил я. — Только давайте встретимся завтра...

— Нет, давайте сегодня! Пожалуйста! Я приеду, куда вы скажете!

Мне стало жаль ее.

— Вы живете где-то в районе Старого Арбата? — спросил я.

— На Калининском проспекте.

— Давайте встретимся в центре.

Мы назначили место встречи, и я выехал. Всю дорогу я ругал себя: выдался свободный вечер, который можно провести в семье, отдохнуть, а тут опять срывайся с места и выполняй поручения, езжай на встречу с клиентом! Вот когда инициатива бывает наказуема! Наказал сам себя — позвонил бы завтра утром, и встреча была бы совершенно обычной, в рабочем графике. Но теперь отступать было некуда, и встреча должна состояться.

Встреча состоялась через несколько минут в районе Калининского проспекта. Я ждал Майю в одном из уютных кафе. Вскоре она появилась. Это была женщина лет двадцати пяти — двадцати восьми, высокая, темноволосая грузинка, симпатичная. Она подошла ко мне и поздоровалась, назвав меня по имени-отчеству.

— Да, это я.

Майя стала внимательно вглядываться в мое лицо, как бы изучая его. Не зная, с чего начать разговор, я вытащил записку и протянул ей, как в шпионских фильмах, прикрыв ее ладонью руки. Майя взяла записку и быстро положила ее в карман. Я, как заправский разведчик, быстро оглянулся по сторонам — не видит ли кто. Майя даже улыбнулась, вероятно, от комичности ситуации.

— Ну как он там? — спросила она.

— Ничего, держится неплохо.

— Наконец-то вы вошли в дело! — сказала Майя. — Я так долго этого ждала!

Я опешил от неожиданности такого заявления. Чего она так долго ждала? Почему именно я должен был войти в дело? Я адвокат, не являющийся ведущим в этом уголовном деле, а так, стоящий где-то сбоку... Почему ставка делается именно на меня?

— А когда вы пойдете к нему в следующий раз? — продолжала тем временем Майя.

Я понимал, что следующий раз будет, когда она напишет письмо.

— Когда вы напишете ответ, — сказал я.

— Я напишу завтра. Давайте встретимся с вами завтра!

— Давайте, — сказал я.

— Но на сей раз я сама подъеду к следственному изолятору, чтобы не гонять вас. Во сколько вы можете быть там завтра?

Я достал из кармана записную книжку и стал листать ее.

— Где-то около двух, — сказал я. — Вас это устроит?

— Вполне. Значит, встречаемся в два часа.

Вскоре мы расстались. Я сел в машину и направился к дому. Всю дорогу меня не покидала мысль о том, почему мне отводится такая роль в этом деле? Я не связан с будущим судебным процессом серьезно. И почему я не должен говорить об этой встрече своим коллегам? Кто такая Майя?

Наконец я решил, что завтра постараюсь выяснить свое положение в этом деле.

На следующий день ровно в два часа дня мы встретились с Майей у следственного изолятора Бутырки. Майя была одета в дорогую норковую шубу. Она приехала на иномарке, быстро протянула мне сложенную и запечатанную записку, но не в форме трубочки, а конвертиком, заклеенным скотчем. Сверху было написано по-русски: «Георгию, лично».

— Сколько вы будете у него находиться? — спросила она.

Я пожал плечами.

— Я подожду вас — хочу сразу же получить ответ.

Я сказал, что, кроме Георгия, я должен встретиться сегодня с другими клиентами, что меня не будет примерно три часа.

— Будете ждать?

— Ничего, подожду. Впрочем, пока я заеду к подруге, — уточнила Майя, — а часа через два вернусь и буду ждать вас вон там, — и она показала в сторону Новослободской улицы, — где-то на той стороне. Вот моя машина. — Она показала на черную иномарку. Это была «Вольво» четыреста шестидесятой серии, одна из последних моделей — небольшая, компактная, очень красивая.

— Хорошо, — сказал я, — мы встречаемся с вами. — И направился в сторону следственного изолятора.

Через несколько минут я увиделся с Георгием. Отдал ему записку. Он тут же распечатал ее и жадно стал вчитываться в написанное. Затем еще раз перечитал записку и положил ее в карман, взглянув на меня вопросительно.

Тут я решил, что настало время задать ему те вопросы, которые меня мучили.

— Послушайте, Георгий, — начал я издалека, даже перейдя на «вы», — складывается несколько странное впечатление. Я хотел бы уяснить кое-что для себя, если это возможно...

— А в чем проблема? — удивленно взглянул на меня Георгий.

— Проблема в том, что моя миссия очень странна. Почему я должен скрывать от своих коллег встречи с вашей Майей, почему между нами какие-то недомолвки и загадки? Если у вас нет ничего столь уж секретного, я хотел бы, чтобы вы мне это разъяснили.

Георгий улыбнулся. Но мне было далеко не весело, тем более с такой клиентурой и в таких условиях. Тут не до смеха, всякое может быть... Это я хорошо знал по собственному опыту.

— Да нет, ничего особенного, — сказал Георгий.

— Да как же нет, если я чуть ли не секретную миссию выполняю!

— Нет, просто дело в том... Я хочу вам сказать вот что: вы — единственное доверенное лицо между мной и Майей.

— А Майя — ваша жена? — спросил я.

— Она моя будущая жена. Дело в том, что сейчас я женат. Но со своей прежней женой практически не живу уже долгое время. А Майя — та женщина, с которой я был последнее время. И если все удастся, — он посмотрел на потолок кабинета, — то первым делом, как только я выйду на свободу, сразу женюсь на Майе. Но ситуация складывается так, что, к сожалению, по всем нашим обычаям и законам, я не имею права —

«масть» обязывает, — уточнил он, — официально с ней сейчас контактировать. Поэтому мы и привлекли к осуществлению этой связи именно вас.

— Значит, я выполняю роль почтальона?

— Нет, почему же! Наоборот. Вы будете участвовать в процессе. Единственное, поймите меня правильно, Майя для меня — как глоток воздуха в этой клетке, в этом каменном мешке. Поэтому я очень прошу вас не отказываться от той миссии, которую вы выполняете! Вам же это ничего не стоит! В конце концов, мы будем платить вам за это. Я буду платить вам сам, деньги у меня есть.

Я прекрасно понимал, на что намекал Георгий. Существует так называемый тюремный воровской общак, который обычно хранили воры в законе. Действительно, Георгий тут же достал из одного потайного места несколько стодолларовых банкнот и протянул их мне.

— Нет, ничего мне не надо! — замотал я головой. — За письма деньги брать — за кого вы меня принимаете!

— Нет, возьмите, я вас очень прошу! — настаивал Георгий.

— Я деньги брать не буду. Если нужно — пожалуйста, я готов дальше выполнять эту работу. Просто мне многое было непонятно, а теперь вы все объяснили.

— Извините, пожалуйста, — сказал Георгий, — если что-то не так, если мы вас чем-то обидели...

— Нет, все в порядке, — ответил я, улыбнувшись.

Тут Георгий убрал деньги и неожиданно решил уточнить:

— У нас очень строгие обычаи, почти как в Италии. — Он усмехнулся, намекая чуть ли не на «Ромео и Джульетту». — Отношение к браку в грузинских семьях консервативное. Хотя я не живу с женой, но она моя законная супруга. Кроме этого, у нее есть родители, сестра, которые тоже наблюдают за этой ситуацией. Поэтому мы и не стали представлять вас семье как моего адвоката, тогда как другие адвокаты, ваши коллеги по моему делу, с семьей контактируют.

Теперь мне стало ясно, что я предназначен для тайной, секретной миссии, для связи с Майей.

— Ну что, я напишу ответ? — вопросительно взглянул на меня Георгий.

Я кивнул. Как будто мне решать, что ему делать.

Георгий написал ответ, снова запечатал и протянул мне записку.

Вскоре я покинул следственный изолятор и вышел на улицу. Но Майи пока не было. Минут пятнадцать я стоял и высматривал ее машину. Наконец она появилась со стороны Савеловского вокзала. Она помигала мне фарами и подъехала ближе.

Я сел в машину и тут же протянул ей записку. Она развернула ее. Я бросил взгляд на листок. Записка была на грузинском языке. Я улыбнулся — зачем нужно было так тщательно запечатывать этот листок, к чему такая конспирация?

Майя прочла несколько строк, потом сунула листок в карман шубы, посмотрела на меня и улыбнулась.

— Знаете, что я хочу вам сказать? — произнесла она.

— Не знаю.

— Давайте пообедаем сегодня в каком-нибудь ресторане! Я бы хотела поближе познакомиться с вами...

Я пожал плечами. В принципе, сейчас было около пяти часов вечера, и я пропустил время обеда.

— Давайте, — согласился я. — А где?

— Я знаю недалеко уютный ресторан с латиноамериканской кухней. Давайте там и поговорим.

Я сел в свою машину, и мы поехали в сторону метро «Новослободская», где находился латиноамериканский ресторан. Вскоре мы уже сидели за столиком.

Майя снова начала расспрашивать меня, как там Георгий, как он вошел, как сидел, что говорил. Я не спеша все ей рассказал. Потом она стала расспрашивать про меня — откуда я, чем занимался, какие дела вел. Я старался отвечать короткими предложениями. Наконец почувствовал, что настало время моих вопросов.

— Извините, — обратился я к Майе, — конечно, это

не мое дело, но если уж мы с вами сегодня знакомимся близко, как вы сами сказали, то мне бы хотелось прояснить свое странное положение...

— Да, Георгий пишет об этом, — кивнула Майя. — Дело в том, что, как он вам, наверное, уже объяснил, у него другая семья. А мы с ним любим друг друга, и очень сильно.

— Об этом нетрудно догадаться, — улыбнулся я.

— Поэтому вы — наше единственное связующее звено. Другого варианта связи со мной у него нет. И, я надеюсь, вы нас не бросите...

— Нет, конечно, до суда я дотяну...

Тут я решил спросить ее:

— А вы что, в Грузии жили?

— Да, в Абхазии, — сказала Майя. — А вы что, ничего не знаете?

Я отрицательно покачал головой.

Майя начала рассказывать свою историю. Оказывается, несколько лет назад она жила в Сухуми. Отец Майи был видным государственным деятелем, министром, и она жила в полном достатке. Затем она познакомилась со своим будущим мужем. Его звали Давид. Он был сыном очень известного грузинского скульптора. Часто они с отцом приезжали отдыхать в Сухуми. А поскольку их отцы были хорошо знакомы друг с другом, то, само собой разумеется, Давид с отцом часто останавливались в их особняке.

— Не знаю, как получилось, но Давид мне понравился, я — ему, и вскоре мы поженились. Свадьба была шикарная — сначала в Сухуми, затем она переместилась в Тбилиси. Обычай требовал, чтобы на свадьбе было как можно больше гостей. Жили мы нормально. Затем началось восстание абхазских сепаратистов.

Семья Майи вынуждена была покинуть Сухуми, бросить все — имущество, дом — и переехать в Тбилиси. Естественно, отец потерял свой пост и все остальное. В Тбилиси жизнь не сложилась.

В Москве, куда они с мужем переехали, жизнь также не сложилась. Тут существует своя грузинская диаспора, и, конечно, все знают друг друга. Но ее муж, Давид, имел очень специфический характер, он был очень высокомерным и не всегда запросто сходился с людьми — большей частью, он настраивал их против себя.

Прожив в Москве некоторое время на съемных квартирах, Давид пришел к выводу, что больше ему в России делать нечего, и стал готовиться к эмиграции. Сначала это была Канада, потом через каких-то знакомых он решил поехать в Англию и стал настаивать, чтобы она ехала вместе с ним. Но поскольку у нее тут оставалась семья, младшая сестра и младший брат, родители, которые нуждались в ней, она категорически стала отказываться. Между ними стали возникать скандалы. Давид даже стал бить ее в порывах гнева. Наконец они все же пришли к цивилизованному решению — Давид поедет в Англию на некоторое время, а потом пришлет ей вызов, и она поедет к нему.

После того, как Давид уехал, ей стало очень одиноко. Она сидела в квартире целыми днями и уже начала чувствовать, что постепенно сходит с ума. Но были подруги, которые тоже жили в Москве, и она стала часто ездить к ним в гости. И однажды, на одной из таких встреч, увидела Георгия, а Георгий — ее... Затем они заговорили. Как-то неожиданно выяснилось, что у них схожие судьбы. Георгий перестал к тому времени жить с женой, а ее муж был в Англии. Он напросился к ней в гости. Конечно, по грузинским обычаям и законам, такая встреча не должна проходить наедине, поэтому она пригласила своих подруг.

Тут я не вытерпел и спросил ее:

— А вы знали, чем занимается Георгий?

— О том, что он вор в законе? Конечно, знала. Но я ведь не предполагала тогда, что наш роман зайдет так далеко... Прошло время, и мы с Георгием стали жить вместе. Я поняла, что люблю его, а он — меня. Все было бы хорошо, если бы...

— Если бы не арест? — уточнил я.

— Все так и было. Неожиданно Георгий и часть его товарищей были задержаны. И тут началось! Я жду ребенка... — смущенно сказала Майя, посмотрев на свой живот. Я тоже бросил взгляд на него. Действительно, было видно, что она в положении. — И тут этот страшный арест! Все смешалось. Я попала в нелепую ситуацию. У меня не было никакой возможности получить весточку от Георгия. Вот тогда и родилась идея привлечь вас в качестве связующего звена. Теперь вы понимаете, в чем дело?

— Да, теперь я все понял, — кивнул я.

— А как вы думаете, что ему грозит, на ваш взгляд? — вновь обратилась ко мне Майя. — Можно будет его спасти?

Я пожал плечами:

— Не знаю, трудно сказать. Все зависит от суда. Шансов, конечно, очень мало. Единственная возможность — апеллировать к потерпевшему. У меня есть полная уверенность в том, что он мошенник. Нужно собрать документы, показывающие, что он всех «кидал», иными словами, занимался мошенничеством, и, может быть, суд учтет это.

— А другие адвокаты знают об этом?

— Я думаю, что знают. А что касается моих статей — сопротивление работникам милиции и незаконное хранение оружия — то у меня позиция четкая. Мне кажется, что мне удастся убедить суд, что никакого сопротивления в здании РУОПа Георгий не оказывал, да и возможности для этого никакой не имел. Так же и по оружию.

Майя посмотрела на меня с надеждой.

— Но вся беда заключается в том, — продолжил я, — что по моим статьям Георгию грозит от силы три года. А это погоды не делает, как вы понимаете, по сравнению с другими статьями, где сроки от пятнадцати до двадцати лет...

— Да, — Майя тяжело вздохнула. — Но, может быть,

все же удастся как-то что-то сделать? Все же такая сильная команда адвокатов...

— Да, команда действительно сильная, — подтвердил я. — Ведущие адвокаты Москвы! Они как раз специализируются на таких серьезных статьях. Но все зависит от суда и от удачи, которая может выпасть нам и Георгию. В ближайшее время ожидается предъявление ему обвинения — 201-я статья.

— А что это такое? — поинтересовалась Майя.

— Это когда следствие закончено, когда приходит следователь, приносит тома дела, предъявляет окончательное обвинение и дает возможность всем нам — подзащитному и адвокатам — знакомиться с материалами дела, то есть с тем объемом, который до этого момента от нас скрывался.

— А что имеется в виду?

— Показания свидетелей, очевидцев, потерпевшего, справки по делу, иными словами, вся эта тягомотина.

— И когда это будет?

— В ближайшее время.

— А мы с вами встретимся после этой 201-й? — переспросила с надеждой Майя.

— Конечно!

Вскоре наступила 201-я. Тут начались «непонятки». Во-первых, нас, как ни странно, предупредили по телефону, хотя формально обычно посылают телефонограммы в юридические консультации. Но нам почему-то позвонил следователь и назначил день и время, когда мы должны прийти на окончательное предъявление обвинения.

День, как я помню, был четверг, два часа дня. Я подъехал к изолятору. Заранее зная, что все будет происходить в кабинете номер 50, я открыл дверь и удивился, увидев там большое количество людей. Кроме двух следователей, которые вели дело Георгия, там был сам районный прокурор, сотрудник РУОПа из знаменитого отдела, который занимался ворами в законе и крупными уголовными авторитетами, и еще один мужчина-грузин, который почему-то выдавал себя за переводчика. Но я почувствовал, что что-то тут не то. Уж больно много внимания уделяют этому переводчику и прокурор, и следователь, и руоповец — постоянно что-то говорили ему, советовались. Казалось, все должно было быть наоборот. Ведь что такое переводчик? Вспомогательное звено, человек, который выполняет технические функции. Ему говорят — он переводит. А тут все не так. Создавалось впечатление, что этот человек являлся главным в деле.

Конечно, это было очень странным для меня. Я осторожно подошел к своему коллеге и прошептал ему на ухо:

— Послушай, а тебе не кажется, что переводчик какой-то странный?

Коллега кивнул, подтверждая, что его тоже посетили такие же мысли.

Улучив момент, когда люди вышли покурить, а в их числе — переводчик и следователь, мы остались с Георгием практически наедине — я и мой коллега, — Георгий сразу сказал нам:

— Это не переводчик. Это фээсбэшник.

— Откуда ты это знаешь? — спросили мы.

— Знаю. Он участвовал в моем первом допросе, в РУОПе, когда меня задержали. А сейчас выдает себя за переводчика.

— Да, но если он фээсбэшник, — не унимался я, — что он тут делает? Какое отношение ФСБ имеет к твоему делу?

Георгий засмеялся и сказал:

— Представьте, он пытается мне, — тут Георгий взглянул на потолок, намекнув нам на то, что в кабинете может быть установлена прослушка, — доказать, что я офицер секретной службы грузинского спецназа! Может быть, вы слышали про террористическую организацию «Мхедриони», которой командовал Иоселиани, бывший член триумвирата и одновременно вор в законе? А мои ребята — соответственно боевики из той организации.

От этой информации у меня глаза на лоб полезли. Первая мысль была — а вдруг это действительно так и есть? Ну вот мы и влипли в политику...

Мне стало не по себе. Кто знает, ведь все клиенты всегда отрицают близость к какой-либо группировке, а потом выясняется, что все так и есть на самом деле. Что же касается террористической организации «Мхедриони», то, по моим данным, после того, как Шеварднадзе расправился со своим попутчиком, она была объявлена вне закона и часть боевиков переместилась в разные города России, в том числе и в Москву. А что, вполне возможно, что они действительно принадлежат к этой организации.

Мне уже казалось, что Георгий — никакой не уголовный авторитет. Слишком уж он интеллигентен, слишком начитан, много знает. Может, он и вправду офицер корпуса «спасателей».

Не знаю, как получилось, но я тоже вышел в коридор подышать воздухом. Тут-то я и поймал на себе взгляд этого «переводчика», который смотрел на меня удивленно. Неожиданно он подошел ко мне и спросил:

— Скажите, мне очень знакомо ваше лицо...

— Да? — напрягся я.

— Вы в Грузии никогда не были? В Сухуми?

— В Сухуми я бывал давно, еще в детстве, а в Тбилиси не был никогда.

— Очень уж мне лицо ваше знакомо, — повторил «переводчик».

— Мне тоже знакомо ваше лицо, — решил я подколоть его.

— Да? Вы меня где-то видели?

— Если только в районе Лубянской площади...

«Переводчик» сразу понял, что его раскусили. Да и скрывать свою принадлежность к этой организации ему не хотелось, так как у него к нам были вопросы.

— Может быть... Я обслуживаю многие организации — прокуратуру, следственные органы и Лубянку тоже, — стал выкручиваться «переводчик». — Здесь надо, кстати, выяснить несколько вопросов. Оказывается, вы у нас известная личность, — он посмотрел на меня пристально.

— В каком смысле?

— Вы участвовали в ряде скандальных процессов. И клиентура у вас известная... — Он быстрым движением достал из бокового кармана пиджака записную книжку и показал мне листок. Там были выписаны все мои клиенты, которые находились в Бутырском следственном изоляторе. Я опешил.

— Видите, какие у вас, у «переводчиков», возможности — все знаете! — ехидно произнес я. — Только очень странно получается — все мои клиенты, тщательно выписанные вами, никакого отношения к Грузии не имеют, все они русские, славяне.

«Переводчик», улыбнувшись, сказал:

— Поэтому и возник вопрос — как вы попали в это дело?

— Случайно, — ответил я. — Совершенно случайно.

— Что нас и удивляет...

— В каком смысле удивляет?

— В прямом.

Мы еще минут десять переговаривались с ним, но разговор носил не очень дружелюбный характер.

Вскоре закончилась эта 201-я статья, нашему клиенту было предъявлено обвинение по полной программе, и мы, заполнив все документы, расписавшись во всех протоколах, стали знакомиться с делами.

Мои коллеги заявили ходатайство о сборе документов, касающихся криминального прошлого потерпевшего, намекая на его мошеннические действия. Я сделал соответствующее ходатайство в отношении будущего судебного процесса по поводу своих статей, пригласив в зал суда не только дежурных оперативников, которым Георгий якобы оказывал сопротивление, но и тех работников, которые стояли на дверях РУОПа. Было видно, что все это вызвало большое недовольство, особенно со стороны переводчика и руоповца.

Вскоре началось то, чего мы, собственно, и ждали. Первой ласточкой того, что я попал «под колпак», был обыкновенный телефонный звонок. Звонил мой знакомый, который занимался установкой телефонной связи. Не помню, о чем мы говорили, просто позвонил поинтересоваться, как дела. Неожиданно он сказал:

— А ты знаешь, что тебя слушают?

— Естественно, — парировал я, хотя ничего естественного в этом я не видел. — Работа у меня такая.

— Имей в виду, — сказал мой знакомый.

— Конечно, спасибо.

Затем — еще одно событие, которое меня потрясло. Был обычный день, ничего особенного. Майя подъехала к изолятору Бутырки и передала мне очередную записку, предназначавшуюся Георгию. Помимо этой записки она протянула мне пачку сигарет. Сигареты были грузинские — на них была надпись на грузинском языке. Я внимательно рассмотрел пачку. Она была запечатана. Я знал, что многие грузинские воры в законе являлись наркоманами. И знал, что им часто передают наркотики. Я осторожно спросил Майю:

— А это нормальные сигареты?

— Нет, не волнуйтесь, они абсолютно нормальные! Ничего в них нет! Просто он хочет покурить свои родные сигареты, из Тбилиси.

— Хорошо, я передам. Вы будете ждать меня или домой поедете?

— Нет, я поеду домой, слишком много дел накопилось.

Поднявшись на второй этаж и заполнив карточки вызова клиентов, я решил вызвать Георгия последним, а вначале поработать еще с двумя клиентами.

Мне отвели кабинет. Когда я увидел его номер, мне стало не по себе. Кабинет был знаменит — не тем, что значительно больше и просторнее, чем другие кабинеты, и якобы был закрсплсн за Генеральной прокуратурой, но и тем, что буквально несколько дней назад в этом кабинете при передаче наркотиков был задержан один из адвокатов, который принес их с воли знаменитому вору в законе Дато Ташкентскому. Эту сцену несколько раз показывали по телевизору. Таким образом, создавалось впечатление, что это так называемый «пишущий» кабинет, когда тебя записывают на видеокамеру. Меня охватило волнение. И тут я вспомнил про злополучную пачку сигарет. А вдруг это подстава? Что же мне теперь делать? Выбросить пачку — могут найти, на ней мои отпечатки пальцев. Я растерялся.

Ко мне стали приводить моих клиентов. Но мысли мои были далеко. Поработав с каждым по полчаса, я отпустил их и вышел из кабинета, решив пройтись по коридору. Пройдя немного, я встретил у одной из дверей своего знакомого. Мы разговорились, я зашел к нему в кабинет, постоял, о чем-то поговорил, отогнав неприятные мысли. И когда уже возвращался в кабинет, я увидел, что около двери стоят люди с видеокамерой, а один — с овчаркой на поводке. Ну все, думаю, настала очередь Георгия, сейчас его приведут, меня сразу заснимут и проводят в соседнюю с ним камеру... Что же делать?

Одна рука автоматически полезла в карман, сжимая лежащую там пачку сигарет. Зачем я взял ее?! Теперь будут неприятности... Но, в конце концов, если началась прослушка, и если я, не дай Бог, попал в разработку, какое имеет значение, есть у меня пачка сигарет или нет? Главное — что-то найдут. Георгий может принести с собой из камеры какой-то наркотик. Попробуй потом докажи, что ты ничего ему не передавал!

А люди все стояли около двери и будто ждали меня. Я быстро подошел к дежурному по этажу, который ведал распределением следственных кабинетов и выдачей заключенных, и стал интересоваться, на каком основании у кабинета, в котором я буду сейчас работать, стоят люди с видеокамерой и с собакой. Дежурный стал говорить, что с киностудии ГУВД пришли люди снимать какой-то фильм.

— Так почему ж они стоят около моего кабинета?

— Да по чистой случайности.

Смотрю — по коридору уже ведут Георгия. Он идет и улыбается мне. Сзади него конвоиры. Я специально, чтобы привлечь его внимание, стал громко говорить:

— Значит, так, пока эти люди не уйдут, я клиента принимать не буду, так как чувствую, что возможна какая-то провокация.

Я увидел, что улыбка тут же исчезла с лица Георгия.

Неожиданно появился какой-то офицер, который тоже стал интересоваться, что за претензии я ни с того ни с сего предъявляю. Я стал настаивать:

— Я не буду принимать клиента, пока люди не уйдут от двери моего кабинета!

— Нет, что вы, все в порядке, не беспокойтесь! — снова стал уверять меня дежурный. — Все будет нормально!

К тому времени Георгия уже поместили в «стакан» — небольшое помещение, куда отправляют заключенных и клиентов, когда, скажем, им необходимо ждать либо появления следователя, либо конвоиров, которые могут препроводить их в камеру. Но обычно такой процедуре воров в законе не подвергают. Есть свои тюремные традиции. А тут Георгия неожиданно помещают в «стакан»! Теперь я еще могу вызвать своей акцией недовольство Георгия. Ведь помещение в «стакан» вора в законе — это унижение его достоинства!

Наконец минут через десять конфликт был улажен — люди с видеокамерой и собакой исчезли. В кабинет привели Георгия. Я уже сам разволновался и начал курить, хотя не курю. Я высказал Георгию все свои опасения — наклонившись к нему, прошептал:

— Мне тут передали пачку сигарет. А вдруг она «заряжена»?

— Да что вы! — засмеялся Георгий. — Это нормальные сигареты! Я не употребляю наркотики. Даже не думайте об этом! Доставайте пачку.

Он быстро распечатал пачку и стал показывать мне сигареты с фильтром. Действительно, внешне они выглядели обыкновенно. Но кто знает, как это все можно мастерски сделать! С другой стороны, меня успокаивало то, что я предупредил Георгия. И если эта пачка «заряжена», он не будет вешать на себя еще одну статью — наркотики. Но что ему эти два-три года по сравнению с тем, что он уже имеет!

Наконец мы закончили беседу. Естественно, никаких записок я у Георгия брать не стал. Более того, я потребовал, чтобы все, что я принес, было немедленно уничтожено.

Как только мы закончили, я выглянул в коридор, чтобы вызвать конвоира, и увидел, что у моих дверей стоят два человека в камуфляжной форме. Видимо, это были оперативники следственного изолятора. Я громко сказал дежурному:

— Заберите, пожалуйста!

— Одну минуточку, — сказал оперативник и быстро вошел в мой кабинет.

— А что случилось? — поинтересовался я.

— Ничего особенного. Мы сами сейчас вашего клиента заберем. Давайте листок!

Я протянул им листок.

— Мне нужно его заполнить?

— Да, заполните, — сказал оперативник, — и обязательно распишитесь.

Я сел и стал заполнять листок — когда я вызвал Георгия, когда закончил беседу. Тем временем другой оперативник подошел к Георгию и сказал, чтобы тот поднял руки. Георгий поднял руки. Оперативник стал его обыскивать. Мне стало не по себе. Я закончил заполнять листок и смотрел, как происходит обыск.

— Что же вы стоите? — спросил оперативник. — Идемте, я провожу вас.

— А зачем вы будете меня провожать? Я хорошо знаю дорогу.

— Нет, я провожу вас.

Я медленно вышел из кабинета. Ноги мои были ватными. Я не знал, нужно ли мне побыстрее выйти из кабинета и покинуть Бутырку, то ли, наоборот, делать вид, что я полностью уверен в себе и в том, что ничего предосудительного не совершал.

Я шел по коридору, оперативник — за мной. Рация у него была включена, я постоянно слышал шипение и переговоры. Было ясно, что идет обыск, а меня сопровождают для того, что если у Георгия что-то найдут, то тут же меня и задержат. Сердце часто билось. Но успокаивало одно — если они меня сопровождают, то ясно, что ничего подбрасывать ему не будут, иначе меня сразу бы задержали.

Но расслабляться нельзя. Другая мысль пришла мне в голову: почему, когда раньше я приходил, ничего подобного не случалось? А тут, как специально, — видеокамера с собакой, оперативники после окончания беседы неожиданно появились... Что это значит? Может быть, они уже имеют оперативную информацию, что Георгий «заряжен» — имеет при себе наркотики, которые он мог принести из камеры? Не случайно же они появились именно сегодня! Мне нужно думать о своей собственной безопасности. И тут я увидел знакомого адвоката, выходящего из кабинета. Я быстро подошел к нему. Оперативник остался стоять сзади.

Практически сразу я обратился к нему:

— Тут такая проблема может возникнуть... Ты знаешь мой домашний телефон?

— Да, у меня есть ваш телефон, — ответил он.

— Если я не позвоню тебе через два часа, я очень прошу тебя — сообщи таким-то, что меня задержали.

Мой коллега сделал большие глаза:

— С чего ты это решил?

— Да вот, видишь, — и я кивнул в сторону оперативника. — То, что произошло недавно с нашим коллегой, — я намекнул на Андрея Чивилева, — может произойти и со мной. Я ничего никому не приносил, но очень странно, что сегодня проявляется большой интерес к моей персоне.

Коллега сказал:

— Не волнуйся, если что — я готов быть твоим адвокатом.

— Спасибо, конечно, за доверие, — улыбнулся я, — но мне такой чести как-то не хочется.

Мы пожали друг другу руки, и я пошел дальше. К тому времени у оперативника зашипела рация, и он поднес ее к уху. Нам оставалось до выхода несколько ступенек.

Я протягиваю алюминиевый жетончик, чтобы получить свой пропуск, а оперативник слушает рацию, по которой ему что-то говорят. Ну, думаю, сейчас мне скажут — стоп! Наконец женщина, сидевшая на входе, выдала мне мое адвокатское удостоверение взамен жетончика, нажала на кнопку, и автоматическая дверь стала медленно открываться.

Я вышел из изолятора. Но чтобы выйти на улицу, нужно было пройти еще несколько ступенек вниз по лестнице... Я иду, а оперативник продолжает идти за мной. Странно, теперь я опять заволновался. Как же так? Если он сейчас получил информацию, что все чисто, то зачем он меня сопровождает? А может, меня арестуют на улице и повезут на Шаболовку или на Лубянку? Я почему-то сразу вспомнил улыбку и недобрый взгляд «переводчика» — фээсбэшника, с которым встречался несколько дней назад, его список моих клиентов. Может, какая-то провокация?

Наконец я вышел на улицу. Перед каменным забором, который отделял следственный изолятор Бутырку и двор, примыкающий к нему, стоял еще один оперативник, тоже в камуфляже и тоже с рацией. И когда я стал спускаться, он вопросительно взглянул на меня и перевел взгляд на сопровождающего меня оперативника. Но тот сделал отрицательный жест.

— Чистый, — коротко сказал он.

Все! Я глубоко вздохнул. Слава Богу! Не случилось того, что могло случиться!

Целый вечер я находился во взбудораженном состоянии. Зачем я ищу себе головную боль?! Зачем я беру эти сигареты, эти записки?! Хотя, с другой стороны, во всем цивилизованном мире люди имеют возможность общаться со своими близкими по телефону. Я это видел в кинофильмах, которые часто показывают у нас. Даже факсы из тюрем можно посылать! У нас же до сих пор в тюрьмах строгости сталинского времени — никаких контактов! Хотя какие могут быть контакты с женщиной, которую он любит! Они же не подельники, в конце концов! Все почти так делают. Но, с другой стороны, если бы они что-то хотели сделать в отношении меня, то сделали бы.

Но тут я заблуждался. Все было впереди...

Сначала произошло трагикомическое событие. Прошло две недели, как я не получал никаких известий от Майи. Она куда-то исчезла. Для меня это было очень странным. Может быть, думаю, в Тбилиси уехала, может, решила отдохнуть... Появится.

Примерно через две с половиной недели она позвонила и попросила о срочной встрече. Но почему-то попросила приехать к ней домой, назвав адрес.

Я приехал. Войдя в квартиру, которую снимала Майя, я обратил внимание, что она была очень чистой. Небольшая, с евроремонтом, очень аккуратная.

На небольшой кухне, которая была оборудована современной бытовой техникой, я заметил коляску с погремушками.

— Что, можно вас поздравить? — спросил я.

— Да, у Георгия родилась девочка. Поэтому я и не звонила вам. Только вчера из роддома выписалась, — сказал Майя.

Она выглядела очень счастливой.

— Я прошу вас пойти завтра к нему и передать мою записку, а также фотографию его дочери. — И она вытащила из столика пачку цветных фотографий, на которых была изображена новорожденная девочка. Она стала отбирать фотографии для Георгия. Но я сказал, что существует тюремная традиция, по которой фотографии в камеру лучше не передавать.

— Почему? — удивилась Майя.

— Я не знаю. Может быть, я просто покажу ему фотографии и унесу их обратно?

— Хорошо. Георгий сам знает, как лучше сделать, — сказала Майя. — Это его дело. Он сможет поступить правильно.

Я взял записку, фотографии и вышел.

Приближался Новый год. Это был последний рабочий день, когда работали следственные изоляторы, так как дальше наступали праздники, и изоляторы закрывались для посещения на полторы недели.

Я ехал в изолятор с радостным чувством, так как знал, что сейчас принесу Георгию радостную весть о рождении дочери.

Я заполнил необходимые карточки, поднялся на второй этаж. Но когда я получил карточку обратно, я заметил, что номер камеры, где сидел Георгий, был перечеркнут. Георгий сидел на «спецу», где находился спецконтингент — особо выдающиеся личности криминального мира. Номер был зачеркнут красным и сверху надписано: «карцер».

Вскоре Георгия привели. Сразу было видно, что он из карцера. Во-первых, он был небритый, заспанный. Он вяло поздоровался со мной.

— Что случилось? — сразу же спросил я. — Почему в карцер попал?

— Да так... — нехотя ответил Георгий. — Поругался с корпусным.

— Зачем же ты это сделал?

— Так получилось.

— А у тебя радостное событие, Георгий.

— Что, Майя родила?

— Да. — И я протянул ему записку и фотографии.

Георгий сразу схватил фотографии и стал рассматривать. Он улыбался. Потом сказал:

— Как думаешь, на меня похожа?

— Конечно! — улыбнулся я. — Вылитый ты!

Он несколько раз просмотрел фотографии, потом прочел записку.

— Надо же, какие хорошие события! — улыбнулся он.

— Действительно — у тебя дочка родилась, Новый год наступает, а ты сидишь в карцере — в темном подземном помещении!

— Да уж, такова наша жизнь! — вздохнул Георгий.

— Слушай, Георгий, — сказал я, — давай я схожу к начальнику по режиму, к начальнику изолятора, поговорю с ними, покажу эти фотографии... В конце концов, можно сделать исключение?

— Нет, — запротестовал Георгий, — ни в коем случае этого делать не надо! Масть обязывает никогда к ним на поклон не идти! Я должен досидеть до конца. Масть обязывает! — снова повторил он.

Я понимал, что существуют понятия и традиции воров в законе — они никогда не должны ничего просить у администрации. Раз попался — значит, попался, должен до конца досидеть. Вот она, участь вора в законе, — всегда нужно поддерживать свой престиж, свой авторитет перед теми, кто находится рядом с тобой!

Прошли новогодние праздники, прошла зима. Наступил март. Суд пока еще не назначали. Он должен был состояться где-то в начале апреля. Но страсти стали накаляться. Во-первых, я стал ощущать, что за мной ведется наблюдение. Возможно, даже слежка. Не знаю, может быть, у страха глаза велики, может, мне показалось, но я чувствовал постоянное пристальное внимание к моей персоне.

Наконец странное событие произошло накануне 8 Марта. Мы с женой и с ребенком решили заехать в небольшой уютный ресторанчик пообедать. Поскольку была весна, я решил надеть куртку, положив в карман бумажник. Мы подъехали к ресторанчику около полудня. Это был выходной день. Поставив машину на стоянке рядом с ресторанчиком, мы вошли в зал. Он, как ни странно, был заполнен, и свободных мест не было.

Метрдотель попросил нас подождать у стойки бара. Мы подошли к бару. Дочка с женой сели на высокие стулья, а я остался стоять рядом, так как мест больше не было, и мы стали ждать, пока освободится столик. Вдруг неожиданно в ресторан зашли странные люди — пожилой грузин с седыми волосами и два молодых парня, один грузин, другой русский. Они сразу направились к нам.

Грузин подошел ко мне и спросил, который час. Я поднес к глазам левую руку, взглянув на циферблат, но тут же заметил, что у парня, стоящего сзади, на руке поблескивают часы. Странно, почему он спросил время у меня? Я назвал время. Грузин поблагодарил меня. Затем я интуитивно почувствовал, что происходит что-то не то, что не случайно грузин подошел ко мне. Моя левая рука сжала бумажник в кармане — там находились документы, техпаспорт на машину и какая-то сумма денег. Наконец грузин отошел в сторону. Я расслабился, разжал руку и стал смотреть в зал. Но тут пожилой грузин снова подошел ко мне и, наклонясь над стойкой, стал говорить с барменом, чтобы тот приготовил ему столик и сделал заказ. Из разговора я понял, что бармен знает этого грузина, который часто бывает в этом ресторане. Я успокоился.

Грузин что-то сказал бармену и добавил, что вернется минут через десять. Мы, ничего не подозревая, пошли за столик, который нам показал подошедший метрдотель.

Вскоре приехали наши друзья, с которыми мы хотели отпраздновать наступающий праздник. Я полез в карман и с ужасом обнаружил, что бумажника в нем нет. Я полез в другой карман, потом вернулся к стойке — бумажника не было. Ясно было, что у меня его украли. Но странно другое — накануне этой кражи раздался телефонный звонок. Звонила мне какая-то корреспондентка из газеты, которая откуда-то узнала мой домашний телефон. А второе — она просила дать интервью по поводу причастности моего клиента Георгия к террористической организации «Мхедриони».

— С чего вы это взяли? — спросил ее я.

— Я получила информацию.

— От кого?

— Мы не раскрываем свои источники.

Мне стало очень интересно. Я почувствовал какой-то подвох. Поэтому и согласился на встречу с ней в этом ресторанчике, думая, что как-то пробью и вытащу из нее определенную информацию — почему она интересуется причастностью моего клиента к террористам и откуда получила такие сведения.

Но сейчас стало ясно другое. Журналистка так и не появилась, зато у меня пропал бумажник с документами. Конечно, мне было очень обидно — мне, адвокату, который защищает этих людей, стать жертвой обыкновенной карманной кражи! Но я успокаивал себя: ведь у меня на лбу не написано, что я адвокат, да еще такого известного человека, как Георгий! А во-вторых, мне пришла в голову неожиданная мысль: а вдруг это специальная акция, чтобы вывести меня из дела? Ведь у меня похищено водительское удостоверение и техпаспорт, таким образом, я лишен средства передвижения.

Я чувствовал, что тут что-то не так, поэтому решил провести собственное расследование. Конечно, день тот был полностью испорчен, не до веселья. Поэтому, оставив жену и друзей праздновать 8 Марта в ресторанчике, я поспешил в ближайшее отделение милиции, рассчитывая на то, что территория, на которой находится этот ресторан, по крайней мере известна оперативникам этого отделения.

Когда я подъехал к отделению милиции, расположенному недалеко от ресторана, то первым делом узнал, кто дежурный оперативник. На мое счастье, дежурным оказался начальник следственного отдела. Я сразу потребовал встречи с ним. Дежурный по отделению удивленно поинтересовался, кто я такой, и вызвал начальника.

Это был мужчина лет сорока. Я сразу перешел в наступление.

— Только что на вашей территории, в таком-то ресторане, у меня похищены документы. Я хочу узнать, кто это сделал.

— А почему мы обязаны вам говорить, кто это сделал, тем более — откуда мы это знаем? — парировал начальник.

— Нет, не надо мне лапшу на уши вешать, что вы не знаете этих людей! Я вам описание дам! Наверняка он вам известен, по крайней мере, вашим сыщикам!

— Да ничего мы не обязаны делать! — продолжал отбиваться начальник следственного отдела.

Тогда мне пришлось пойти на хитрость.

— Да вы что! — сказал я. — Что вы себе позволяете! Я сейчас же напишу жалобу в инспекцию по личному составу ГУВД! Кстати, там работает мой однокашник, с которым мы учились в институте.

Упоминание инспекции по личному составу, видимо, подействовало на начальника следственного отдела. Он решил не связываться со мной.

— Хорошо, хорошо, зачем же так сразу угрожать? — уже более миролюбиво заговорил он. — Раз вам нужна информация — попробуем предоставить вам ее, если, конечно, мы располагаем ею.

Он тут же вызвал какого-то сыщика. Это был молодой парень, лет двадцати семи — тридцати, высокого роста, с вьющимися волосами.

— Слушай, Гриша, — сказал начальник следственного отдела, — тут у адвоката документы украли, и он запомнил злодея. Он опишет тебе его, а ты помоги выяснить, кто это, если, конечно, ты его знаешь.

Сыщик удивленно посмотрел сначала на меня, потом на начальника — мол, с каких это пор мы адвокатам помогаем? Но, вероятно, начальник понял его.

— Он нормальный адвокат и наших людей из ГУВД знает, — сказал он. — Помоги ему, Гриша.

— Хорошо, помогу. Давайте описание, — сказал Гриша.

Я стал описывать этого грузина: пожилой, перевязанная рука, плотное лицо, в красной рубашке, в темно-коричневой куртке, небольшой шрам на левой щеке.

К моему счастью, Гриша тут же сказал:

— Да это же Нугзар!

— А кто это? — спросил я.

— Грузинский кидала. Он работает типа мошенника — «кидает» всех на рынке.

Я знал, что в уголовном мире «кидала» элитная профессия, сродни ювелирам.

— А он вообще как, в авторитете? — спросил я.

— Да, конечно! — ответил оперативник.

— А он может знать такого жулика? — И я назвал фамилию Георгия.

— Конечно, он его знает. А вы откуда его знаете? — поинтересовался Гриша.

— А это мой клиент.

— Ну, — оперативник махнул рукой, — считайте, что ваш бумажник уже в вашем кармане. Если вы, конечно, обратитесь к своему клиенту.

Другого выхода у меня не было.

Я поспешил обратно в ресторан. К тому времени ресторан был переполнен. Я быстро разыскал бармена, с которым говорил Нугзар.

— Значит, так, — сказал я ему, — сорок минут назад у меня из кармана украли бумажник.

— Ну и что? — равнодушно бросил бармен, давая понять, что такое происходит часто.

— Бумажник у меня украл грузин, Нугзар, — продолжил я и увидел, как у бармена расширились глаза от удивления. — Бумажник не простой. Там лежат визитные карточки. Так вот, вы передайте ему, — жестко сказал я, — что я даю три дня, чтобы он вернул мне содержимое бумажника — прислал по почте или подбросил. Деньги может взять себе. Это его работа.

Бармен улыбнулся, намекая на то, что с какой это радости Нугзар должен переслать мне документы.

— Иначе, — добавил я, — я буду разыскивать его — либо по линии ментов, либо по линии законника, — и назвал имя Георгия. У бармена тотчас исчезла улыбка, в глазах мелькнул страх. — Передадите?

— Конечно, я передам, если он зайдет к нам... — искательно заговорил бармен. Но я прекрасно знал, что это его точка и Нугзар вскоре вновь появится тут.

Я пришел домой расстроенный. Жена сказала, что из моей затеи ничего не выйдет.

К вечеру мне позвонил мой коллега, который рекомендовал меня для защиты Георгия. Я ему все рассказал и спросил:

— Как ты думаешь, это случайно или нет?

— Да нет, скорее всего простая случайность, обыкновенная кража. Но я думаю, что, по всем их законам, они должны вернуть тебе все документы.

Я немного успокоился.

— А что мне делать?

— Подожди три дня, потом обратись к Георгию.

Прошло три дня, четыре, неделя, но документов не было. Тогда я понял, что пора действовать. И я решил все же обратиться к Георгию.

Придя в изолятор, я сразу приступил к делу.

— Что же это получается? — сказал я, изображая обиженного. — Я тебя защищаю, беру на себя многие неприятности, проблемы, а твои люди украли у меня кошелек!

Георгий удивился:

— Как мои люди?! Они не могли этого сделать!

Тогда я подробно рассказал ему о происшествии в ресторане. Когда я назвал имя Нугзара, Георгий сказал:

— Да, я слышал это имя.

— Ты его знаешь?

— Нет, лично я его не знаю. Но он наверняка знает меня. Значит, надо сделать вот как. Конечно, мы поможем. Считайте, что мы ваш бумажник нашли. Вам необходимо только связаться с Майей, а она сделает все, что нужно. Вам позвонят и бумажник с документами вернут.

— Пусть хотя бы документы вернут!

— Нет, вам вернут все, что у вас взяли! И еще компенсируют моральный ущерб.

Через несколько минут я выходил из изолятора, неся в кармане записку для Майи. Я был очень удивлен, что Георгий обращается именно к Майе, а не к кому-то еще. Но, с другой стороны, я контактировал именно с Майей, с другими людьми, которые были на свободе, я не общался.

Я позвонил Майе и сказал, что виделся с Георгием и у меня есть для нее записка.

— Но я же к вам не обращалась с такой просьбой, — удивилась она.

— Произошло ЧП. Давайте встретимся.

При встрече я подробно рассказал Майе про свои злоключения и передал записку. Она быстро прочла и сказала:

— Хорошо, нет проблем. С вами свяжутся. Вам позвонит либо Виктор, либо Сергей. Вы опишете им этого Нугзара, и я думаю, что в ближайшие дни документы будут у вас.

Я уже верил в то, что через несколько дней документы вернутся ко мне. Действительно, в тот же вечер мне позвонил мужчина, назвавшийся Сергеем, и попросил подробно описать Нугзара. Я сделал это.

— Вы его знаете? — спросил я.

— Нет, лично я не знаю, но мы его найдем.

— Как же вы можете его найти?

— Не так уж велика грузинская диаспора в Москве, и все места их тусовок нам хорошо известны. Так что вы не волнуйтесь. Еще раз назовите, что у вас было в бумажнике.

Я перечислил — техпаспорт, водительское удостоверение, визитные карточки.

— А деньги у вас были?

— Ну, были деньги, но я не хочу об этом говорить.

— Сколько у вас было денег? — настаивал Сергей.

Я назвал сумму.

— Хорошо. В ближайшее время мы с вами свяжемся.

Прошло дня четыре, но никаких известий не было. Наконец на седьмой день Сергей позвонил и сказал, что, к сожалению, Нугзар исчез и найти его не могут. Я терялся в догадках. Первой мыслью было, что они просто не искали. А может, начали искать, и Нугзар действительно испугался и исчез из города?

Прошло время. Я стал забывать про эту историю. Как-то случайно оказавшись в одном отделении милиции, спустя примерно полгода, я подошел к столу следователя, чтобы позвонить по телефону, и увидел, что на столе лежит уголовное дело. Там была написана грузинская фамилия и в скобках написано «Нугзар». Я спросил у следователя:

— А какой это Нугзар? — И стал его описывать.

— Да, — удивился следователь, — это тот самый.

— А вы знаете, что его везде искали? — И я рассказал свою историю. Оказалось, что по стечению обстоятельств Нугзар был арестован на следующий день за карманную кражу в одном из ресторанов в центре города и был препровожден в Бутырку, и все это время, пока его искали по всей Москве, он спокойно сидел в одном изоляторе с Георгием.

Следователь, заинтересованный этим сообщением, сочувствуя мне, сказал:

— У вас есть возможность его найти. В ближайшее время будет назначен суд, и вы можете прийти на этот суд.

— Вы лучше скажите мне, в какой камере он сидит.

— Дело в том, что его выпустили под подписку о невыезде.

— Да как же его могли выпустить, если он имеет чуть ли не пять судимостей?

— Это все благодаря вашим коллегам, — улыбнулся следователь.

Вскоре новые события захватили меня с головой. Мне позвонила Майя и попросила приехать к ней домой для подготовки очередного письма Георгию. Когда я приехал к ней, я увидел, что в квартире находились двое незнакомых грузин. Один был представлен мне как отец Майи — пожилой седой мужчина, лет пятидесяти пяти. Другой был помоложе, лет сорока пяти, черноволосый. Отец Майи только что приехал из-за границы. Второй, видимо, был другом их семьи.

Майя попросила меня обрисовать ситуацию по будущему судебному делу Георгия. Поскольку отец Майи и его друг, по имени Тамаз, очень волновались о судьбе Георгия, я описал им все возможные перспективы. При этом я показал все плюсы и минусы судебного дела. Человек, который назвался Тамазом, стал интересоваться, каково настроение Георгия, что он думает о дальнейшей своей жизни, если будет осужден на длительный срок. Я сказал, что мне трудно говорить об этом, но он относится к этому достаточно скептически и смотрит на будущие события философски.

Вскоре мне позвонили из прокуратуры, которая вела дело, и прокурор попросил меня приехать, чтобы подписать какие-то документы по делу. Он сказал, что необходима именно моя подпись.

Я был очень удивлен и сказал, что я подписал все документы, но спорить не стал и поехал в прокуратуру, тем более что у меня были достаточно неплохие отношения с прокурором.

Когда я приехал к прокурору и вошел в его кабинет, он встретил меня приветливо. Я подписал две страницы, которые, на мой взгляд, никакого существенного значения не имели, и уже хотел уйти, как неожиданно прокурор остановил меня и предложил побеседовать на отвлеченные темы.

Я догадывался, что он зачем-то тянет время. Действительно, неожиданно дверь открылась и вошел «переводчик»-фээсбэшник. Он улыбнулся мне приветливо и, сделав удивленное лицо, как будто не ожидал встретить меня здесь, поздоровался со мной. Я прекрасно понимал, что вызов меня в прокуратуру для подписания документов был предлогом. Скорее всего была запланирована встреча с фээсбэшником.

Фээсбэшник стал интересоваться, как мои успехи, какая у нас позиция в ведении этого дела. Я давал ему уклончивые ответы, не открывая свою позицию. Вдруг фээсбэшник сказал:

— А у вас что, проблемы недавно возникли с украденными документами?

Я был очень удивлен. Естественно, я понимал, что если мой телефон прослушивается, то фээсбэшник знал, что у меня украли документы. А с другой стороны, может быть, это его люди незаконно изъяли у меня документы?

Фээсбэшник поинтересовался, каким образом я собираюсь восстанавливать свое водительское удостоверение. Я посетовал, что это большие трудности, что нужно сдавать экзамены по новой. Тогда он предложил мне свою помощь.

— Хотите, мы поможем вам восстановить документы?

— Каким образом?

— Подключим к какому-нибудь уголовному делу, и документы будут восстановлены автоматически.

Немного помолчав, я сказал:

— Тогда, вероятно, вам нужна какая-то информация от меня? Не просто же так вы будете документы восстанавливать какому-то адвокату?

Фээсбэшник улыбнулся и сказал:

— Да, действительно, нам нужна кое-какая информация, но чистые пустяки.

Мне стало любопытно, что же им от меня нужно.

— Мы только одну фотографию вам покажем, а вы нам скажете, он это или не он.

— Что за фотография?

— А вот, — и он вытащил несколько фотографий. На всех были изображены незнакомые грузины, но на одной я увидел президента Гамсахурдия, рядом с которым стоял Тамаз.

Фээсбэшник спросил:

— Скажите, с этими людьми вы никогда не встречались, особенно в обществе Майи или ее отца?

У меня мелькнула мысль — неужели действительно за мной следят? Да нет, наверное, просто телефоны прослушиваются, и они знают, что мне звонит Майя, что я контактирую с ней.

Я отрицательно покачал головой.

— Нет, ни с кем из них я не встречался. — И тут же поинтересовался: — А что, эти мужчины представляют какую-то угрозу для России?

— Да нет, — улыбнулся фээсбэшник, — никакой угрозы они не представляют. Это бывшее окружение Гамсахурдия. Их наши грузинские коллеги разыскивают.

— Да? — удивился я.

— Особенно этого, — и он показал на Тамаза. — Это бывший заместитель руководителя «Мхедриони». У нас есть данные, что он в России, точнее, в Москве.

Но я снова покачал головой и сказал, что ничем помочь им не могу.

— Ну ничего, ничего! — сказал фээсбэшник.

— Ну что, — улыбнулся я, — теперь, наверное, у вас интерес ко мне пропал? Вы не поможете мне восстановить водительское удостоверение?

— Нет, напротив, раз обещали, мы все выполним.

Действительно, через несколько дней мне позвонил начальник следственного отдела, куда я обращался первый раз, и предложил прийти к нему и написать заявление по поводу возбуждения уголовного дела по факту кражи. Единственное условие — чтобы я написал, что документы у меня были похищены не в этом ресторане, а из машины, которую они мне указали. Вскоре я получил соответствующую справку, чтобы через ГАИ без всяких проблем получить новое водительское удостоверение, что я вскоре и сделал.

Приближался суд. Перед судом мне позвонила Майя и попросила о встрече. Я встретился с ней. Она сказала, что на суд прийти не может, но хотела бы подъехать до суда и посмотреть издалека, как повезут Георгия. Я стал убеждать ее, что она не увидит его, так как машина, на которой привозят заключенных, заезжает во внутренний двор суда, куда не пускают посторонних, и никто никогда не видит, как людей выводят из машины.

Но Майя настаивала, что она подъедет за полчаса до начала суда.

В день суда я приехал на полчаса раньше. Обратил внимание, что уже подъехали практически все адвокаты, многочисленное семейство Георгия почти в полном составе, и чуть позже прибыл потерпевший. Его привезли на черной «Волге» руоповцы. Повсюду за ним ходили четыре человека. Вероятно, угроза была реальной для потерпевшего, поэтому правоохранительные органы и приняли столь серьезные меры предосторожности.

Я подъехал к зданию суда и обратил внимание, что Майи рядом со зданием не было. Вдруг заметил, как черный «шестисотый» «Мерседес» с двумя мощными антеннами помигал мне фарами. Я подъехал ближе. Из «Мерседеса» вышла Майя. Я увидел, что в машине сидят еще какие-то люди, но стекла были тонированными, и через них не было видно, ни сколько человек в салоне, ни кто они. Я вопросительно взглянул на Майю, как бы спрашивая, что это за люди.

— Это мои близкие друзья, — ответила Майя и стала говорить, как сильно она волнуется, что ей очень хочется пойти на судебное заседание, но в силу создавшейся семейной обстановки она не может этого сделать — на суд приехали не только близкие, но и дальние родственники Георгия.

Неожиданно она сказала:

— А вы не могли бы взять вот эту ручку и положить ее в нагрудный карман?

— Для чего? — поинтересовался я.

— Просто Георгий знает эту ручку, и мы с ним договорились заранее, что это будет условным знаком, что я нахожусь рядом.

Я прекрасно понимал, что скорее всего это никакой не условный знак, что ручка радиопередатчик, с помощью которого будет осуществляться трансляция в «Мерседес», стоящий недалеко от здания суда. В конце концов, заседание открытое, и любой человек может свободно пройти в зал и слушать. Поэтому я сказал:

— Хорошо, я это сделаю.

— Вот так положите ее, — Майя прикрепила ручку сама.

Издалека Георгий никак не мог разглядеть, есть у меня в кармане ручка или нет. Ясно было, что это просто предлог. Но я сделал вид, что ничего не понял.

Затем начался суд. Действительно, родственники Георгия приехали почти в полном составе — человек тридцать. Я сразу поймал на себе враждебные взгляды. Ко мне подошел дядя Георгия и стал интересоваться, кто пригласил меня в дело. Я хотел было сослаться на своего коллегу-адвоката, но с удивлением заметил, что того нет в зале, и понял, что он не будет принимать участие в процессе. Другие адвокаты не были знакомы со мной, как и я с ними. Я попал в странное положение. Если скажу, что меня пригласила Майя, я подведу ее. Тогда я решил сделать просто.

— Спросите самого Георгия, — сказал я, прекрасно зная, что они не имеют такой возможности, так как он находится под охраной конвоя.

Дядя понял, что от меня ничего не добьешься, и, недовольный, отошел.

— Собственно, если хотите, я могу и не принимать участия в этом процессе, — сказал я ему вслед.

Дядя повернулся и сказал:

— Это было бы лучше.

— Только сначала я должен спросить согласия у

своего клиента. Если он откажется от моего участия в процессе — ради Бога, я готов.

Я понял, что произошла утечка информации. А может быть, родственники Георгия догадывались, с кем я связан, потому что единственная причина препятствия моему участию в процессе, конечно, было то, что я связан с Майей.

Когда прозвучал вопрос судьи об отводе прокурора, судей и адвокатов, со стороны Георгия и других лиц никаких отводов не последовало.

Вначале суд проходил в достаточно плохом для нас варианте, то есть обвинение выдвинуло все козыри против Георгия: что он являлся бандитом, руководителем преступного сообщества, что его цель — незаконное похищение людей с последующим вымогательством крупных сумм денег и так далее. Затем стали выступать свидетели, сам Георгий и его защита.

Георгий стал говорить, что, как вор в законе, он не имеет права самолично исполнять преступления, носить оружие, пытать или похищать людей. Он может только давать указания или быть кем-то вроде арбитра. Я понимал, что Георгий выбрал правильную, наиболее реальную позицию. Зачем говорить, что он не осуществлял этого преступления, когда проще подавать дело так, что он не мог совершить его в принципе.

Когда дошла очередь до моих статей, я без труда сумел убедить суд в том, что Георгий не мог в помещении московского РУОПа, находясь в наручниках, под непрестанным наблюдением оперативных работников, оказать им какое-то сопротивление, потому что возможности к побегу или иным действиям просто не было. К тому же милиционер, который был тогда дежурным на проходной, дал положительные для нас показания.

Суд продолжался несколько дней. Наконец наступил заключительный, четвертый день. Судья зашел в тупик. После совещания суд вынес такое постановление: в связи с тем, что образовались многие процессуальные провалы, а также обвинение не представило в полном объеме доказательств причастности Георгия к преступлению, дело направляется на доследование. Но все ходатайства защиты о том, чтобы изменить Георгию меру пресечения, судом были полностью отвергнуты со ссылкой на то, что Георгий представляет высшую степень опасности для общества, а также может скрыться от правосудия.

Конечно, мы были готовы к такому повороту. Но все же для нас это была победа.

Прошло немного времени. Я продолжал выполнять поручения Майи. Наступило второе заседание, на котором нам удалось сделать многое. Во-первых, мы сумели вывести из-под обвинения и добиться прекращения дела в отношении знакомых и друзей Георгия, доказать их непричастность к факту хищения, поскольку двое имели железное алиби — один в это время находился на лекциях, о чем рассказали свидетели из Тбилисского университета, где он учился, а второй был в другом городе, и в подтверждение этого мы сумели представить авиационные билеты.

Наконец свершилось самое главное — нам удалось перевести стрелки на потерпевшего. Мы доказали, что он мошенник, что должен крупные суммы денег, и что одна из его уловок, чтобы не платить ничего, по его версии, — это спровоцировать свое собственное похищение, или «наезд», что люди приходили просто со словами вернуть деньги, с просьбами, никакого физического насилия совершено не было.

Суд удалился на совещание. Каково же было наше удивление — мы, честно скажу, не ожидали такого, — когда суд удовлетворил в отношении нас все ходатайства, и дело вновь было направлено на доследование. Но поскольку уже прошло два года, по существующему законодательству Георгия уже не могли больше держать под стражей. Суд выпустил Георгия под крупный залог, который был моментально собран и внесен.

Как только Георгий вышел на свободу, он, как я

узнал позже, тут же женился на Майе. Дальнейшую судьбу Георгия я не знаю, так как больше участия в этом деле не принимал. Но скорее всего дело в отношении его было прекращено.

Вот так закончилась моя работа и мои контакты с женой еще одного вора в законе.

Я больше никогда не встречал ни «переводчика», ни Майю, ни Георгия. Продолжал заниматься своей адвокатской практикой. Стали звонить новые клиенты, появлялись жены моих новых клиентов. Жизнь не стоит на месте...

Литературно-художественное издание

Карышев Валерий Михайлович

БАНДИТСКИЕ ЖЕНЫ

Ответственный редактор *С. Рубис*
Художественный редактор *С. Лях*
Технический редактор *Н. Носова*
Компьютерная верстка *Г. Клочкова*
Корректор *Э. Казанцева*

ООО «Издательство «Эксмо»
127299, Москва, ул. Клары Цеткин, д. 18, корп. 5. Тел.: 411-68-86, 956-39-21.
Home page: www.eksmo.ru E-mail: info@eksmo.ru

По вопросам размещения рекламы в книгах издательства «Эксмо»
обращаться в рекламный отдел. Тел. 411-68-74.

Оптовая торговля книгами «Эксмо» и товарами «Эксмо-канц»:
ООО «ТД «Эксмо». 142700, Московская обл., Ленинский р-н, г. Видное,
Белокаменное ш., д. 1. Тел./факс: (095) 378-84-74, 378-82-61, 745-89-16,
многоканальный тел. 411-50-74.
E-mail: reception@eksmo-sale.ru

Мелкооптовая торговля книгами «Эксмо» и товарами «Эксмо-канц»:
117192, Москва, Мичуринский пр-т, д. 12/1. Тел./факс: (095) 411-50-76.
127254, Москва, ул. Добролюбова, д. 2. Тел.: (095) 745-89-15, 780-58-34.
www.eksmo-kanc.ru e-mail: kanc@eksmo-sale.ru

Полный ассортимент продукции издательства «Эксмо» в Москве
в сети магазинов «Новый книжный»:
Центральный магазин — Москва, Сухаревская пл., 12
(м. «Сухаревская», ТЦ «Садовая галерея»). Тел. 937-85-81.
Москва, ул. Ярцевская, 25 (м. «Молодежная», ТЦ «Трамплин»). Тел. 710-72-32.
Москва, ул. Декабристов, 12 (м. «Отрадное», ТЦ «Золотой Вавилон»). Тел. 745-85-94.
Москва, ул. Профсоюзная, 61 (м. «Калужская», ТЦ «Калужский»). Тел. 727-43-16.
Информация о других магазинах «Новый книжный» по тел. 780-58-81.

В Санкт-Петербурге в сети магазинов «Буквоед»:
«Книжный супермаркет» на Загородном, д. 35. Тел. (812) 312-67-34
и «Магазин на Невском», д. 13. Тел. (812) 310-22-44.

Полный ассортимент книг издательства «Эксмо»:
В Санкт-Петербурге: ООО СЗКО, пр-т Обуховской Обороны, д. 84Е.
Тел. отдела реализации (812) 265-44-80/81/82/83.
В Нижнем Новгороде: ООО ТД «Эксмо НН», ул. Маршала Воронова, д. 3.
Тел. (8312) 72-36-70.
В Казани: ООО «НКП Казань», ул. Фрезерная, д. 5. Тел. (8432) 70-40-45/46.
В Киеве: ООО ДЦ «Эксмо-Украина», ул. Луговая, д. 9.
Тел. (044) 531-42-54, факс 419-97-49; e-mail: **sale@eksmo.com.ua**

Подписано в печать с готовых диапозитивов 15.03.2005.
Формат 84×108 $^1/_{32}$. Гарнитура «Таймс». Печать офсетная.
Бум. тип. Усл. печ. л. 20,16. Уч.-изд. л. 17,2.
Тираж 4100 экз. Заказ № 6601

Отпечатано в полном соответствии
с качеством предоставленных диапозитивов
в ОАО «Можайский полиграфический комбинат».
143200, г. Можайск, ул. Мира, 93.